GESICHT EINES MANNES

B. ROMAN

Übersetzt von
JOHANNES SCHMID

VORWORT

Als selbstständige Autorin und Herausgeberin habe ich mein Bestes getan, um die Gesetze und die gerichtlichen Verfahren des Staates Kalifornien genau zu recherchieren und wiederzugeben. Sollten mir etwaige Fehler unterlaufen sein oder ich Lizenzen verletzt haben, dann deshalb, weil ich eine fesselnde Geschichte schreiben wollte. Ich hoffe, das ist mir gelungen.

Ein großer Dank an meinen Verlag, Next Chapter, der meine schriftstellerischen Projekte unterstützte und sie als wert erachtete, in das Portfolio der Bücher von Next Chapter aufgenommen zu werden. Danke, dass auch ich mich in die Riege dieser überaus talentierten Autoren einreihen darf.

KAPITEL EINS

Vor 15 Jahren

SIE MÖCHTE NUR EIN KLEINES FEUER ANZÜNDEN, um ihre Angst zu lindern. Das Eichenholz wird sich schnell entzünden und sie ist voller Vorfreude auf die goldenen Lichtsäulen, die bald die Dunkelheit erhellen werden. Der Reiferaum am anderen Ende des Weinbergs ist ihre Zuflucht, der geheime Ort, an den sie sich zurückzieht, wenn sie sich einsam fühlt und sich nach der Mutter sehnt, die sie im Stich ließ. Ein kleines Fass ist alles, was sie an diesem Abend braucht. Die symbolische Zerstörung der wertvollen Weinkellerei ihres Vaters.

Sie hatte immer wieder kleinere Feuer gelegt, als Kind mit Streichhölzern gespielt und im Mülleimer in ihrem Zimmer Papier verbrannt. Zunächst war es nur bizarre Neugierde, jetzt aber, wo ihr persönlicher Schmerz zunimmt, braucht sie den Nervenkitzel umso mehr. Es ist die Schuld ihres Vaters, dass ihre Mutter ins Familiendomizil nach Spanien floh und er hat ihr verboten, ihr dorthin nachzufolgen. Eigentlich ist sie eine Gefangene, während Miguel, ihr Störenfried von Bruder, die Zeit und Aufmerksamkeit ihres Vaters beansprucht, wenn dieser immer wieder seinen Kopf aus der Schlinge ziehen muss.

Sie träufelt das Feuerzeugbenzin auf das Fass und entzündet es gekonnt mit einem langen Streichholz des Kamines. Das Eichenfass brennt schon bald lichterloh und verspricht, lange und gemächlich abzubrennen. Völlig unerwartet fliegt Glut in eine Dose hoch entzündlichen Äthylalkohols, die jemand leichtsinnigerweise offen stehen ließ. Ein knisterndes, platzendes, zischendes Geräusch ertönt, als das Feuer sich seinen Weg bahnt und in Kürze den ganzen Schuppen entzündet. Die Flammen sind höher, als sie erwartet hatte, das Inferno ausladender, als sie es geplant hatte. Beißender, schwarzer Rauch steigt auf und sie kann fast nichts mehr sehen, bleibt aber, wo sie ist, ist beeindruckt und benommen. Sie atmet schwer, das kommt aber nicht vom Rauch. Ein reifes Mädchen hat zum ersten Mal orgiastisches Vergnügen erfahren. Dieser Anblick ist gefährlich, zugleich aber auch magisch. Dass ihr Herzschmerz nachgelassen hat, ist herrlich. Ihr bisher schönstes Feuer.

Anabel keucht überrascht, als sie auf die Beine gestellt und in die drückend heiße Nachtluft hinausgetragen wird. Sie ist geschmeidig und leicht und Francos starke Arme tragen sie mühelos aus der Gefahrenzone.

„Was hast du getan, Anabel?", herrscht Franco die Tochter seines Chefs an. „Was hast du diesmal angestellt?", fragt er, nimmt dann den Schlauch von der Rolle und rennt zurück in die brennende Höhle.

Nein. Das kann sie nicht zulassen. Sie kann es nicht zulassen, dass er ihr diesen Kick nimmt. Sie stellt den Schlauch ab und Franco schaut verwirrt, als aus dem Schlauch nur noch ein unscheinbares Rinnsal kommt. Innen explodiert etwas und Fragmente der Hütte fliegen in alle Richtungen. Er schreit wie ein Tier, ein qualvolles Geräusch, das ein Mensch nicht imitieren könnte. Flammen steigen seinen ganzen Körper empor, Anabel kann aber seinen Schmerz nicht nachfühlen. Sie hat ihren Körper verlassen und ist in einer Welt der Glückseligkeit.

Franco Jourdain stirbt, hinterlässt eine Frau und einen Sohn. Als sie Zeugin des kaleidoskopischen Aufruhrs wird, den sie verursachte, versetzt das die Jugendliche, Anabel Estrella Ibarra, in eine Ekstase, die alles übersteigt, was sie bisher erlebte.

———

DAS SCHARFE ENDE einer zerbrochenen Bierflasche fährt über Miguels Wange. Er schreit vor Schmerzen. Blut läuft über sein Kinn. Er fasst mit der Hand hoch, will die Blutung stoppen, es ist aber zwecklos. Der Schock wird zu machohafter Wut und genussvoll stürzt er sich auf seinen Peiniger. Mit dem Kopf rammt er ihn, sodass er auf die Erde fällt. Als sie heftig miteinander ringen, beschmutzt Miguels blutige Hand das Hemd des Rüpels. Miguel atmet schwer und schüttelt seinen Kopf, um bei Bewusstsein zu bleiben. Er ist jung und stark, aber berauscht von zu viel Gin, und deshalb kein Gegner für den kräftigen Mann, der sich nun aufbäumt und droht, ihn entzwei zu reißen.

Miguel hört die Warnung des Barmanns, der einen Baseballschläger schwingt, sich draußen zu verprügeln, rennt zur Tür hinaus, dann zu seinem Auto, das, nur ein paar Schritt entfernt, wie ein treues Ross auf ihn wartet. Er springt ins Auto, dreht den Zündschlüssel und schaut nochmal in den Rückspiegel, um zu sehen, welchen Vorsprung er zu Bulldog hat, der ihn verfolgt.

Miguel rast vom Parkplatz und fährt eine Frau an, die das Pech hatte, gerade seinen Weg zu kreuzen. Sie fliegt durch die Luft, landet auf der Windschutzscheibe, die ganz bleibt, aber Miguel sieht nichts mehr. Ungewollt gibt er Gas und fährt sie nochmals an, als sie von der Motorhaube rollt und auf den Boden fällt. Panisch springt er aus dem Auto, dessen Motor noch läuft, rennt um sein Leben, weiß nicht, ob das Opfer noch lebt oder tot ist, was ihm auch egal ist.

„Jesus, Maria und Josef!", schreit Bulldog, als er sie sieht und vollkommen vergisst, wen oder was er verfolgt. Er rennt zu der Frau, um zu sehen, ob sie noch atmet, muss sie aber umdrehen, wobei er nicht aufpasst und Blut an seine Hände kommt. „Jesus, Maria und Josef." Er weiß, sie ist tot und er kann ihr nicht mehr helfen. Er nimmt ihre Brieftasche, sucht darin nach Bargeld, lässt sie aber fallen, als er die Sirene des Polizeiautos hört, das sich dem Unfallort nähert. Hastig steht er auf und stützt sich dabei an der Motorhaube des Autos ab, auf der nun sein blutiger Handabdruck zu sehen ist.

Bulldog springt in Miguels Auto und sie rast die Straße hinunter.

„Mann. Oh, Mann. Was, zum Teufel, soll ich jetzt tun?", fragt Bulldog, der aus seiner geistigen Umnachtung erwacht ist und nun feststellen muss, dass das Auto viel mehr wert und voller DNS-Spuren ist. Er merkt, in Einzelteilen ist es viel mehr wert, deshalb begibt er sich zu Whiteys illegaler Werkstatt, wo man es auseinander-nimmt.

„Was ist euch denn passiert?", fragt Whitey als er Bulldogs zerfetzte Kleidung und die Blutspritzer sieht.

Bulldog bekommt noch immer kaum Luft. „Eine Kneipenschlägerei mit einem jungen Punk. Aber ich habe ihn Mores gelehrt. Sein spitzbübisches Gesicht ist jetzt total vernarbt."

In den Jahren, in denen er mit niederem Abschaum wie Whitey zu tun hatte, bekam Whitey eine dicke Haut und kümmerte sich nur noch um das „Geschäft". Normalerweise scherten ihn die Umstände oder Verbrechen, die damit einher gingen, wenig. Aber nicht diesmal, bei diesem Auto.

Whitey schaut vom Frontspoiler zum Heckspoiler des leuchtend roten Zonda und pfeift leise und hochachtungsvoll vor sich hin. „Wo hast du diesen heißen Schlitten her? Und ich *meine* heiß."

„Beim Preiskampf gewonnen", antwortet Bulldog, was nicht mal direkt gelogen ist.

„Du meinst, der gehörte dem Milchgesicht, das du verprügelt hast."

„Ja. Jetzt aber nicht mehr. Was gibst du mir dafür? Ist er viel wert?"

Whitey weiß, dass Bulldog, was Autos und ihren Wert angeht, ein kompletter Idiot ist. Weiter als bis zu seiner nächsten Flasche Whisky und einer Nacht bei einem Stricher, reicht sein Verstand nicht, er ist also ein kleiner Gangster.

Als er die Front des Autos betrachtet, meint Whitey: „Ein schönes Auto, aber ein paar Beulen und Kratzer hat es. Was ist passiert, ein Wildunfall?"

„Als ob es hier in der Gegend Wild gäbe",

antwortet Bulldog zitternd, als er hart auf dem Boden der Realität aufschlägt. „Schluss mit den Faxen und sag mir den Preis, verdammt."

Whitey antwortet cool und unbeirrt: „Wir kommen schon ins Geschäft. Aber ich muss das Auto inspizieren und schauen, was für ein Aufwand es ist, es zu zerlegen und zu entladen, dann erst kann ich dir ein Angebot machen. Komm morgen wieder, dann gebe ich es dir in bar."

„Morgen? Ich brauche das Geld jetzt, vielleicht um eine Weile die Seele baumeln zu lassen."

„Tut mir leid Bulldog, ich schließe bald. Meine Mitarbeiter sind schon weg, die Maschinen sind ausgeschaltet und mein Computer ist heruntergefahren", erklärt Whitey, was für Bulldog so viel heißt, er ist nicht in der Position zu feilschen. „OK. OK. Morgen. Als allererstes. Sobald du öffnest, bin ich hier."

„Ich bin dort, wenn du kommst. Und bis wir uns wiedersehen, hast du besser dieses Hemd weggeschmissen."

Whitey schließt die Ladentür hinter Bulldog und schaut den Zonda von oben bis unten an. Nur einen Menschen kennt er, dem dieser Wagen gehört, nur einen Mann, der es sich leisten konnte, ihn für seinen Sohn zu kaufen, unter der Hand bei Whitey. Schnell wählt er seine Telefonnummer. „Hei, Ibarra", begrüßt er den Mann auf der anderen Leitung. „Wir haben ein Problem..."

7

Minuten später zieht sich Whitey weiße Baumwollhandschuhe an, stülpt sich Überschuhe über seine öligen Schuhe und knöpft seinen sauberen Kittel zu. Er fährt das Auto ein paar Blocks von der Bar weg, wie vereinbart, die Rücklichter hat er aus, dann parkt er es in einer dunklen Gasse und lässt den Zündschlüssel stecken. Er fasst nichts an und hinterlässt weder einen Fingerabdruck noch sonst etwas, das zu ihm führen könnte. Fahrzeug-Identifikationsnummer, wie auch die gefälschten Nummernschilder, wurden entfernt, der Innenraum gereinigt. Das Auto kann man nicht mehr zurückverfolgen. Er zieht den Kittel, die Überschuhe und Handschuhe aus, stopft sie in seine Sporttasche und kehrt unbemerkt in sein Geschäft zurück.

Miguel stolpert ins Haus seines Vaters und konfrontiert seinen sichtlich schockierten Vater: „Paps, du musst mir helfen." Er ist außer Atem, denn die acht Kilometern von der Bar zum Haus, das neben einem Feldweg, fern von neugierigen Blicken liegt, ist er gerannt.

Amador Ibarra erschrickt, als er die Verletzung seines Sohnes sieht. „Was ist passiert? Dein Gesicht! Wer war das, Miguel?"

„Ein Rüpel in einer Bar. Ich weiß nicht mal mehr, worum es überhaupt ging. Er schnitt mich mit einer kaputten Bierflasche."

„Was meinst du mit, du weißt es nicht mehr? Warst du so betrunken?", fragt Ibarra Senior, schüttelt verächtlich den Kopf und möchte seinen Sohn vor der Dummheit bewahren, die Lage wieder falsch einzuschätzen. „Ich rufe einen Arzt."

„Nein. Es darf keiner erfahren, was geschah."

„Du sagtest aber, es war nur eine Kneipenschlägerei. Nicht deine erste."

„Es war nicht nur die Schlägerei. Ich glaube...ich glaube, ich habe jemanden umgebracht, eine Frau."

Ibarra schaut ganz benommen. Das ändert alles. „Was soll das heißen, Miguel? Wie hast du jemanden getötet? Erzähle mir alles."

Der Junge, gerade 18, noch immer ein Hitzkopf und grün hinter den Ohren, bricht in Tränen aus und faselt vom Auto, der Frau, der Leiche und seiner Flucht.

„Mein Gott. Du hast eine Frau auf der Straße krepieren lassen? Ich weiß nicht, wie ich das hinbiegen soll, Miguel. Halt...wo ist dein Auto? Ist es noch dort?", fragt er, denn er kann seinem Sohn nicht sagen, was er weiß, ehe er die ganze Geschichte hört.

„Ich...ich weiß nicht. Ich ließ es stehen und floh."

„Dass es jeder sehen und identifizieren kann! Lass mich nachdenken." Ibarra reibt verlegen seine Stirn. „Geh hoch und verbinde dir diese Schnittwunde. Ich rufe Dr. Ruiz. Er ist diskret."

„Danke, Papa. Ich schulde dir was. Was es auch sei. Bring das nur in Ordnung."

———

HELENA MORALES ZÖGERT, das Tranchiermesser noch in der Hand. Sie ist eine begabte Köchin und hat das Talent von ihrer Mutter geerbt, die Helena außerdem ein Set handgefertigter Messer schenkte, auf deren Elfenbeingriffen die Initialen H.M. eingraviert sind. Als sie hört, wie die Fliegengittertür auf und zu geht, dreht sie sich erschrocken um.

„Ach, du bist es", sagt sie, legt ihr Messer ab, an dem Kalbshirn klebt und schickt den ungebetenen Gast wütend fort.

„Bitte, Helena. Ich muss mit dir sprechen. Es ist mir unangenehm, wenn du wütend bist."

„Das ist nicht das erste Mal. Mit mir kannst du nicht spielen. Lass mich allein."

„*Mi Amor,* bitte, lass es mich erklären." Er nimmt ihre Hände, sie reißt sich aber los.

„Nein. Keine weiteren Lügen. Ich habe genug davon. Ich hätte mich nach Francos Tod nie auf dich einlassen sollen." Als sie sich daran erinnert, wie grausig ihr Mann ums Leben kam, macht Helena ein schmerzverzerrtes Gesicht.

Er versucht, ihr Honig ums Maul zu schmieren und streichelt ihre Wange. Helena schiebt ihn kräftig von sich und richtet das Messer auf ihn. Er stolpert und landet mit dem Rücken auf der Küchentheke. Ein stechender Schmerz durchzuckt ihn. „*Ach, du*

Schande! Schlampe! Ich zeig dir, was Schmerzen sind."

Er tritt ihr gegen das Schienbein, sie ist abgelenkt und lässt das Messer fallen. Er packt sie am Arm und dreht ihn hinter ihren Rücken. Nun schreit sie: „Hör auf! Hör auf! Du brichst mir den Arm!"

Er lässt etwas nach und Helena fällt auf die Knie. „Raus hier! Du bist verrückt!"

„Verrückt nach dir. Ich liebe dieses Feuer an dir.

Er packt sie an ihren gepflegten Haaren, die ihr bis zur Hüfte reichen, und versucht sie von hinten aufzurichten, Helena rappelt sich auf und stürzt sich auf ihn. Sie greifen beide gleichzeitig nach dem Messer. Ein verbissener Kampf entbrennt, den aber nur einer gewinnt. Im nächsten Augenblick ist alles vorbei. Die 15 cm lange Klinge versinkt in ihrem Brustkorb und Helena liegt auf dem Boden, in einer Lache ihres eigenen Blutes.

Als er Helenas leblosen Körper berührt, ist Amador Ibarra bis ins Mark erschüttert. *„Dios mio. Mein Gott!"*, fleht er. *Lo he hecho!* Was habe ich getan?!" Er lässt das Messer fallen und steht vom Boden auf. Helenas Blut vermischt sich nun mit seinem Blut, das aus einer Schnittwunde an Amadors Hand tropft. Keuchend wischt er sie an seinem Hemd ab. Die feurige Wut eines Latinos ist nun blanker Angst gewichen.

„Was mache ich nur? Was mache ich nur?" Er erschrickt, als er hinter sich Schritte hört, dreht sich um und sieht den letzten Menschen, den er sehen will, durch die Tür kommen.

„Mein Gott, Paps!", ruft er und Miguel Ibarra ist starr vor Schreck, als er sieht, was sein Vater angerichtet hat. In einer Küche, die einst erfüllt war von vergnügtem Lachen und dem Duft von Helenas beeindruckender Küche, breitet sich nun der Geruch von Blut und Tod aus. Er nimmt ein Geschirrtuch und wickelt die Hände seines Vaters darin ein. „Raus hier", befiehlt er. „Raus jetzt, bevor noch jemand kommt."

Amador Ibarras gewaltige Gestalt wirkt nun kümmerlich und klein, denn Angst überkommt ihn. Er kann kaum fragen: „Was hast du jetzt vor?"

„Ich weiß nicht, Papa, aber du musst weg. Wusste irgendwer, dass du hierherkamst?"

„Nein, ich nahm den alten Pick-up und außer Helena war niemand hier. Aber du; warum bist du hier? Wie ...?"

Sein Sohn antwortet mit einer Gegenfrage: „Hast du irgendetwas angefasst? Sind irgendwo deine Fingerabdrücke drauf?"

„Ich ... ich weiß nicht mehr ... nein. Nein! Nur auf dem Türknauf. Auf der Türscheibe. Auf dem Messer..."

„Geh nach Hause. Wasche dich gründlich und verbrenne die Klamotten. Gib acht, dass dich keiner sieht. Den Truck wäschst du innen und außen!"

Wie ein betrunkener, alter Mann taumelt

Amador zur Küchentür hinaus und in Sekunden schleudert sein alter Truck Dreck auf, als er sich aus der Gefahrenzone bringt.

Miguel beugt sich über sie, um festzustellen, ob Helena noch atmet. Sie rührt sich nicht und gibt auch keinen Ton von sich. Ihre ausdruckslosen Augen stehen offen. Er nimmt ein Küchentuch und wischt die Türklinke ab. Als er das blutverschmierte Messer neben ihr sieht, wickelt es Miguel in dieses Küchentuch.

Oben ist der 16-jährige Marcus Jourdain voll und ganz mit seinem neuen Modellflugzeug beschäftigt. Das geschmeidige Flugzeug fliegt lautstark seine Bahnen, als Markus es gekonnt mit der Fernbedienung steuert. Kunstvoll lässt er den Mini-Kampfjet aus dem Fenster seines Schlafzimmers im zweiten Stock fliegen. Er macht Loopings, Rollen, fliegt auf dem Kopf, dann wieder normal. Aber dann, ohne Vorwarnung, stürzt das Flugzeug zur Erde.

„Nein, nein, nein! Mist", ruft Marcus, öffnet die Schlafzimmertür und rennt, zwei Stufen auf einmal, die Treppe hinunter zum Wohnzimmer. Am Fuß der Treppe hält er abrupt an. Ein seltsames Geräusch schreckt ihn auf und er geht zur Küche.

„Mama?", schreit er.

„Mama?" Durch den offenen Flur sieht er, wie sich jemand bewegt. Ein Mann kniet neben seiner Mutter, die auf dem Boden liegt. Er erkennt den Einbrecher nicht, aber in der kurzen Zeit kann er die

Narbe auf seiner linken Gesichtshälfte sehen; ein hässlicher Schnitt, von der Wange bis zum Kinn. Blitzschnell verliert er den Mann aus den Augen.

———

Heute

„Marc? Nur weiter. Erinnerst du dich sonst noch an etwas?"

„Du weißt, das tue ich nicht. Von da ab kann ich mich an nichts erinnern. Immer wieder derselbe Traum."

„Und vor diesen Stimmen hast du nichts gehört?"

Er zeigt auf sich und antwortet: „Nein. Ich war so mit meinem neuen kleinen Spielzeug beschäftigt und meine Schlafzimmertür war geschlossen, deshalb hörte ich nichts."

Dr. McMillan schlägt noch mehr Therapiesitzungen und Hypnose vor, um Marc zu helfen, sich zu erinnern, aber sein Patient zögert.

„Ich möchte mich selbst erinnern. Ich verstehe nicht, warum ich es nicht kann."

„Schock kann eine dissoziative Amnesie auslösen, wie ich vorhin sagte. Du kannst dich an alles von diesem Tag erinnern, bis auf die traumatischen Ereignisse, die mit dem Tod deiner Mutter zu tun hatten. Hypnose kann Wunder wirken, um diese Erinnerungen zu aktivieren. Als

Anwalt hattest du sicher mit Mandanten zu tun, die sich nicht mehr erinnern, ob sie jemanden getötet haben oder nicht."

„Ja, im günstigsten Fall. Nun ja, *ich* habe meine Mutter nicht getötet. Ich will diesen Kerl finden, dieses Gesicht mit der Narbe vergesse ich nie."

„An welche Einzelheiten seines Gesichts kannst du dich noch erinnern, außer der Narbe?"

„Ich denke, er war jung...älter als ich, aber jung, vielleicht 18 oder so. Dunkle Haare. Das wäre alles."

„Was ist mit dem Messer? Wurde es je gefunden?"

„Nein. Das ist auch so mysteriös. In all den Jahren tauchte es nirgends auf. Ich weiß nicht, was damit geschah."

„Es ist schon 15 Jahre her, dass du deine Mutter tot auf dem Küchenboden aufgefunden hast. Das ist ein schwerer Schock, besonders für einen Jugendlichen, Marc. Es ist nichts Ungewöhnliches, diese Erinnerungen zu unterdrücken. Manchmal geht das über Jahre. Manche Menschen erinnern sich nie, einfach weil sie es nicht wollen."

Marc schaut finster. „Das ist es ja. Ich will mich aber erinnern."

„Deinen Namen von Marcus Jourdain in Marc Jordan zu ändern, ist auch ein Zeichen, dass man Erinnerungen unterdrücken will, an die man nicht denken will", wirft Dr. McMillan ein. „Aber dich nicht erinnern zu wollen, wie dein Vater starb, könnte ebenfalls verhindern, dass du dich erinnerst, wie deine Mutter starb."

Marc sträubt sich gegen diese Anschuldigung. Als Anwalt fasst er alles, was er hört, als Anschuldigung auf. Er erhebt sich aus dem gepolsterten Stuhl und greift nach seinem Jackett.

„Man sagte mir, der Tod meines Vaters sei ein Unfall gewesen. Ich sah nichts, also ist das einzige, das ich vergessen will, die Trauer, die ich empfand, als ich hörte, dass er tot war."

„Deinen Namen zu ändern ist so, als weist du die Trauer einfach ab."

„Vielleicht gibt es eine einfachere Erklärung. Marc Jordan ist leichter zu buchstabieren und auszusprechen. Danke, Doktor. Ich habe heute Nachmittag einen Gerichtstermin in der Innenstadt. Ich gehe besser."

„Nächste Woche um dieselbe Zeit?"

„Ich weiß nicht. Ich schaue mal in meinem Kalender."

„Vielleicht arbeitest du zu hart, mein Anwalt. Hast du dir überlegt, dir eine Weile frei zu nehmen, irgendwohin zu fahren, dich zu entspannen, den Stress abzubauen? Das könnte dir helfen, dich zu erinnern."

„Das nehme ich mir oft vor, dann kommt aber immer was dazwischen."

„Marc, ich habe mich immer wieder gefragt, weshalb du als Strafverteidiger und nicht als

Staatsanwalt arbeitest. Ich könnte mir vorstellen, Verbrecher anzuklagen, wäre nur natürlich, bedenkt man, was du, wegen des Mordes an deiner Mutter, für eine Wut empfindest."

„Daran dachte ich lange", antwortet Marc und ruft seine eigenen Klischees ab. „Ich kam zu dem Schluss, dass das Strafrechtssystem sich gegen die Armen und Abgehängten richtet. Sie brauchen einen Anwalt."

„Denkst du, wenn du diese Mandanten verteidigst, findest du den Mörder deiner Mutter?"

Marc denkt darüber nach und nickt, denn diese Möglichkeit sieht er. „Ich habe immer noch die Hoffnung, dieser Kerl kommt in meine Kanzlei und gibt alles zu, ohne zu wissen, wer ich bin."

KAPITEL ZWEI

„Du bist ein richtiger Einsiedler, Marc. Wann hattest du zuletzt ein Date?", löchert ihn Ben Parker. Marcs bester Freund und Kollege ist ein Bluthund, aber nur, wenn es darum geht, seinen Freunden zu helfen, ein wenig Romantik zu finden. Er ist mit einer atemberaubenden Frau verheiratet, die er vergöttert.

Marc zieht eine Grimasse. „Ein Date? Was ist das? Du weißt, ich hasse es, in Bars zu gehen. Frauen, die vom Wein benebelt sind, reden zu viel, lachen zu laut und hoffen, sich einen Ehemann zu angeln."

Ben winkt ab. „Vergiss die Bars und das Fitnesscenter und all die anderen Orte zum Aufreißen. Du musst echt gutaussehende Frauen mit Klasse treffen. Frauen, die dir intellektuell das

Wasser reichen können. Und ich kenne da genau den richtigen Ort."

Marc muss kichern. „Intellektuell das Wasser reichen? Das klingt echt versnobt."

„Nein. Nur welche mit Klasse, ein Ort, wo deine Traumfrau auch noch einen Vater in einer hohen Position hat. Du weißt, für deine Karriere."

„Ein Golfclub? Wer kann sich die Beiträge schon leisten?"

Ben schüttelt den Kopf. „Eine Kunstgalerie. Eine Eröffnungsgala. Sie lieben die ganze Kunst und die meisten Typen, die kommen, sind schwul. Also hast du freie Bahn."

Mark runzelt die Augenbrauen. „Echt, Ben?

Ben geht schon fast im Stechschritt, damit er mit Marcs langen, gleichmäßigen Schritten mithalten kann. „Zweifelst du an mir? Du bist eine Sahneschnitte, Mann. Die meisten Kerle würden töten für dein Aussehen, und die Frauen sollten Schlange stehen, um dich zu bekommen. Außerdem ist das Essen fantastisch und der Wein fließt umsonst und in Strömen."

„Was für eine Art Kunst? Der ganze verstaubte Impressionismus interessiert mich nicht." Ben und Marc sind seit dem Studium befreundet und obwohl ihnen dieser Gedanke sicher einmal kommen muss, sie werden auf unterschiedlichen Seiten des Gerichtssaals landen.

„Hei, Merediths Arbeit ist nicht verstaubt", verteidigt Ben seine Frau, die moderne Künstlerin. „Sie ist großartig. Nun denn, ihre Arbeit wird in der Seitengalerie ausgestellt. Die Hauptausstellung in der Nähe seiner Wohnung. Bilder und Fotos über die Geschichte des Fliegens; von Da Vincis Ornithopter, über das Flugzeug der Gebrüder Wright, bis zur Concorde und darüber hinaus."

Marc tut diese Idee mit den Worten ab: „Klingt nach dem Museum für Luft- und Raumfahrt. Dort war ich schon unzählige Male. Nichts Neues."

„Nein, nein, nicht das", erklärt Ben mit seinem üblichen Übermut. „Eine private Galerie mit Werken, die man im Museum für Luft- und Raumfahrt nicht zu Gesicht bekommt. Unglaubliche Bilder, sehr eindrucksvoll, futuristisch und so. Es gibt auch Modelle zum Anfassen."

„Was?"

„Und Kaufen", antwortet Marc und grinst Ben fröhlich an. „Reden wir von Flugzeugen, Ben?"

„Komisch. Nun komm. Was, außer Fernsehen und Pizza essen hast du heute Abend noch vor?"

„Ich kann mich noch nicht ganz dafür begeistern."

„Weil ich dir das Beste noch gar nicht erzählt habe."

„Und das wäre?"

„An einem Wochenende wird ein Flug mit einer Cirrus SF50 Vision Jet verlost, die du sogar selbst fliegen kannst. Die Maschine ist eine Schönheit." Seit sie zusammen studiert hatten, hatte Ben ein offenes Ohr für Marcs Faszination, was das Fliegen angeht. Manchmal hörte er ganz aufmerksam zu, manchmal mit glasigen Augen wegen der vielen, langweiligen Details. Aber er will nicht, dass sein bester Freund eine solche Gelegenheit verpasst.

Erstaunt macht Marc mitten unter ihrem Power-Walking eine Pause. „Was? Dieses Flugzeug kostet zwei Millionen. Diese Lose müssen ein Vermögen kosten."

„Nicht wirklich. Es ist eine Werbemaßnahme, nur für Menschen mit einem Flugschein. Werfe einfach deine Visitenkarte in den Trichter. Wenn du gehst, nerve ich dich nie wieder, versprochen."

„Ich nehme dich beim Wort. OK, ich bin dabei. Nur dieses eine Mal. Und diese Tombola sollte ich besser gewinnen."

„Und wenn es so kommt, will ich dein erster Passagier sein", lacht Marc, als er an Bens Gesichtsausdruck denkt, wenn er fliegt.

MÄNNER in blassblauen Sakkos und farbigen Pullovern und Frauen in kurzen Röcken und Espadrilles zeigen ihre Beine und prahlen hin und wieder mit ihrem Halbwissen, ihre Tulpengläser in Händen.

Marc ist beeindruckt vom stilistischen Design der

Galerie, obwohl er überhaupt nichts über das Design von Galerien weiß. Aber diese hier ist groß und weitläufig, fast wie ein Hangar, mit Miniaturausgaben von Prototypen von Flugzeugen aus jedem Jahrhundert. Sie sind detailgetreu nachempfunden und hängen von freien Holzbalken. Lebensgroße Nachbildungen von berühmten Flugzeugen, daneben Bilder von ihren Entwicklern, hängen an den Wänden und entführen den Besucher in die Traumwelt eines jeden Flugzeugliebhabers. Wiley Post, der als erster allein mit dem Flugzeug die Welt umrundete, dann aber abstürzte, als es zu Komplikationen kam, als er in Alaska startete und dabei sein Leben verlor und der Komiker Will Rogers, der eine Schreibmaschine auf dem Schoß hatte, wenn er seine Zeilen schrieb. Die Spirit of St. Louis, in San Diego entworfen und gebaut, mit der der Pilot Charles Lindberg seinen ersten Alleinflug über den Atlantik unternahm.

Zwei vielschichtige Männer. Beide gewannen viele Preise und Medaillen aufgrund ihrer Verdienste für die Wissenschaft und die Menschheit. Einer war ein Sympathisant der Nazis, Antisemit und Bigamist, der andere hatte mehrere Vorstrafen wegen bewaffneten Raubüberfalls. Trotz ihrer Charakterschwächen bewundert Marc diese Menschen aufgrund ihrer historischen Errungenschaften und er merkt, wir sind alle berühmt, berüchtigt und alles nur Menschen, die sich so oder so verhalten, menschlich und alles dazwischen. Was am besten ist, sie konnten fliegen und entkamen so den Grenzen der Erde, um Helden der Lüfte zu werden.

Als er die eleganten Privatflugzeuge begutachtet, denkt sich Marc im Stillen, *ich möchte eines von beiden ... oder das hier...*denn sein Traum ist es, sein eigenes Privatflugzeug zu besitzen, mit dem er in die Ruhe eines wolkenlosen Himmeln fliegen kann. Das Programm der Ausstellung beinhaltet alle Positionen, samt Preis, bei dem Marc leise pfeift und ein Bild der Grafikdesignerin und Imageberaterin, Anabel Starr, einer exotischen Schönheit. Aber die Fluggeräte entfachen sein Verlangen und beflügeln seine Fantasie.

Als er sich zu einer anderen Nische dreht, ist er ganz verwirrt, denn er sieht das Flugzeug, das er als Kind durch sein Schlafzimmer steuerte, eine Nachbildung des A-10 Thunderbolt II. Marcs Blutdruck steigt. Die Erinnerung wird ihm wieder bewusst: Als er das Modell aus dem Fenster seines Schlafzimmers fliegen ließ und er es auf dem Zement unten zerschellen sah. Er rennt die Treppe hinunter und hält im Flur zur Küche an. Sie liegt blutüberströmt auf dem Boden. Der Mann mit der Narbe im Gesicht kniet über ihr. Er ist fast schon ein Mann, vielleicht 18 oder so, gutaussehend, bis auf die grausige Narbe, die von der Wange bis zum Kinn verläuft. *Mama?* Sie antwortet nicht.

Ihm wird mulmig und von seiner Stirn rinnt Schweiß, aber ein Duft weht ihm entgegen und der versetzt ihn wieder ins Hier und Jetzt.

„Also, von welcher träumst du?", sagt sie mit melodischer, seidenweicher Stimme. Als er den sinnlichen Duft von Jasmin riecht, dreht er sich um.

„Und weshalb denkst du, ich träume von einer?", erwidert Marc lächelnd, sei es das Thema Flugzeuge betreffend oder die schöne Frau mit den tiefschwarzen Augen, die ihm so gefährlich nahe kommt.

„Nun ja, Männer haben wenige Träume. Sie wünschen sich entweder ein schnelles Auto, ein schnelles Pferd oder ein schnelles Flugzeug. Außerdem bist du hier und betrachtest dies alles."

„Eigentlich wurde ich von Ben, meinem Kollegen, hierher geschleift. Seine Frau ist Künstlerin und hat im Nebenzimmer eine Ausstellung."

„Oh, ja. Meredith Parker. Ich liebe ihren lebendigen, spielerischen Stil mit den ausgefeilten Farben, die sie auf einer schönen Leinwand zur Geltung brachte."

„Ich habe keine Ahnung, was Sie gerade sagten. Sind Sie auch ein Künstler?" Marc sucht auf ihren schlanken Fingern mit den gepflegten Nägeln nach Farbflecken.

„Nun, ja und nein. Ich male oder radiere nicht, muss aber künstlerischen Instinkt walten lassen, um mein unterschiedlichstes Klientel in bestem Licht dastehen zu lassen und ihnen etwas zu beweisen. Wie klingt das?"

„Ich bin sprachlos vor Bewunderung."

„Und was machen Sie? Mr. ...?"

„Marc. Marc Jordan. Ich bin Anwalt. Strafverteidiger, genauer gesagt."

„Tatsächlich. Ein löblicher Beruf. Sehr angenehm, Marc Jordan." Sie streckt die Hand aus und Marc spürt die Wärme und das einladend Verführerische in ihrer Berührung.

———

MARC ERLIEGT IHR VÖLLIG: Der Wärme, der Begrüßung und der Verführung. Er kann es noch so sehr versuchen, ihrer tiefen Leidenschaft kann er nicht widerstehen, auch nicht den Drang nach Spannung stillen, der in ihm gärt. Das Feuer in Anabel schürt ihr Verlangen und ihr bestimmendes Temperament zieht ihn direkt in seine erbarmungslose Hitze. Gegensätze ziehen sich an. Anabel ist fordernd, bekommt alles, wonach sie sich sehnt, während Marc, als er einen Blick in sein verschlossenes Selbst wirft und sich nur an die eine Sache erinnert, die er wirklich vergessen will.

Marcs wenige Beziehungen in der Vergangenheit

waren oberflächlich und seine Emotionen erreichten nie diesen Höhepunkt wie jetzt mit Anabel. Ist es möglich, von Pheromonen oder einer unsichtbaren Kraft „besessen" zu sein?

Er hat kaum Kontrolle über seine Emotionen, wenn sie in seiner Nähe ist. Dann kann er nur an sie denken, als hätte sie das Schicksal zusammengeführt.

In der Innenstadt hat er ein Loft, nicht aber in einer der Millionen Dollar teuren Eigentumswohnungen, im Convention Center, für die seine Brieftasche einfach nicht dick genug ist, sondern in einem reizenden, alten Gebäude, das mal ein Hotel war und spanischen Charme versprüht. Ihm gefällt, dass es nur einen Fußmarsch zu allen Orten liegt, die für seinen Beruf wichtig sind, er dabei aber noch einen Blick auf den Hafen Embarcadero, mit seinen Schiffen, den Geschäften, den Fähren und der Bucht hat. Er und Anabel verbringen so viel Zeit dort, wie es ihr Arbeitspensum zulässt und erkunden sich, körperlich, erotisch, heiß.

„Ana, ich kenne jeden schönen Zentimeter von dir, weiß aber irgendwie nicht, wer du bist. Mir fehlen ein paar Puzzlestücke."

„Hat eine Frau Geheimnisse, ist das sehr romantisch, hörte ich. Und du weißt, was ich über Romantik denke." Sie schmiegt ihren Körper so nahe an seinen, dass er das Gefühl hat, sie könnte mit ihm verschmelzen, als vereine sie ein Gestaltenwandler.

„Aber du redest nie über deine Familie oder deine Kindheit", sagt Marc, dabei ist er es doch, der am wenigsten über seine Familie oder seine Kindheit spricht, die von zwei tragischen Todesfällen beendet wurde.

Anabel will nur verraten, dass ihr Vater ein zielstrebiger, erfolgreicher Geschäftsmann ist, ihre Mutter sie verließ, als sie ein Kind war und sie in Therapie musste, um damit umzugehen. Aber eine Sache, die sie von ihrer Mutter hat, ist ihr künstlerisches Talent und ihr Instinkt, der zu Anabels jetzigem Beruf führte.

„Sie lehrte mich Kunst, Sicht, Farbe, Raum, *Feng-Shui...*"

„*Feng-Shui?*"

„Ja. Das ist ein chinesisches Verfahren, das sich mit dem Studium von Menschen und der Beziehung zu ihrer Natur, besonders zu Hause und am Arbeitsplatz befasst. So will man maximale Harmonie erreichen, denn in China glaubt man, dass spirituelle Kräfte alle Orte beeinflussen."

„Du bist wortgewandt, Anabel", sagt Marc, der eine leichte Übertreibung in ihrer Beschreibung vernimmt. „Bei all der mystischen Vorgeschichte, passt der Name Star zu dir. Nun raus mit der Sprache. Ist er echt oder erfunden?"

„Nicht direkt erfunden. Mein zweiter Vorname ist Estrella, was Star bedeutet."

„Anabel Star. Du erhellst mein Leben", sagt Marc und hebt ihr Kinn mit zwei Fingern.

Sie lacht, aber mit sichtlicher Zuneigung. „Ach, bitte. Würde ich dich nicht so sehr lieben, würde ich sagen, das ist der kitschigste Satz, den ich je gehört habe."

KAPITEL DREI

Marc fliegt, so langsam es die Bestimmungen erlauben, über die Hochhäuser an der Küste San Diegos. Durch die großen Fenster des luxuriösen Privatflugzeugs, kann er alle Orientierungspunkte der Innenstadt sehen. Petco Park, wo die Padres Baseball spielen, das Messezentrum, in dem alles, von der Comic Con bis zur Pest World stattfindet, den Embarcadero, mit dem Blick auf das legendäre Segelschiff Star of India und das USS Midway, das jetzt ein schwimmendes Museum ist. Im County Administration Center, ein historisches Gebäude im Stil Beaux-Arts/Spanish Revival, mit Spitznamen Juwel der Bucht und daneben im County Office of Assigned Counsel, verbringt Marc den Tag, und auch in der Nacht noch viele Stunden, und bereitet Fälle für seine Mandanten bei Gericht vor.

Geschickt landet Marc das schlanke Flugzeug auf einer der geschäftigsten, schwierigsten Landebahnen weltweit. Nördlich und östlich sind Berge, südlich der mexikanische Luftraum und von Westen gibt es starken Rückenwind, Piloten müssen also gut aufpassen. Mehrere epochale Unfälle sind schon passiert, einmal ist sogar ein Flugzeug in die eisigen Tiefen der San Diego Bay gestürzt.

„Mir bleibt immer das Herz stehen, wenn du die Motoren drosselst. Ich könnte schwören, du suchst den Tod. Muss aber ich dabei im Flugzeug sitzen?", fragt Anabel und atmet tief und erleichtert aus, als sie hört, dass das Fahrwerk, ohne zu poltern auf den Boden trifft.

Marc ist ein erfahrener Pilot, aber ein kleiner Hitzkopf, der aus unerklärlichen Gründen das Schicksal herausfordern will. Vielleicht liegt ihm das im Blut. Marcs Großvater flog im Zweiten Weltkrieg in Frankreich ein Kampfflugzeug und er greift oft Geschichten von Gefahr und Heldentum auf, die ihm sein Vater erzählte. Heute fliegt Marc die Cirrus SF50 Vision, dank einer unglaublichen Glückssträhne bei der Tombola des Kunstmuseums.

Zugang zum Flugzeug zu bekommen, war nicht einfach. Es gab eine gründliche Untersuchung seiner Erfahrung als Pilot, sein Privatleben wurde beleuchtet, um Selbstmordabsichten auszuschließen und er musste sich an eine bestimmte Flugroute halten. All das nahm Zeit in Anspruch, zusätzlich zu seinen Gerichtsterminen, seinen persönlichen Verpflichtungen und unzähligen anderen zeitraubenden Dingen, die ihn vom Steuerknüppel fernhielten.

Das V-förmige Heck mit der Turbodüse oben am Rumpf wirkte seltsam, Marc war aber weniger abgeneigt, als er sie aus der Nähe sah. Im Cockpit der überaus geräumigen Maschine mit der geteilten Windschutzscheibe zu sitzen, war, man kann es nicht leugnen, cool.

Marc hielt sein Versprechen und Ben Parker war sein erster Passagier. Ben war noch nie zuvor in einem Privatflugzeug geflogen und der wenige Platz und das Gefühl, das Flugzeug könnte nicht sicher sein, zehrten an seinen Nerven. Da war ihm eine große Maschine mit Platz für mehr als 300 Passagiere, wo man kaum spürte, dass sie sich bewegte und man den Boden erst kurz vor der Landung sah, tausend Mal lieber. Geschickt steuerte Marc das Flugzeug vom Hangar auf die Startbahn, drückte das Gaspedal durch und hob vom Boden in den unendlichen, blauen Horizont ab. Ben leerte zwei kleine Flaschen Wein, um sich zu beruhigen, als aber der kurze, spannende Flug vorbei war und sie landeten, übergab sich Ben schon bald und schwor sich, nie mehr in etwas zu fliegen, das kleiner als der Goodyear-Zeppelin war.

Anabel ist nicht weniger aufgeregt und die meiste Zeit hat sie die Augen geschlossen und klammert sich an den Sicherheitsgurt, dass ihre Knöchel weiß werden. Oh, sie wünschte, sie hätte die Tombola nie zu Marcs Gunsten manipuliert.

„Hier sind wir sicher und geborgen wie immer. Du weißt, deine Sicherheit geht mir über alles, meine Liebe." Marc wischt sich selbst etwas Schweiß von der Stirn und löst seinen Gurt.

„Nächstes Mal fliege ich mit Amtrak", schimpft Anabel, nachdem sie die kurze Strecke vom McClellan-Palomar Airport in Carlsbad, wo das Flugzeug steht, zum San Diego International Airport, wo er es der Charterfirma zurückbringt, hinter sich hat. „Wie du weißt, hätten wir zum Hotel und zurückfahren können. Warum musst du 30 Meilen mit einem Flugzeug zurücklegen, das 555km/h schnell ist.

„Weil es mir Spaß macht. Keine Autobahnen, keine Staus. Nur der blaue Himmel, sonst nichts. Perfekt. Und umsonst, dank eines glücklichen Händchens bei der Tombola."

Anabel beißt sich auf die Zunge.

Da er wusste, mit voller Kraft würde es nur etwa zehn Minuten dauern, verlängert Marc den Flug, indem er die Maschine drosselt. Er wollte noch ein paar Sehenswürdigkeiten von San Diego sehen, so flog er über das Meer mit der weißen Gischt, über Coronado Island, über die Buchten mit den

Segelbooten, bevor er dann sanft auf dem Asphalt aufsetzte.

„Ich brauche den versprochenen Drink", sagt sie und klammert sich an seinen Arm, als er sie die Treppe hinunterführt, ganz der Kavalier, zu dem ihm seine Mutter erzogen hat. Marc verabschiedet sich schweren Herzens von dieser Flugmaschine, sein Wochenend-Highlight ist vorbei.

„Lass uns auf die Dachterrasse des Hyatt gehen, dort ein leichtes Abendessen und ein paar Drinks zu uns nehmen", meint Marc. „Der Blick auf die ganze Stadt ist für mich immer wieder schön. Ich habe eine Suite reserviert, wenn du es vorziehst, dass wir für uns sind und nur der Zimmerservice hin und wieder vorbeischaut."

„Das Hyatt hört sich wunderbar an", meint sie, ganz die kokette Frau mit heißen, nicht damenhaften Gedanken. „Die Suite gibt es zum Nachtisch. Um wieviel Uhr musst du morgen im Gerichtssaal sein?"

„Nicht vor 10:00 Uhr. Richter Larimer ist kein Frühaufsteher, Gott sei Dank. Nicht, seit er nächtliche Pornosender für sich entdeckte." Sie steigen in ein wartendes Taxi.

Im Aufzug zu den oberen Etagen sind überraschend wenige Leute und Anabel drückt auf Stopp, noch ehe er im 30. Stock ankommt. Was sie vorhat ist klar und Marc will sich die Chance nicht entgehen lassen, sich auf eine von Anabels plötzlichen Launen einzulassen. Als die Ruftaste aufleuchtet, schalten sie die Stopptaste stumm, streichen sich die Kleider und Haare zurecht und sehen unberührt aus, als die Aufzugtür sich öffnet, bereit, weitere Fahrgäste einzulassen.

Hinter durchgehenden Scheiben, die, dreht man sich um 180 Grad, 40 Stockwerke über San Diego, eine großartige Aussicht bieten, stoßen Marc und Anabel an. Anabel trinkt einen Champagnercocktail, Marc einen Whisky mit Eis.

Von ihrem Tisch am Fenster aus bietet sich eine Vogelperspektive auf die ikonischen roten Dächer des Del Coronado, eines historischen Hotels im viktorianischen Stil, das seit mehr als 100 Jahren die Top-Adresse für Präsidenten, Könige und Prominente ist. Durch das intime Coronado Island und die kräftige Farbpalette, die sich durch den Sonnenuntergang bildet, taut sie immer mehr auf. Die Wochenenden verbrachten sie und Marc dort, tanzten und es war wie im Film. Lange Strandspaziergänge machten sie auf Sand, der so weiß war, wie die Dachplatten des Hotels. Sie surften, aßen das exotische Essen und liebten sich hemmungslos und leidenschaftlich.

„Wir müssen bald wieder mal ins Del", meint Anabel.

„Hört sich gut an. Sobald dieser Fall vorbei ist."

„Und wann wird das sein? Mir kommt es wie eine Ewigkeit vor, seit wir am Strand spazieren gingen, in einem eigenen Bett Sex hatten und andere romantische Dinge taten, die normale Männer und Frauen tun."

Marc teilt ihre Sehnsüchte, auch wenn es gerade drei Tage her ist, dass sie im Loft grenzenlos und ausgiebig Sex hatten. „Nicht viel länger. Ich glaube, morgen früh haben wir ein Urteil. In der Zwischenzeit könnten wir zu unserem Abendessen einen guten Wein trinken. Vielleicht haben sie einen neuen Bordeaux, den wir probieren könnten."

„Eigentlich denke ich, zu unserer Bestellung passt der Cabernet am besten. Ein 2009er Vintage", sagt sie zum Sommelier. Er nickt aufmerksam.

„Woher weißt du so viel über Wein?", fragt Marc.

„Ich trinke einfach gern", sagt der Nachkomme von Amador Ibarra, dem berühmten Weinbauer, der, wie Marc jetzt weiß, auf dramatische, tragische Weise sein Leben änderte.

„Darauf trinke ich", stimmt er zu und weist den Kellner an, ihre Bestellung auf ein iPad zu schreiben. „Für die Dame die marinierten Oliven, die Tacos mit geräuchertem Lachs und das Roquefort-Dreierlei, für mich den Angus-Burger mit Salat in einem flachen Brötchen.

„Vermutlich auch noch ein paar Pfefferminzbonbons", scherzt Anabel mit dem Kellner. „Und woher weißt du so viel über Essen?"

„Meine Mutter war eine super Köchin und ich esse gern." Mehr will Marc noch nicht sagen.

Sie genießen ein wunderbar zubereitetes und

serviertes Essen, während sie eine lockere, lustige Unterhaltung in ruhigem Ambiente führen, als es in der noblen Lounge plötzlich sehr laut wird.

Frauen schwärmen und kreischen, als der Popstar Michael Barron den Raum betritt. Der Narzisst zeigt seine strahlend weißen Zähne und seinen nussbraunen Teint. Hin und wieder küsst er eine Wange und die Frauen werden rot, ihre Münder stehen offen, vor Freude. Barron wird auf die Bühne gebeten, um einen Song mit der Latin-Pop-Band zu singen. Protzig beglückt er seine Fans mit einer sinnlichen Interpretation von *Dímelo - Tell Me*. Er geht durch die Menge, zerrt ein Mädchen auf die Tanzfläche und muss sie festhalten, als er ihrem straffen und gekrümmten Körper gefährlich nahekommt.

„Du liebe Zeit, was für eine Show er abzieht", stöhnt Michael. „Ein Tänzchen mit dem großen Star?", fragt er Anabel spöttisch.

Fotografen und Fans greifen zu ihren Kameras und übermitteln die Bilder direkt zu Fernsehsendern und teilen sie in den sozialen Medien. Anabel ist froh, dass ihr Tisch weit genug weg ist und man sie durch das grelle Licht nicht wahrnimmt.

Als Antwort auf Mikes Frage schüttelt sie abwehrend den Kopf. „Nein, danke. Außerdem erinnere ich mich an Zeiten, da konnte er ums Verrecken kein Date klarmachen", rutscht es Anabel ungewollt heraus.

„Echt? Du kennst den Typ?"

„Ähm...könnte man sagen."

„Ein alter Freund? Liebhaber?"

Sie lacht ironisch und denkt sich, *flüchtig. Das wäre inzestuös.* Sie lügt nicht direkt, als sie sagt: „Er hatte mal was mit einer Freundin von mir, bis er ein B-Promi wurde. Das bleibt aber erst einmal unter uns."

„Warum? Die meisten Frauen würden es von den Dächern pfeifen, einen solch großen Star zu kennen."

„Nicht bei diesem. Und eigentlich weiß ich gar nicht mehr, wer er wirklich ist." Sie sieht in ihm mehr ihren verschwenderischen Bruder.

In jungen Jahren war Anabel von Miguels Musik angetan. Selbst hinter verschlossenen Türen konnte sie die traurige Melodie und die ergreifenden Textzeilen hören, die sie ergriffen. Er zupfte die Saiten der Akustikgitarre präzise und sie passten irgendwie zu allen Emotionen, die er empfand. Er war ein begnadeter Songschreiber, hatte sich das Musizieren selbst beigebracht und wollte ein Star werden. Er versteckte sich aber hinter verschlossenen Türen, wo niemand das Ergebnis der üblen Kneipenschlägerei sah, die sein hübsches Gesicht entstellte.

Anabel liebte seine Musik, hätte das vor ihm aber niemals zugegeben. Rivalität unter Geschwistern war etwas, das seinem hässlichen Kopf nie eine Ruhe ließ.

Sie schienen es zu genießen, sich gegenseitig zu quälen, wenn aber jemand fragte, warum, konnten sie es nicht erklären. Sie gingen mit dem Verlust ihrer Mutter unterschiedlich um und jeder nutzte seine eigene kreative Ausdrucksstärke, um mit dem Schmerz umzugehen.

Jetzt ist er Michael Barron, ein Star, der er immer sein wollte. Von seiner Familie losgelöst, aber das Objekt der Begierde für Fans, die ihn verehren, bei seinen Auftritten Hallen füllen und in Discos scharenweise zu seiner Musik tanzen. Wenigstens hier, so dachte Anabel, konnte sie frei ihr eigenes Leben gestalten mit dem Mann, den sie liebt.

Aus der Ferne schaut Barron in Anabels Richtung und zögert kurz. Zum Glück, für sie beide, führt man ihn in einen privaten Essbereich und sie wird endlich ruhiger. Aber Anabel ist noch immer etwas aufgebracht.

„Marc, verschwinden wir hier. Mir gefällt diese PR nicht. Ich glaube, es wartet ein Zimmer mit herrlicher Aussicht auf uns. Und ein Nachtisch?"

„Natürlich. Ein Nachtisch."

KAPITEL VIER

„Die Geschworenen mögen das Urteil verkünden", kommt Richter Larimers Anweisung, routinemäßig und nüchtern, als wisse er bereits, wie das Urteil lautet.

Die Vorsitzende, eine ruhige Dame, steht auf und liest: „Wir, die Geschworenen, befinden den Angeklagten für nicht schuldig."

„Einstimmig?"

„Ja, Euer Ehren."

„Danke, für Ihre Hilfe, Sie können gehen." Larimers Hammer saust krachend hinunter, er erhebt sich und verkündet: „Mr. Jordan, Ihr Mandant ist ein freier Mann."

Der frei gesprochene Angeklagte hat Tränen der Erleichterung in den Augen. „Ich kann Ihnen nicht genug danken, Marc. Ich dachte, das wäre mein Ende."

„Gern geschehen, Daniel. Nun raus hier und ab zu Ihrer Familie. Und dass wir uns hier ja nicht wiedersehen."

Marc räumt seinen Aktenkoffer ein, dankt seinem Angestellten und möchte den Gerichtssaal verlassen, als er von Bailiff zurückgehalten wird.

„Was ist los, Mac?"

„Sie sollen ins Richterzimmer kommen, Mr. Jordan."

Der verhängnisvolle Befehl, sich nach dem Prozess im Richterzimmer zu melden, ist immer unangenehm. Marc schließt die Tür hinter sich und stellt sich Richter Leroy Larimer, der gerade seinen Talar an die Wand hängt. Larimers dicker Bauch schaut durch die Knöpfe seines Hemds. Zu viele Reuben-Sandwiches und Malzbier, denkt sich Marc.

„Was ist los, Euer Ehren?"

„Normalerweise gratuliere ich den Verteidigern nicht. Da werden sie nur arrogant. Diesmal hat aber die Anklage beim Fall nichts bewiesen und eigentlich hätte sie hier Beweise en masse gehabt. Hohlköpfe."

„Stellen Sie, stellen Sie Ihr Urteil in Frage?" Marc wird flau im Magen. Wenn Larimer eines ist, dann unvorhersehbar und dafür bekannt, ein Urteil anzufechten, nur um des Anfechtens wegen, aber gewöhnlich aus dem Publikum heraus.

„Nein. Das ist Zeitverschwendung. Ihr Mandant

ist ein freier Mann."

„Schön, das zu hören", stöhnt Marc.

„Schauen Sie nicht so verwirrt", sagt Larimer, als er Marcs ängstlichen Gesichtsausdruck sieht und hinter seinem unordentlichen Schreibtisch Platz nimmt. „Ich bringe frohe Kunde. Da Sie ein solch leidenschaftlicher Anwalt der Unterdrückten sind, gebe ich Ihnen den Fall Ihres Lebens."

„Sie meinen doch nicht den Fall Bronson?", fragt Marc und ihm wird noch flauer im Magen.

„Nicht doch. Dieser Hohlkopf ist vermutlich auch schuldig. Der Fall spielt aber bei weitem nicht in Ihrer Liga."

„Danke für das Kompliment Euer Ehren."

„Ohne Sie beleidigen zu wollen, Kollege. Bronson kann es sich leisten, schwer bewaffnete Männer zu engagieren, jetzt, da eine anonyme Partei die Anwaltskosten erhöhte. Nein, der hier hat alle Schmankerl, nach denen sich Privatdetektive wie du lechzen. Ein Mann, der für ein Verbrechen angeklagt wurde, von dem er schwört, es nicht begangen zu haben. Er hat auf eine niedrigere Strafe plädiert, aber die Anklage wollte lebenslang. Und jetzt, 15 Jahre später, will dieser Mann vor Gericht, um das Urteil anzufechten."

„Sind das die Schmankerl?"

„Nein. Da ist noch mehr. Erstens ist der Fall Pro-Bono. Für dieses Jahr haben wir das Budget aufgebraucht."

„Du weißt, noch so einen Fall kann ich mir nicht leisten."

„Ein Pro-Bono, der dem California Innocence Project präsentiert wurde." Larimer hofft, das wird Marcs juristischen Appetit wecken.

„Unschuldsprojekt Kalifornien? Ich bin nicht auf ihrer Liste von Anwaltsaktivisten. Warum sollte ich das versuchen?"

„Weil ich in meinem Gerichtssaal hier nicht weiterkomme und ich dachte, warum soll ich der einzige sein, der leidet." Larimer lächelt selbstzufrieden.

Marc grinst zurück. „Ich bin froh, dass sie so eine hohe Meinung von mir haben, Euer Ehren. Aber ich glaube, ich bin der Falsche dafür. Das CIP will gewöhnlich die eigenen Fälle behandeln und der Mandant ist meistens zu Unrecht angeklagt. Nochmal, warum ich? "

„Weil es sonst keiner tun will. Das CIP hat den Fall nur erneut aufgenommen wegen der unnachgiebigen Petitionen der Gefangenen und ihn dann zu den Akten gelegt. Das stimmt, sie behandeln hauptsächlich Fehlurteile, wo dem Staatsanwalt ein Fehler unterlief oder eine DNS-Analyse die Unschuld beweist. Meistens sind es sympathische Charaktere, die meisten Minderheiten. Dieser Mandant ist weiß, echt abgebrüht und hat ein langes Vorstrafenregister, unter anderem wegen Diebstahl eines Autos, das danach in einen tödlichen Unfall mit Fahrerflucht verwickelt wurde, von dem er schwört, ihn nicht begangen zu haben.

„Ja, ja, im Gefängnis sind lauter Unschuldige." Das ist zwar sarkastisch, von Marc, tief im Innern weiß er aber, es stimmt.

„Seit fünf Jahren startet der Kerl immer wieder Petitionen für eine Berufung. Und jetzt kommt sie in meinem Gerichtssaal." Larimer winkt den Gerichtsvollzieher herein, der das Mittagessen bringt, das er bestellt hatte und stellt dieses dann auf den Tisch. „Hunger, Marc? Ein halbes Sandwich?"

Marc verzieht das Gesicht, als er das ölige Sandwich sieht, das Larimer aus dem Butterbrotpapier holt und lässt seine Finger über seinen Sixpack gleiten, als Mahnung und Erinnerung, weil er zu viele ausgiebige Abendessen mit Anabel hatte. „Ähm, nein danke. Keinen Hunger. OK, ich möchte die Akte sehen. Ich lasse Sie wissen, ob ich das hier übernehmen will."

„Zu spät. Du bist der richtige Mann. Du bist ein unverschämt guter Anwalt, Jordan, aber durch deine Fälle bist du in letzter Zeit mehr oder weniger gegangen. Als du noch für mich gearbeitet hast, hattest du mehr Feuer. Ich dachte, du brauchst eine echte Herausforderung. Kannst du die Schwachstellen der Staatsanwaltschaft in diesem Fall finden, dann bist du noch viel besser, als ich annehme. Die Vorbereitung ist für nächste Woche angesetzt. Hier ist die Akte." Larimer schiebt die

Akte Manila zu Marc hinüber und öffnet seinen Mund, um das Sandwich zu essen.

„Nächste Woche? Moment...", sagt Marc und hebt protestierend die Hand. „Ich habe gerade so viel zu tun, das geht nicht auch noch."

Larimer zuckt mit den Achseln und Marc weiß, jetzt ist es Zeit für ihn, das Richterzimmer zu verlassen, denn sein Protest verstummt, als ein herzhafter Biss in ein Monte Cristo-Sandwich folgt.

————

„ICH SCHWÖRE, die Verfassung der Vereinigten Staaten und die Verfassung des Staates Kalifornien einzuhalten und meine Pflichten als Anwalt und Rechtsbeistand nach bestem Wissen und Gewissen zu erfüllen. Als Mitglied des Gerichts werde ich danach streben, immer Würde, Höflichkeit und Integrität walten zu lassen." Das hatte Marc gesagte, als er als Anwalt beeidigt wurde und in jedem einzelnen Fall ist er bestrebt, sich daran zu halten.

Pflichtverteidiger sind besondere Menschen. Sie übernehmen einige der härtesten Fälle des Rechtssystems und vertreten die Armen, Obdachlosen und andere Randgruppen, die wegen Verbrechen angeklagt werden. Sie kämpfen oft gegen ein gefühlloses System, um dafür zu sorgen, dass ihren Mandanten Gerechtigkeit widerfährt.

Marc weiß tief im Innersten, Larimer hat Recht.

Widerwärtige Mandanten, die wegen Folter, Mord, Verbrechen an Kindern und ähnlichem angeklagt wurden, hatte er nie, sondern immer nur kleinere Vergehen wie Diebstahl, Einbruch, Trunkenheit am Steuer, Drogenbesitz und hin und wieder Totschlag. Er bearbeitete die Fälle schnell, denn er konnte sie leicht gewinnen und glaubte, wenn er kleinere Vergehen bearbeitete, um größere Verbrechen zu verhindern. Unschuldige gut zu verteidigen, war für ihn sein Beitrag, sie vor Strafvollzug zu bewahren. Packt er jetzt aber nicht die Gelegenheit beim Schopf und nimmt einen Fall an, der weitreichendere Folgen hat, wird er nie den Mut aufbringen, den Mord an seiner Mutter aufzuklären.

Während er im Staatsgefängnis Kalifornien, in Los Angeles, auf das Gespräch mit seinem Mandanten wartet, schaut sich Marc nochmals die Akte durch. Der Mandant, Clive Parsons, wurde vor 15 Jahren verurteilt, weil er mit einem gestohlenen Auto eine Frau totfuhr und dann Fahrerflucht beging. Am Kühler des Autos, das er gestohlen hatte, war eine große Beule, Fasern von der Kleidung des Opfers, seine Haare, sowie Fingerabdrücke auf der Haube und Blutspuren des Opfers. Der Fall ist doch klar, denkt sich Marc.

Als Gefangener, von dem keine große Gefahr ausgeht, trägt er einen blauen Kittel und keine Fesseln, als er am Tisch seinem neuen Anwalts gegenüber sitzt. Parsons ist schlaksig, aber gut in

Form, denn in seiner Zelle trainiert er täglich. Der Mann mittleren Alters hat bräunliche Haare, die ins Grau übergehen und seine Haut ist blass, denn viel kommt er nicht raus.

„Sie sind ein richtiger Anwalt?", fragt er skeptisch. „Nicht einer von diesen Pflichtverteidigern?"

„Pflichtverteidiger sind auch Anwälte", berichtigt Marc.

„Für mich nicht. Deshalb bin ich hier, zum Teufel."

„Ich bin ein vom Gericht bestellter Anwalt, deshalb bin ich hier. Sie sind hier, Clive Parsons, weil Sie ein Auto stahlen, mit dem Sie bei einem Unfall mit Fahrerflucht eine Frau totfuhren. Ihre DNS ist überall im Auto wie auch die Haare des Opfers und Fasern von seiner Kleidung. Also sagen Sie mir, wieso sie unschuldig sind und man das Verfahren neu aufrollen soll." Marc ist skeptisch, aber dennoch offen, die Version des Gefangenen zu hören.

„Ich habe das schon 100 Mal erzählt. Ich war abends aus, um etwas trinken. Dann geriet ich in eine Kneipenschlägerei, nicht die erste ..."

„Ja, ich sehe ihr Vorstrafenregister. Sehr lang."

„Ja, aber nicht wegen Mord. Das bin kein Mörder."

„Sie schlagen nur unschuldige Passanten und lassen sie auf der Straße krepieren?", provoziert Marc.

Parsons schüttelt den Kopf und beißt sich auf die Lippe, um sich im Zaum zu halten, was er zur Selbsterhaltung lernen musste.

„Wie gesagt, war ich einen trinken, geriet in eine Kneipenschlägerei mit einem Punk und verpasste ihm ein paar Schnittwunden mit einer Bierflasche.“

„Worum ging es bei der Prügelei?“

„Gott, ich kann mich kaum mehr erinnern. Vermutlich ging es um eine der Tänzerinnen in der Bar. Ein Wort gab das andere, dann geriet alles außer Kontrolle, die Bierflasche fiel zu Boden, zerbrach und das Milchgesicht warf mich zu Boden und fing an, auf mich einzutreten. Das war ein mieser Hurensohn. Ich kam auf die Beine und kriegte die Flasche zu fassen. Ich wollte nur mit ihr wedeln, um ihn zu erschrecken, er gab aber nicht auf. Er ging auf mich los, ich holte mit der Flasche aus und schnitt ihm durchs Gesicht.“

„Versuchte niemand, euch zu beruhigen? Der Barkeeper, rief er die Polizei?“

„Er schrie etwas wie, ‚Klärt das draußen.‘ Er schwang sogar einen Baseballschläger, mit dem er einem von uns eins übergebraten hat. Der Junge rannte auf die Straße raus, ich, wie von der Tarantel gestochen, hinterher. Da sah ich ihn in sein Auto, einen schicken Sportwagen, steigen. Er fuhr vom Parkplatz und dann in diese Frau, die gerade die Straße überquerte. Sie landete auf der Motorhaube und dann auf der Straße, wo er sie nochmals anfuhr! Gott.

Schätze, er bekam Panik, denn er stieg aus dem Auto, als der Motor noch lief und schaute nicht einmal, ob die arme Schlampe noch lebte oder tot war. Ich traute meinen Augen nicht. Ich meine, ich bin ein abgebrühter, böser Kerl, aber das würde ich nie tun."

„Aber Sie ließen sie dennoch dort zurück."

„Nur, nachdem ich nachschaute, ob sie tot war. So kam ihr Blut auf meine Sachen, schätze ich. Ich konnte ihr nicht mehr helfen. Da hörte ich die Sirene des Polizeiautos an der Ecke. Ich musste weg."

„Etwas ist mir noch nicht klar. Wie hat die Polizei Sie gefunden? Sie fuhren mit dem Auto davon, bevor sie kamen. Hat Sie jemand am Tatort identifiziert?"

„Vielleicht. Vielleicht der Barkeeper. Ich weiß nicht. Aber..."

„Aber was?"

„Ich glaube, sie fanden meine Fingerabdrücke auf ihrem Geldbeutel."

„Und wie kamen sie darauf?", fragt Marc und hebt zynisch seine Handflächen hoch.

„Sie war tot, OK. Ich sah ihren Geldbeutel und dachte, vielleicht ist Geld drin. Nichts. Vielleicht fünf Cent. Als ob mir das geholfen hätte. Ich also wieder ins Auto, überlege, dann merke ich, ich muss es ausräumen. Also bringe ich es in Whiteys

Werkstatt, ganz in der Nähe. Er verspricht, mir zu helfen, aber nicht bis zum nächsten Morgen, nachdem er es inspizierte."

„Und wieviel hat man Ihnen gezahlt?"

„Das ist es ja. Das ist es ja, ich sah nicht einen Cent, denn ich hatte keine Gelegenheit, am nächsten Tag zurückzukommen. Die Bullen fanden mich am späten Abend und lochten mich ein wegen Unfall mit Fahrerflucht. Ich sagte ihnen, nein, ich brachte diese Frau nicht um. Was ich zugab war, dass ich ein Auto stahl und versuchte, es zu verkaufen. Das war alles."

„Wie fand die Polizei heraus, wo das Auto war oder zu welcher Werkstatt Sie es brachten?"

„Ich sagte es ihnen. Dort fanden sie aber nichts. Whitey führt eine diskrete Werkstatt. Nach außen sieht sein Laden aus wie eine normale Werkstatt, eine saubere. Er würde dieses Auto nie bei sich selbst lassen, da bin ich sicher."

„Es wurde jedenfalls irgendwo gefunden. Und Ihre DNS war darauf wie auch das Blut des Opfers. Wussten Sie zu irgendeinem Zeitpunkt, wem das Auto gehörte?"

„Nein, nie. Das hat man mir nie gesagt."

„Man sagte Ihnen nie, wem das Auto gehörte. Es war doch sicher registriert."

„Sie sagten, das war es nicht. Die Fahrzeug-Identifikationsnummer wurde irgendwie entfernt."

„Irgendwie?", fragt Mark verwirrt. „Sie meinen

abgeschliffen?"

„Keine Ahnung. Gut möglich."

„Kein Nummernschild?"

„Ich glaube, das wurde auch entfernt."

„Sie sagten, der Jugendliche, mit dem sie sich prügelten, sprang ins Auto und fuhr die Frau an. Sicher waren seine Fingerabdrücke im Auto. Konnten sie ihn nicht identifizieren?"

„Nein. Sie sagten, er war nicht in der Kartei. Sie sagten, meine Fingerabdrücke und seine seien auf dem Lenkrad gewesen, deshalb erwischten sie nur mich. Vielleicht stahl er das Auto zuerst und es war nicht seines. Ich glaube einfach nicht, die Bullen suchten eifrig genug."

„Und Ihr Anwalt plädierte, bezüglich der Mordanklage, auf nicht schuldig, bezüglich des Autodiebstahls auf schuldig. Hat er Sie in ihrem Prozess gut verteidigt?"

„Welcher Prozess?", schreit Parsons schon fast. „Es gab keinen Prozess. Mein Winkeladvokat von einem Pflichtverteidiger riet mir zu einem Deal, 20 Jahre bis lebenslänglich oder lebenslänglich, ohne Entlassung. Ich wurde reingelegt, das ist sicher."

„Sie hätten für Unfall mit Fahrerflucht höchstens vier bis sechs Jahre bekommen. Da die Frau starb, nochmal zwei bis vier Jahre. Außerdem waren Sie betrunken, hatten Vorstrafen wegen Trunkenheit am Steuer und in zwei anderen Staaten wurden sie wegen Raubüberfall und Körperverletzung gesucht.

Sie haben Glück, dass sie für andere Verbrechen nicht schon zweimal vorbestraft wurden, sonst wäre jetzt alles zusammengekommen. Sie sind ein böser Mensch, ich bezweifle aber, man hätte Ihnen lebenslänglich gegeben. Sie sollten bald auf Bewährung draußen sein."

„Ich bat mehrmals darum, man sagte aber, ich zeigte keine Reue, weshalb man sie mir verwehrte. Ich sagte, für eine Verbrechen, das ich nicht beging, würde ich mich auch nicht entschuldigen. Ich will aber keine Bewährung. Ich will keinen Mord in meinem Vorstrafenregister. Ich habe niemanden ermordet. Sie müssen mich hier rausholen. Es war hart, Mr. Jordan. Ich bin ein Straßenkämpfer aber mit diesen Schlägern von Sträflingen kann ich es einfach nicht aufnehmen. All die Jahre war ich fast immer allein in meiner Zelle. Am Anfang aß ich gar nichts, verlor fast zehn Kilo, dann haute ich rein und ich hatte sie wieder drauf. Das war schlimmer. Ich trainierte, wobei ich auch Fortschritte machte, bis ich mir den Rücken verletzte."

„Wurden Sie deswegen behandelt?"

„Zunächst. Aber ich dachte, warum sollte sich mein Zustand bessern? Durch die Verletzung kam ich aus der Wäscherei in die Bücherei. Sie hat mein Leben verändert."

„Inwiefern?"

„Ich lernte Lesen."

„Sie konnten nicht lesen? Sie unterzeichneten

doch aber ein Geständnis? Wussten Sie, was sie unterzeichnen?"

„Ich sagte ihnen, dass ich es könnte. Ich schämte mich. Statt meines Namens schrieb ich ein X. Sie sagten, das sei legal. Ist es das?"

„Leider ja. Aber das wirft ein ganz neues Licht auf alles."

Parson umarmt Mike, denn er will allem mehr Nachdruck verleihen. „Sie lieferten mich ans Messer, Mr. Jordan. Ich glaube echt, mein Anwalt und die Staatsanwaltschaft steckten unter einer Decke."

Das wäre nicht das erste Mal, muss Marc zugeben. Dennoch hat sich dieser Mann zumindest schuldig gemacht, Fahrerflucht begangen zu haben, versucht zu haben, einer Toten ihre Sachen zu rauben, ein Auto gestohlen und versucht zu haben, es illegal zu zerlegen und wer weiß, was sonst noch. Richter Larimer hatte einen Grund, warum er gerade ihm den Fall gab. Er wollte wissen, warum.

Mike meint: „Mr. Parsons. Ich werde mir den Fall genauer ansehen. Nächste Woche ist eine Anhörung. Ich muss noch einiges aufarbeiten. Davor sehen wir uns aber nochmals", beendet er die Befragung.

„Ja. Ich rühre mich nicht vom Fleck." Damit erhebt sich Parsons und eine Wache kommt, um ihn in seine Zelle zu bringen. „Noch was. Jetzt lassen wir mal den Mr. Parsons. Nennen Sie mich Bulldog."

KAPITEL FÜNF

Die Sonne geht unter. Die goldene Kugel senkt sich langsam vor auf einem orangerosa und blau gestreiften Himmel. Sie verweilt kurz über dem harmonischen Grün der Landschaft von Chula Vista, ehe sie dann ins Nirvana verschwindet. Marc wird zuerst ganz ruhig, dann aber gewinnt die Neugier die Oberhand.

„Wo bringt ihr mich hin? Warum die Geheimnistuerei? Auch wenn es mich nicht stört, dass ihr mich in einer einsamen Hütte voll ausnutzt."

Anabel lacht. „Oh, nein. Jedenfalls nicht heute Nacht. Wir gehen zu meinem Vater nach Hause zum Abendessen."

„Zu deinem Vater nach Hause? Ich treffe endlich deine Familie? Ich schätze, es ist Zeit, dass er von uns erfährt. Aber ist es der richtige Zeitpunkt, es ihm zu sagen, wenn sein Haus voller Gäste ist?"

„Besser, als ihn damit zu konfrontieren, wenn er allein ist und wir keinen Puffer haben."

„Großartig. Mir ist, als träfe ich einen König, neben dem sein Scharfrichter steht."

„Vertraue mir. Du wirst Spaß haben. Und ich beschütze dich", versichert sie ihm.

Beim Eingang eines ausladenden Anwesens hängt das Schild „Weingut Ibarra" und Marc weiß sofort, dies wird keine bescheidene kleine Haus- oder Dinnerparty.

Eine malerische, kurvige Straße führt zu einer Auffahrt, diese zu einem runden Parkplatz, wo dutzende von Importwagen nebeneinanderstehen, was darauf schließen lässt, das ist Valets Service für VIPs. Eine U-förmige Villa im Mediterranen Stil mit ganz weißen Wänden aus Stuck, roten Platten auf dem Dach, hohen Fenstern und Balkonen aus Gusseisen hatte Marc bisher nur in Architekturzeitschriften gesehen. Aber da fehlt etwas.

„Was ist das?" Ziegel, Dachplatten, Rohre und andere Baumaterialien stapeln sich in der Mitte der Auffahrt.

„Oh, mein Vater hat diesen Spleen mit massiven alten Brunnen, von überall auf der Welt und will den Brunnen LA Fama von Segovia nachbauen. Ganz mit farbigem Wassernebel und Musik, um des Himmels willen."

Marc ist beeindruckt, wie erhaben alles wirkt, er ist aber merkwürdigerweise besorgt. Er war seit dem Tod seines Vaters auf keinem Weingut mehr. Er braucht unbedingt einen Drink. Da ist er hier ja richtig.

Sie geben das Auto und die Schlüssel dem Diener, betreten die offene Dachterrasse und mischen sich unter die Vielzahl von Gästen. An der Rezeption ist die Hölle los und jeder hält ein Glas bereit, um auf das neue Produkt des Weinguts Ibarra anzustoßen. Auf dem Etikett der Flasche ist ein stilistisches Aquarell einer schönen Frau abgebildet, die in Sternenlicht gehüllt ist. Eigentlich ist es ein Bild von Anabel, worauf sie allerdings nicht zu erkennen ist, nur an den großen Augen.

„Estrella, unser neuer Sahne-Sherry, ist eine einzigartige neue Rebenmischung; ein Rezept, das ich natürlich nie verraten werde", scherzt Amador Ibarra gegenüber einer freundlichen, treuen Gruppe von Vertriebsprofis und Händlern. „Er reifte in Eichenfässer, deren Holz lange reifte, ist komplett biologisch und frei von Zusatzstoffen, sodass er den Markt dominieren wird. Dieser neue Tropfen wird weltberühmt werden dank meiner hübschen Tochter, die ihn entwickelte und ihn mit mir zusammen zum Erfolg führen wird."

Anabel bleibt stoisch bei ihrer Antwort, bis auf

ein gelegentliches Lächeln, wenn die Gäste sie bemerken.

Marc ist überwältigt von all dem pompösen Glanz. Alles wirkt mehr wie der Auftakt einer Oper; *vielleicht Carmen.* Die Gäste sind angemessen gekleidet, in teurer Cocktailkleidung in warmen Farben. Er fühlt sich als Außenseiter in seinem Sommeranzug, der Krawatte und dem Tuch in der Brusttasche. Und die Musik; *erwartete er eine Mariachi-Band?* - Ein brillantes, virtuoses, spanisches Trio spielt live Flamenco und verströmt dabei weltlichen Charme und Eleganz.

Amador informiert seinen Gast: „Und jetzt, meine ich, ist das Abendessen angerichtet. Essen wir."

Es gibt ein üppiges Abendessen mit zahlreichen Gängen. Als Vorspeise gibt es eine Tortilla Española, danach eine Paella mit Meeresfrüchten und unzählige andere Gerichte, die auf die Hüften gehen. Die Tropfen gibt es umsonst aus dem Weinkeller der Ibarras. Mit jedem Gang erinnert sich Marc an seine Mutter, die in der Küche ihres Bungalows Gaumenfreuden zauberte, die er als heranwachsender, instabiler Jugendlicher so liebend gern verschlang. Um die bitteren Erinnerungen abzustreifen, trinkt Marc genüsslich ein paar Gläser Wein und dann noch ein Bier, nach dem Aperitif, einem Sherry. Ibarra hat Recht. Das Estrella ist spitzenmäßig.

„Mein Gott, ich kann nicht aufstehen", flüstert Marc Anabel zu. „Ich glaube, ich habe etwas zu viel gegessen. Ich platze gleich."

Anabel flüstert neckisch: „Ich auch, obwohl ich unten etwas mehr Spiel habe. Gehen wir an die frische Luft. Ich lade dich auf einen Spaziergang ein. Ich muss mich beruhigen, nach dieser überraschenden Ankündigung, ehe ich mit meinem Vater noch ein Gelage habe."

Vor der Küchentür steht ein Elektroauto, auf dem das Logo des Weinguts prangt, ein geschwungenes „I", in Gold. Sie steigen ein und fahren den Weg vom Haus hinunter zu den Gebäuden des Weinguts. Anabel beschreibt sie nacheinander: Der Gastfreundschaft-Stadel, der Vertrags-Stadel, der Misch-Stadel, der Pavillon. Sie sind strategisch gelegen, fast nebeneinander, jedoch liegt in den wenige Meter breiten Zwischenräumen noch etwas Blattwerk auf dem ockerfarbenen Pflaster. Im Dunkeln, wo nur das Mondlicht und die schwache Außenbeleuchtung darauf scheint, wirkt die Szene romantisch und nostalgisch.

Anabel erklärt: „Die alten Holzbauten, so elegant antik sie wirken, waren einst höchst entzündlich, seit aber vor Jahren ein wirklich großes Feuer wütete, das vom trockenen Santa-Ana-Wind entfacht wurde, wurden alle Gebäude auf dem Weingut nachgearbeitet, damit sie, selbst zur heißesten, trockensten Zeit im Jahr, feuerfest sind.

Marc hält seine Emotionen im Zaum, als die Erinnerung an die Qualen seines Vaters wieder aufflammt. Man hatte ihm gesagt, es sei ein Unfall gewesen. Ein Feuer in einem alten Weinkeller, entfacht durch etwas Glut, verstärkt durch einen Luftzug. Er erinnert sich nicht einmal mehr, auf welchem Weingut dies geschah, denn zu seinem Schutz hat er so viel wie möglich davon verdrängt. So viele Erinnerungen hat er an seinen Vater und er wünscht sich, sie alle abrufen zu können, aber wie die Erinnerung an den Mord an seiner Mutter, sind sie irgendwo tief in seinem Gehirn, wo sie sein Herz nicht berühren.

Das Elektroauto kommt vor dem Reiferaum zum Stehen, der einst Anabels Zuflucht und der Ort ihrer feurigen Rituale war. Jetzt sieht er anders aus, denn er wurde wiederaufgebaut, nachdem sie ihn niedergebrannt hat, im selben Stil und gleichartig. Das weckt Erinnerungen. Für einen Moment ist sie völlig in Gedanken, als sie das Bild des grausigen Feuers wieder im Kopf hat, des verheerendsten, das sie je angezündet hat, das Franco Jourdain tötete. Für einen Moment schwelgt sie schweigend in Erinnerungen.

„Anabel. Anabel? Hallo. Wohin schweifst du ab?“

„Oh...ähm...ich dachte nur gerade, wir sollten vielleicht zurück.“

„Ja. Ich stimme dir zu.“ Der Fahrtwind des

Elektroautos beruhigt und Marcs Atmung wird wieder normal.

Wieder im Haus lässt sich Marc entschuldigen, dass Anabel und ihr Vater ein paar Minuten privat plaudern können. Als er sich durch die Menge schlängelt, kann er schwach etwas hören, das mehr wie ein handfester Streit klingt, als ein Gespräch.

„Ich will weder das Geschäft weiterführen, noch will ich mein Foto auf dem Etikett haben, Vater. Ich weiß so gut wie nichts über die Weinkellerei. Ich bin Designer, kein Winzer. Ich entwarf deinen schmucken Empfangspavillon, aber hier arbeiten werde ich nicht.“

„Es liegt dir im Blut, Mija. Und ich brauche dich, Anabel. Dein Bruder hat sein Vermächtnis mit Füßen getreten. Er hat kein Interesse am Familienunternehmen, der große Filmstar in Hollywood.“

„Warst es nicht du, der ihn mit Füßen getreten hat?“, gibt Anabel zurück.

„Niemals. Er will aber, dass sein Privatleben privat bleibt, also bitte. Der Name Ibarra ist ihm nicht gut genug, deshalb legte er ihn ab. Als wüsste keiner, dass er ein Latino ist“, schäumt Amador.

„Er rennt nicht vor seiner Latino-Herkunft davon“, erwidert Anabel. „Sondern vor seiner Familie, und dies aus mehreren Gründen.“

Marc schlendert durch das riesige Haus, auf der Suche nach dem nächsten Bad, dann öffnet er die

59

Tür zu einem privaten Büro, wo er eine Matronin sitzen sieht, die eine schwarze Mantilla trägt. Sie wirkt etwas anachronistisch, denkt Marc. *Tragen Frauen noch immer solch einen kunstvollen Kopfschmuck?* Obwohl er zu ihr und der Einrichtung von anno dazumal passt.

„Oh, Verzeihung. Ich suchte, Sie wissen schon. Können sie mir sagen, wohin?"

„Ja, natürlich. Den Gang runter." Ihr selbstsicherer Blick fällt auf Marcs neugierige Miene. „Sind Sie zum ersten Mal hier? Offenbar kennen Sie sich in dem Haus nicht aus."

„Woher wissen Sie das?", sagt Marc und lächelt verlegen. „Mein Name ist Marc Jordan. Verzeihung, dass ich hier so reingeplatzt bin."

„Marc Jordan? Sie kennen meine Enkelin. Sie hat von ihnen erzählt, aber die besten Einzelheiten für sich behalten, da bin ich sicher."

„Oh, ja, sie hat Sie auch erwähnt. Sie nennt Sie Abuelita. Bedeutet dies Großmutter?"

Abuelita lächelt zustimmend. Ihre Zähne sind unglaublich weiß, selbst für eine Frau im hohen Alter. Trotz ihrer kleinen Statur, die hinter dem massiven Mahagonitisch fast verschwindet, wirkt Abuela ehrwürdig und gewaltig. Sie ist ganz in schwarz gekleidet, als befände sie sich in Trauer, an ihrem Hals baumelt eine silberne Kette mit Kreuzanhänger.

„Damit spielt sie auf meine kleine Statur an.

Abuelita bedeutet „Großmütterchen." Sie können mich auch Abuela nennen. Großmutter."

„Es freut mich, dass Sie so familiär werden. Sollte ich Sie nicht Señora Ibarra nennen?"

„Das ist zu formell, wenn Ihre Absichten, Anabel betreffend, ehrlich sind. Sind sie das?"

„Aber ja. Das will ich doch schwer hoffen. Ich meine, was mich angeht, sind sie es." Marc steht steif im Flur und richtet sich ganz auf, aus Respekt vor der betagten Frau, von der er nichts weiß, da muss er dringend auf die Toilette.

„Schön, Sie kennen gelernt zu haben, Marc Jordan. Nachdem Sie „Sie wissen schon", gefunden haben, kommen Sie doch wieder. Ich würde Sie gerne kennen lernen."

„Das wäre mir nicht unrecht Señora Abuela."

„Könnten Sie morgen zu uns zum Mittagessen kommen?"

„Ich denke schon. Am Sonntag habe ich keine Gerichtstermine und Anabel und ich haben nicht wirklich was vor. Könnte ich anrufen und zusagen, nachdem mich mit ihr gesprochen habe?"

„Natürlich. Ich esse um 13:00 Uhr. Ich warte dann."

Endlich ist die Party vorbei. Erleichtert versucht Marc Anabel durch die Tür zu geleiten, sie muss aber, ehe sie gehen, alten Freunden noch Küsschen zuwerfen. Leider gibt es noch einen Menschen, der Marcs und Anabels Abreise im Weg steht.

„Schön, dass ich Sie endlich kennen lernen durfte, Señor Ibarra. Ihr Weingut ist sehr beeindruckend und die Party war einfach herrlich." Amador nickt, schüttelt Marc aber nicht die Hand.

Kaum hat er das Haus verlassen, läuft es Marc kalt den Rücken hinunter. „Ein frostiger Abschied. Hat dein Vater etwas gegen Anwälte?"

Anabel schüttelt den Kopf. „Das hat nichts mit dir zu tun. Nur familiäre Meinungsverschiedenheiten."

„Bring das mit deinem Vater ins Reine, Anabel. Er bezahlt die Hochzeit."

„Hochzeit? Soll das ein Antrag sein?"

„Willst du, dass es einer ist?"

„Ich befürchte, du musst ihn um Erlaubnis fragen."

„Was, wenn er ablehnt?"

„Ich werde dich trotzdem heiraten."

„Wie romantisch."

KAPITEL SECHS

Am darauffolgenden Tag, beim Mittagessen, wird Marc auf eine Veranda geführt, von der man auf einen Garten sieht, der von einem Impressionisten hätte gemalt sein können. Als er den bunten Regenbogen verschiedenster Blumen sieht, durch deren Blütenblätter die Sonne fällt, was ihnen ein Glühen verleiht, hat Marc das Gefühl, dieser Garten hat einen mehr ideellen, denn materiellen Wert. Er begrüßt Abuela und hilft ihr den Stuhl an den Tisch zu rücken. Heute ist sie das Großmütterchen, weniger formell gekleidet und ohne ihre Mantilla, sodass man ihr schwarzes Haar mit den silbernen Strähnen sieht. Ihr Kleid ist schlicht, türkisfarben, betont von ihrem silbernen Kreuz und einem silbernen türkisfarbenen Ring.

„Es freut mich, dass Sie es einrichten konnten,

Marc Jordan.“

„Anabel brauchte einen Tag für sich, deshalb hatte ich das Glück, mich mit ihrer Abuelita treffen zu können. Darüber war sie sehr glücklich.“ Es fällt ihm leicht, diese noble Dame freundlich anzulächeln, wenngleich es ihn irritiert, dass sie so schnell eine persönliche Bindung entwickelten.

„Gut. Dann können wir uns ja Zeit lassen.“

„Das ist ein zauberhafter Garten“, bemerkt Marc. Er weiß zwar nicht viel über die verschiedenen Blumen, ist aber sehr angetan von der Farbenpracht, den schön geschnittenen Hecken und den hohen Bäumen. Er dankt dem Kellner, der gut gefüllte Teller und eine Flasche Wein serviert.

„Das ist im Haus mein Lieblingsplatz“, gesteht Abuela. „Es gibt hier keine Mauern und Begrenzungen. Diese Schönheit breitet sich unendlich aus. Also, wie lernten Anabel und Sie sich kennen? Sie ist Künstlerin, Sie sind Anwalt. Zwei völlig verschiedene Welten.“

„Ein Freund nahm mich zur Eröffnung einer Kunstausstellung mit. Dort war auch Anabel. Sie hatte das Logo der Galerie und die Ausstellungsräume entworfen. Ich war von ihrer Arbeit beeindruckt, muss aber zugeben, mein Interesse galt mehr ihr als Mensch. Hier war sie voll und ganz in ihrem Element. Und sie strahlt so eine feurige, königliche Anmut aus.“

„Anabel macht noch mehr aus, außer ihr feurig

gutes Aussehen, Marc Jordan." Abuelas Blick ist fest, aber sie blinzelt.

„Das durfte ich mit Freuden feststellen." Jetzt will er aber nicht auf Anabels Vorlieben eingehen. Stattdessen gibt er seine preis: „Mann, ist dieses Essen wunderbar", meint er, als er versucht, die Käsekroketten samt Beilage zu genießen und nicht in sich hinein zu stopfen. Was ihm kaum gelingt. Er weiß, um das wieder wett zu machen, muss er ein bis zwei Kilometer mehr joggen.

„Und was fand Sie an Ihnen so prickelnd?", fragt Abuelita. „Außer *Ihrem* feurig guten Aussehen."

Marc sind Komplimente, die sich auf seine dichten, haselnussbraunen Haare beziehen, seinen warmen Teint und seinen schlanken Läuferkörper beziehen, für gewöhnlich peinlich. Jedoch konnte er nichts dafür, denn er hatte echt gute Gene, von zwei sehr attraktiven Elternteilen. Er achtet auf seinen Körper, aus einem Selbsterhaltungtrieb heraus, nicht aus Eitelkeit. Aber das Wort „feurig" hat noch nie jemand benutzt, um ihn zu beschreiben. Tatsächlich ist er sehr distanziert, im Gegensatz zu Anabel, deren Leidenschaft für alles offensichtlich und zweifellos unwiderstehlich ist.

„Ich glaube es stimmt, was man sagt: Gegensätze ziehen sich an", schließt Marc.

Zwischen dem guten Essen unterhalten sie sich über das Wetter, das Essen, die Blumen und genießen die nahe Natur. Nachdem sie auf das

Bienensterben zu sprechen kommt, sagt Abuela schließlich: „Genug geplaudert."

Sie und Marc verlassen die Terrasse durch die offene Tür und betreten die Bücherei, einen gemütlichen Raum mit polierten Möbeln aus Kirsche. Es bietet sich Marc eine riesige Büchersammlung, die jemand in seinem Leben nie alle lesen kann. Abuela bietet Marc den Plüschsessel neben ihr an. Auf dem Beistelltisch vor ihnen liegen Stapel von Fotoalben, die sie mit Marc ansehen möchte. Ein altes Foto eines gutaussehenden Paares fällt Marc ins Auge.

„Ja, das bin ich mit meinem verstorbenen Mann an unserem Hochzeitstag in Segovia, Spanien. Ihre Hochzeit wird auch sehr groß, wenn Sie Anabels Ehemann werden."

Es überrascht Marc, dass sie vom „Ehemann" spricht, denn weder er noch Anabel haben je ernsthaft über Heirat gesprochen. Es gab nicht einmal einen formellen Antrag.

„Sie sind sich nicht sicher, ob Sie sie heiraten wollen?"

„Doch, natürlich bin ich das. Aber mir wurde gesagt, ich muss den Segen ihres Vaters einholen und ich glaube nicht, dass sie schon bereit ist."

„Machen Sie sich Sorgen wegen Amador. Ich bin diejenige, die den richtigen Zeitpunkt bekannt gibt."

Abuela schaut sich wieder die Fotos an und erzählt romantisch die Geschichte vom Wein, der seit

Generationen eng mit der Familie verbunden ist. Sie zeigt ihm Fotos von ihrem Haus in Spanien, im herrlichen spanischen Kolonialstil, jedoch ist es gediegen, im Gegensatz zu Ibarras Anwesen, in dem sie jetzt leben.

„Mein Ehemann Angelo hat noch mit dem Maulesel die Weinberge gepflügt", erklärt Abuela und zeigt auf das Schwarzweiß-Foto. „Solch ein romantischer Anblick, verglichen mit dem Stand der Technik von damals. In manchen Regionen wird immer noch so gearbeitet, wissen Sie."

Marc macht eine Geste, als wisse er es nicht.

„Angelo sah jeden Wein, den er herstellte als einzigartig und magisch. Er glaubte, diese Magie käme von der Symbiose zwischen ihm und seinem Maulesel", erinnert sie sich. „Nach dieser Philosophie lebte und arbeitete er bis er starb; hinter diesem geliebten Maulesel." Sie lächelt, als Marc der Mund halb offen stehen bleibt. Was soll er darauf nur antworten?

„Ach, und hier sehen wir den jungen Weinberg in Chula Vista, der damals noch viel kleiner ist als heute, jedoch endlose Flächen an Land zum Weinbau hat. Unter Amadors Aufsicht wuchs das Weingut schließlich und die Weinberge nahmen Morgen um Morgen zu, bis das Gut zu dem wurde, was es heute ist."

Abuela macht einen Sprung, viele Jahre weiter und hinterlässt eine Lücke in der

67

Unternehmensgeschichte der Ibarras. *Eine unangenehme Vergangenheit?* fragt sich Marc. *Etwas das der Familie Willen vor allen geheim gehalten wird, oder nur vor mir?*

Auf weiteren Bildern sieht man Familienmitglieder auf Festen, die von den vielen Angestellten im Haus und auf dem Weingut gefeiert werden, die viele noch immer hier sind. Auch Anabel, die von einem Säugling zu einer wunderschönen Frau heranwuchs, ist zu sehen. Auf einem Foto steht hinter ihr ein kleiner Junge, der spöttisch ihre Zöpfe hochhält, sie aber lacht, weil er es so spielerisch tut.

„Das würde nur ein Bruder tun", scherzt Marc. „Ist das Anabels Bruder?"

Abuela wechselt schnell das Thema und meint: „Erzählen Sie mir von Ihrer Familie." Dann schließt sie das Album.

Marc zögert und will nicht die intimen Details preisgeben oder seinen Schmerz noch einmal durchleben, gibt dann aber doch ein paar allgemeine Fakten preis: „Meine Mutter, Helena, wurde in Mexiko-Stadt geboren. Ihre Eltern besaßen ein Restaurant und machten meine Mutter zu einer beeindruckenden Köchin. Ich habe sie nie wirklich kennen gelernt, denn meine Eltern und ich zogen nach Kalifornien, als ich noch sehr jung war. Meine Mutter arbeitete als Köchin für einen reichen Unternehmer. Mein Vater, Franco, wurde mit dem

Weingeschäft in Frankreich groß, dann arbeitete er für einen Winzer irgendwo hier in dieser Gegend, ich weiß nicht mehr wo. Nach seinem Tod zog mich meine Mutter allein groß."

Als sie den Namen Franco hört, ist Abuela innerlich unruhig, nach außen hin bleibt sie aber standhaft, denn sie will nicht wahrhaben, dass es eine Verbindung zu Franco gibt, der vor Jahren für Amador arbeitete. Sie traut sich nicht, ihm in die Augen zu schauen. „Und deine Mutter? Steht ihr euch noch nahe?"

„Auch sie starb kurz nach meinem Vater. Dann lebte ich, bis zum Abschluss meines Studiums, bei meinem Onkel und meiner Tante im Norden."

Abuela tut dieser Mann, den sie liebgewonnen hat, von Herzen leid. „Es muss katastrophal für dich gewesen sein, so jung beide Eltern zu verlieren."

„Ja. Es war schwer", gibt Marc zu.

„Und doch hast du allen Widrigkeiten getrotzt und wurdest Anwalt." Dieses Kompliment ist ernst gemeint.

„Ja, ich hatte großes Glück, dass für mein Studium ein Treuhandfonds angelegt wurde, aber ich wusste nie, wie meine Eltern es sich leisten konnten."

„Halfen vielleicht deine Großeltern aus?"

„Das bezweifle ich. Mein Großvater, Claudian Jourdain, war Franzose und Pilot im Zweiten Weltkrieg.

Also ist es wahr, denkt Abuela traurig. Es ist derselbe Franco.

„Mein Vater erzählte mir Geschichten von seiner Mission, der Gefahr und Romantik. Ich denke, daher kommt meine Liebe zum Fliegen. Großvater überlebte den Krieg und übernahm den familiären Weinberg im Elsass. Mein Vater wuchs dort auf und lernte alles über dieses Geschäft. Leider verlor mein Großvater alles, durch Krankheiten und Frost, verstarb total verarmt. Also nein, der Treuhandfonds konnte nicht von ihm sein."

„Ich kann dies alles gut verstehen. Trotz allem Wohlstand und Luxus, der jetzt offensichtlich ist, hatte die Familie Ibarra ihre Hochs und Tiefs. Nöte, miese Ernten, Pleiten, ehe uns endlich Erfolg beschieden war. Die Arbeit ist verdammt schwer und Geld war nicht immer ausreichend vorhanden. Und deine Eltern, die müssen sehr hart gearbeitet haben, um den Fonds für deine Ausbildung aufbringen zu können."

„Ja, damit und mit einer Lebensversicherung konnte ich mein Jurastudium finanzieren, ohne ein Studentendarlehen aufnehmen zu müssen."

„Es freut mich, dass du das alles so gut gepackt hast, Marc Jordan. Jordan; du hast deinen Namen geändert?"

„Ja, nachdem ich die Anwaltszulassung hatte und nach San Diego zurückkehrte."

Abuela fragt nicht warum, aber sie ist dankbar,

dass sie den Namen Jourdain nicht immer wieder sagen muss, denn Marc wird bald Teil der Familie Ibarra sein.

„Ich habe Anabels Mutter nie kennen gelernt." Jetzt ist es an Marc, das Gesprächsthema zu wechseln. „Ich hoffte zwar darauf, aber Anabel sagt, sie reist viel und ist kaum in den USA."

„Meine Schwiegertochter, Madalena, lebt im Familiendomizil in Spanien und ist in Europa eine gefragte Modedesignerin.

„Eine Modedesignerin. Also daher hat Anabel ihre künstlerische Begabung. Sieht sie sie oft?"

„Sie zog weg, als Anabel ein kleines Mädchen war. Sie und mein Sohn haben sich auseinandergelebt und Amador hat damals Anabel verboten, uns zu besuchen."

„Es ihr verboten?"

„Unüberbrückbare Differenzen, wie es so schön heißt."

„Aber jetzt ist sie alt genug, sie zu besuchen und tut es nie?"

„Die Zeit heilt manchmal alle Wunden. Manchmal kappt Abwesenheit einen Faden, der schon dünn war, endgültig."

Marc neigt verwirrt den Kopf. „Das verstehe ich nicht."

„Wenn die Zeit reif ist, wird es Ihnen Anabel erzählen. Es steht mir nicht zu, Familiengeheimnisse preiszugeben."

KAPITEL SIEBEN

RÜCKBLENDE

Die Geheimnisse rund um die Familie Amador sind tiefgehend und düster und gehen Jahrzehnte zurück, als der junge Amador für einen skrupellosen Winzer in Spanien arbeitete.

Es waren die 1990er, eine Zeit schriller Pracht und des schnellen Geldes, Gier im Geschäft und Skandalen in Hülle und Fülle. Der Winzer Ricardo Cordoba und sein Sohn Daniel, der den Vertrieb übernahm, gaben ausladende Feste, der Wein floss umsonst und man schloss betrunken Verträge. Einen neuen Wein vorzustellen, war immer spannend, aber dieser Tropfen, ein neuer Odore Barbara, war sehr leicht und hat wohl niemanden berauscht. Cordoba schaute weg, als sein Sohn den Wein mit 5,7% Methanol versetzte, um billig den Alkoholgehalt zu erhöhen. Er war schon in Flaschen abgefüllt und bereits verschickt worden. Der Wein wurde auf einer ausgelassenen Party eingeführt. Jeder Gast trank mindestens ein Glas Wein.

Alle hatten sich im großen Festsaal des Weinguts versammelt, von wo aus man über hektarweite Weinberge voller weißer, grüner und roter Trauben hinwegsehen konnte. Die Gäste probierten verschiedene Sorten aus, rot, weiß, von lustvoll bis fruchtig, mit Kokosnussaroma, Vanille und süßen Gewürzen. Nicht jeder war scharf darauf, Spuren von Lavendel und Veilchen im Odeur zu haben. Aber die Gäste waren angeheitert, die Musik lebhaft und bald schon konnten sich viele nicht mehr auf den Stühlen halten und bildeten eine Polonaise. Für diese abenteuerlustigen Weinkenner waren die langen Weingläser, die mit dem romantisch dunklen Tropfen gefüllt waren, unwiderstehlich.

Opfer Nr. 1, eine Frau, die ausgelassen ihren 50. Geburtstag feierte, erhob ihr Glas. Sie nahm den traditionellen ersten Schluck Odore Barbera und stieß damit mit dem Winzer an, dann nahm sie einen herzhaften Schluck mit dem Geschmack von Schwarzkirschen, Pflaume und schließlich Schwarze Johannisbeere. Dann ein Glas nach dem anderen. In Feierlaune stieß sie einen Freudenschrei aus, versaute dann aber diesen Moment, indem sie sich auf den ganzen Boden übergab.

Opfer Nr. 2 wurde schwindlig und bekam schreckliche Kopfschmerzen.

Opfer Nr. 3 verlor die Orientierung, fiel zu Boden und seine Knie zitterten.

Bald schon säumten Krankenwagen die runde Auffahrt der Villa Cordoba, luden die Opfer ein und eilten in die überfüllte Notaufnahme. In den folgenden Stunden kamen mehrere Fälle von eingeschränkter Sicht oder völliger Blindheit, Alkoholvergiftungen und schweren Hirnblutungen dazu. Als diese verhängnisvolle Feier zum Ende kam, waren 30 Menschen tot und 90 landeten im Krankenhaus, weil sie sich mit Methanol vergifteten.

Was noch schlimmer war, dutzende Kisten dieses Weins wurden an Weingüter in ganz Europa verschickt, der vergiftete Wein wurde mit hochwertigem Wein vermischt und die Herkunft zurück zu verfolgen, war praktisch unmöglich.

Amador herrschte hinter verschlossener Tür seinen Chef an: „Wieso dachten Sie, Sie kämen damit durch, Cordoba?"

„Es war Daniel", beschuldigt er seinen Sohn. „Er dachte, er könne seine Spuren verwischen, indem er gute mit schlechten Flaschen in unseren eigenen Lagern vermischt."

„Sie wussten davon und unternahmen nichts, um ihn aufzuhalten? War Ihnen nicht klar, dass Menschen davon krank werden oder sogar sterben könnten?"

„Wir wollten nie, dass so etwas passiert. Wir

dachten nur, der Rausch würde dadurch etwas verstärkt."

„Etwas? Sie fügten dem Wein 5,7% Methanol bei, der Grenzwert ist 0,3%. Was haben Sie sich dabei gedacht?"

„Nichts weiter. Ich hatte Angst vor Gewinnausfällen. Das war unsere Chance, uns zu erholen und im Wettbewerb aufzuholen. Außerdem gibt es keine Beweise, dass es an uns oder unserem Wein lag. Es gibt keinerlei Aufzeichnungen."

Amador klopfte mit dem Zeigefinger mehrmals gegen seine Schläfe. „In meinem Kopf habe ich alles aufgezeichnet. Wissen Sie, was für Auswirkungen das noch haben kann? Wir haben schon hunderte Kisten verschickt! Das könnte Sie für Jahre ins Gefängnis bringen."

„Helfen Sie mir, Ibarra. Bitte. Es soll nicht zu Ihrem Schaden sein."

Amador wollte in keiner Weise in diese mörderische Tat verwickelt werden, dennoch konnte er lebenslänglich bekommen. Er hatte sich in der Firma einen Namen gemacht, indem er neue und frische Ideen einbrachte, dabei aber gleichzeitig die Traditionen bewahrte. Trotz allem, was er erreicht hatte, hatten die Cordobas den Ruf, Fehlentscheidungen zu treffen und den Wein mit Gift zu panschen, war die schlimmste von allen. Amador war gewillt, weiter zu ziehen, aufzusteigen, im Weingeschäft groß raus zu kommen.

„Das ist meine Forderung. Ich möchte den Weinberg in Kalifornien eigenverantwortlich übernehmen, schließlich soll er auf mich überschrieben werden. Im Gegenzug werde ich den Behörden sagen, jemand hätte den Wein gepanscht, ohne dass wir davon wussten."

„Und wen hätten Sie im Auge?"

„Ich weiß nicht... einen Sommelier, einen Konkurrenten. Überlassen Sie das Denken mir", sagte Amador, der anscheinend bereits einen Plan hatte.

AMADOR UND SEINE FRAU MADALENA, die mit ihrem zweiten Kind schwanger war, waren mit ihrem 2-jährigen Sohn, Miguel, und Amadors Mutter, Consuela Ibarra, unterwegs nach Amerika, als das Gerücht die Runde machte, dass ein 43-jähriger Arbeiter auf einem Weingut starb, nachdem 5.000 Kilogramm Reben in einen Fülltrichter, in dem er sich gerade befand, auf ihn stürzten. Es ist nicht sicher, wie er in dem Trichter unter fünf Tonnen Reben landete, unter denen er schließlich erstickte. Als ein Arbeiter sah, dass ein Fuß herausschaute, wurde die Feuerwehr gerufen, die erst einmal die ganzen Reben auf die Seite schaffen musste, um das Opfer aus dem Trichter zu bekommen. Er wurde noch am Fundort für tot erklärt. Den Berichten in den spanischen Nachrichten nach zu urteilen, war der Mann in zahlreichen Weinbergen während der Haupterntezeit als Helfer eingeteilt.

Ricardo Cordoba war geschockt, als er erfuhr, dass der Mann Spuren von Methanol auf seiner Kleidung hatte und deshalb zum Verdächtigen in der Affäre um vergifteten Wein wurde.

Wie, zum Teufel, hatte Ibarra das nur fertiggebracht?

––––––

DER KALIFORNISCHE WEINBERG der Cordobas stand gerade am Anfang seiner Entwicklung und erst ein halber Morgen Reben gepflanzt. Auf dem kargen Gut waren nur die Hauptgebäude: Eine Scheune, wo die Ernte gestampft und für die Fermentierung vorbereitet wurde, eine Mischscheune, wo die Reben gekonnt kombiniert wurden, damit der einzigartige Geschmack entstand und ein Reiferaum zum Lagern der Fässer. Der kleine, abgelegene Reiferaum wirkte mehr wie ein reizender Schuppen, würde aber bald zum Schauplatz eines schrecklichen Schicksals.

Innerhalb von zwei Jahren war Amador auf dem besten Weg, das Weingut nach seinem eigenen Traum umzuwandeln. Franco Jourdain, der Grundstücksverwalter des Weinbergs, beeindruckte Amador mit seinem Wissen und Können in der Weinherstellung und die beiden Männer kamen sofort gut voran, wohl deshalb, weil Franco für

Amador keine Bedrohung darstellte; er wollte weder seinen Job noch seine Stellung. Franco war bedacht darauf, das Land zu bestellen und er und Amador arbeiteten Seite an Seite von früh bis spät, um das zu erschaffen, was Franco „Poesie in der Flasche" nannte.

Man musste Experte beim Überwachen und Kontrollieren von Pflanzenkrankheiten sein, richtig bewässern, die Laubarbeit managen, über den Reifegrad der Frucht und deren Merkmale entscheiden, den Zeitpunkt der Ernte sowie die vielen Weinstöcke beschneiden, erst recht während der Wintermonate. Als Weinbauer stach Franco dort überall hervor und noch mehr. Seine Visionen, wie das Weingut umgestaltet werden könnte, dass sie in der Branche an Ansehen gewinnt, beflügelten Amador, der dankbar war, so dankbar, dass er Franco beförderte und ihm von allen Weingutsverwaltern in der Gegend das höchste Gehalt zahlte.

In den darauffolgenden Jahren kamen sich die beiden Männer näher und überraschenderweise verband sie eine fast brüderliche Freundschaft, was für einen zielstrebigen und egoistischen Mann wie Amador ungewöhnlich war.

Aber Amador und Madalena entglitten ihm immer mehr.

„Als wir hierherzogen, dachte ich, du wärst zu beschäftigt und zu müde, um noch den Frauen hinterher zu rennen", schimpfte ihn Madalena. „Du hast zwei Kinder, die zu dir aufsehen und deine volle Aufmerksamkeit brauchen. Das scheint dich aber überhaupt nicht zu kümmern."

„Das ist nicht wahr, Madalena. Meine Kinder bedeuten mir alles. Wie du auch. Ich habe Schwächen wie alle Menschen. Diese Frauen sind faszinierend, sonst nichts."

„Dein Sohn, Miguel, hat auch Schwächen, immer wieder hat er Ärger in der Schule und ist in Schlägereien verwickelt."

„Ach, er wird nur zum Mann. Da wächst er schon raus."

„Nicht, wenn du ihn immer wieder vor Ärger bewahrst."

„Das machen Väter."

„Und was machen Väter gegen die Schwächen ihrer Töchter? Eine gefährliche Schwäche, Feuer zu legen?"

Amador tat den Fetisch der kleinen Anabel mit einem Schulterzucken ab. „Die kleinen Freudenfeuer? Das ist doch nichts. Sie hat nie ernsthaften Schaden angerichtet."

Madalena warnte ihn: „Eines Tages wird sie es. Sie wird sich oder jemand anderes verletzen. Was machen wir dann?"

„Wenn die Zeit reif ist, kümmern wir uns darum."

„Nein!", schrie sie und schlug mit der Faust auf den Tisch. „Wir können nicht warten, bis die

Tragödie ihren Lauf nimmt. Ich will sie jetzt in professionelle Hände geben."

Aber Amador blieb stur: „Ein Psychiater? Nein. Sollte es je an die Öffentlichkeit gelangen, wäre das schlecht fürs Geschäft.

Sie flehte: „Dann möchte ich sie nach Spanien bringen. In unser dortiges Haus, damit man sie dort behandeln kann. Niemand wird je etwas davon erfahren."

„Meine Tochter wegbringen? Du und meine Tochter, tausende von Kilometern weit weg? Ganz sicher nicht."

„Dann lasse ich mich scheiden und erstreite das alleinige Sorgerecht für Anabel."

Eine kleine Statue, die auf der Anrichte stand, war für Amador ein ideales Geschoss, das er weit werfen konnte, knapp am Kopf seiner Frau vorbei. „Niemals! Wir sind katholisch. Ich würde exkommuniziert."

Madalena lachte zynisch. „Ach, was interessiert dich das? Du bist nur insofern katholisch, als dass du Wein an die Kirche verkaufst und damit viel Geld verdienst." Ohne noch etwas zu sagen, stürmte sie aus dem Haus.

Eine Zeit schien es, als hätten sich die Wogen geglättet. Ihr Mann kümmerte sich darum, ein erfolgreiches Unternehmen aufzubauen und der Außenwelt vorzuspielen, er sei ein echter Familienmensch, Madalena begann aber schon, ihm den Boden seiner stabilen Ehe unter den Füßen wegzuziehen.

„Du rachsüchtige Schlampe", herrschte er sie an. Puterrot im Gesicht und bereit, zum Schlag auszuholen, warf Amador die Papiere in die Luft. In ihnen stand nicht nur, dass Magdalena sich scheiden lassen wollte, wie sie angedroht hatte, sondern auch, dass sie das alleinige Sorgerecht für Anabel beantragte. Der Streit war laut und tosend und Madalena spielte ihren Trumpf aus: „Dass Amador Ibarra ein schlechter Vater war, viele außereheliche Affären hatte und die Psyche seiner Tochter derart schädigte, dass sie ein destruktives Verhalten an den Tag legte und in Behandlung muss, die er ihr verwehrte."

Schließlich, jedoch mit anderweitigen Motiven im Hinterkopf, stimmte er zähneknirschend zu. „Ich werde dich nach Spanien gehen lassen", sagte er zu Madalena. „Es wird aber keine Scheidung geben."

Am Tag, an dem Madalena nach Spanien aufbrach, war Anabel jedoch nirgends auffindbar. Madalena war bestürzt und verlangte, Amador solle sofort ihre Tochter zu ihr bringen, dass sie „diesen unseligen Ort" verlassen! konnten.

Anstatt Anabel herbei zu schaffen, schafften sie zwei Männer, auf Amadors Befehl hin, gewaltsam aus dem Haus. Sie verfrachteten sie in eine Limousine und brachten sie zum Flughafen. Dort ließen die Männer sie nicht aus den Augen, gaben

Acht, dass sie auch ja das Flugzeug bestieg und sahen zu, wie es abhob. Ihre Tochter blieb zurück.

Mit gebrochenem Herzen und auf Rache aus, schwor sich Madalena, es ihm heimzuzahlen. *„Ich werde dich vernichten, Amador Ibarra. Mit Gottes und der Hilfe deiner Opfer werde ich dich vernichten.“*

Anabel war am Boden zerstört, denn ihre Mutter hatte sie verlassen, weinte nur noch und war schlecht gelaunt. Der missgünstige Amador versuchte, sie zu trösten, wollte aber in keinster Weise Schwäche zeigen oder sich für seine undankbare Frau entschuldigen. Seine eigene Verbitterung machte ihn verschlagen und grausam.

„Deine Mutter wollte dich nicht bei sich haben. Sie will nichts mehr mit dir zu tun haben.“

„Warum?“, weinte Anabel.

„Die Brände, Anabel. Sie versteht nicht, dass du krank bist und gibt dem Bösen in dir die Schuld. Bleibe hier, wo ich dich beschützen kann.“

„Aber ich verspreche, ich werde es nie mehr tun, Papa. Bitte sag ihr, dass ich artig sein werde. Versprochen.“ Anabel winselte und flehte, aber ihren Vater berührten ihre Qualen nicht. Amador hielt seine Tochter auch weiterhin im Zaum und weigerte sich, sie ihre Mutter besuchen zu lassen.

„Reiß dich zusammen. Werde erwachsen, Anabel. Du musst erwachsen werden und die Lebensereignisse akzeptieren.“

Sie wollte unbedingt die Mutterrolle übernehmen, so kümmerte sich Abuela um Anabel. Im Stillen tauschte sie Nachrichten zwischen ihnen aus. In jedem Wort schwor Madalena, dass sie ihre Tochter liebte und sie nicht im Stich lassen wollte. Sie schrieb: „Dein Vater zwang mich, zu gehen. Weil ich dich zu einem Arzt bringen wollte, um deine Krankheit zu behandeln. Bleib stark, Anabel. Eines Tages werden wir wieder vereint sein. Ich liebe dich von ganzem Herzen."

Anabel drückte den von ihren Tränen befeuchteten Brief eng an ihr Herz. „Stimmt das, Abuelita. Schickte mein Vater Mutter weg oder wollte sie gehen?"

Abuela umarmte ihre Enkelin, strich ihr über das Gesicht und versicherte ihr mit folgenden Worten: „Sie wollte dich mit zu sich nehmen, *Kleines*. Sicher wollte sie das. Aber Amador, mein egoistischer Sohn, Gott, vergib, dass ich das sagte, hat sie gegen ihren Willen fortgeschafft."

„Das ist unfair. Das ist unfair! Ich dachte, er liebt mich. Warum sollte er das tun?"

„Manchmal sind Erwachsene irrational und grausam. Auch wenn er deiner Mutter aus rachsüchtigen Motiven heraus wehtun wollte, er liebt dich wirklich. Er weiß nur nicht, wie er es zeigen soll."

„Was kann ich tun, Abuelita?"

Die ältere Frau wischte ihrer Enkelin die Tränen

aus den Augen. „Ganz ruhig, sei stark. Ich bin für dich da und eines Tages wendet sich alles zum Guten. In der Zwischenzeit halte ich im Stillen den Kontakt zwischen dir und deiner Mutter aufrecht."

„Wenn ich vielleicht einen Arzt konsultiere, dass es mir besser..."

„Das hat Zeit, Liebes. Dein Vater wird das jetzt noch nicht erlauben. Also darfst du wirklich keinen Schaden mehr anrichten wollen. Keine Feuer mehr."

„Ich werde mir ganz große Mühe geben, artig zu sein", schwor Anabel. „Aber etwas in mir treibt mich dazu. Ich weiß nicht, was es ist. Vielleicht...vielleicht bin ich besessen. Möglicherweise wohnt ein Teufel in mir", schluchzte sie und zitterte bei diesem furchterregenden Gedanken.

„Ganz ruhig, Liebes. Komm mit mir in die Kirche, dann wirst du wissen, es ist kein Teufel in dir. Du brauchst nur etwas Glauben, innere Stärke, einen guten Geist. Gebete. Das wird dir helfen."

Anabel begleitete ihre Abuela jeden Sonntag zur Kirche, Lady of Guadalupe und mehrmals die Woche zur Abendmesse. Sie beichtete ihre Sünden, empfing die Kommunion und ließ sich von den engelhaften Stimmen des Chors der Nonnen beruhigen. Sie zündete Kerzen an, konnte aber nur das hypnotische Flackern der Flammen sehen und sie schweifte in Gedanken ab. Eine Zeit lang wurde Anabels Verlangen von den religiösen Ritualen gedämpft. Als sie sich aber ihre Mutter vorstellte, die sie mit Gewalt aus ihrem Zuhause geschafft hatte und sie zwang, auf einem anderen Kontinent zu leben, stieg Wut in ihr auf, ihre Gier wuchs und das Verlangen wurde unwiderstehlich stark.

Sie hatte nur ein kleines Feuer entzünden wollen, um ihre Ängste zu lindern und symbolisch das Weingut ihres Vaters zu zerstören...

———

DIE TOTENMESSE für Franco Jourdain war schlicht und eine Mischung aus französischen und spanischen Ritualen, die mal befolgt und dann wieder missachtet wurden. Sowohl er als auch Helena waren praktizierende Katholiken, aber es sollte zum Begräbnis keine Messe gehalten werden. Die Aufbahrung begann spät am Tag, wurde aber nicht bis in die Nacht verlängert, sonst hätte es ihren Schmerz nur verlängert. Kerzen und Blumen waren in der Leichenhalle verstreut, zierten aber nicht den Sarg, denn einen Sarg gab es nicht.

Ganz die Köchin, kochte Helena den Leichenschmaus selbst, ihr besonderes *Pan Dulce* und *Pastelitos*, dazu *Café Allongé*, Francos Lieblingsessen. Die französische Tradition, an der Tür des Landhauses eine Beileidsbekundung anzubringen, mitsamt einer schwarzen Schleife, konnten weder Helena noch Marcus ertragen. Es war für sie weder Trost noch Andenken, sondern würde sie immer daran erinnern, dass ihr geliebter Vater und Ehemann nicht mehr länger unter ihrem Dach weilt.

Es gab zwar Musik, die Franco liebte, jedoch wurde sein Leben nicht mit Lachen oder schönen Erinnerungen gefeiert. Es gab keinen Leichnam, den man betrachten, berühren oder dem man etwas mit ins Grab geben konnte. Auch eine Urne mit seiner Asche war nicht aufgebahrt. Die Überreste von Francos verbrannter Leiche waren noch immer in der Pathologie der Polizei und mussten als Beweisstück analysiert werden. Ein Foto in Übergröße, damit es in den vergoldeten Rahmen passte, den das Bestattungsinstitut stellte, und das auf einer handgeschnitzten Staffelei aus Ebenholz stand, zeigte einen gütigen Mann mit einem herzlichen Lächeln, das einzige im Raum. Es kamen einige Menschen vorbei und berührten mit Kussfingern sein Gesicht, anderen standen einfach da und starrten nachdenklich, denn sie konnten entweder nicht glauben, dass ihr Freund tot war, oder auf welch grausige Weise er aus dem Leben schied.

Marcus saß ruhig neben seiner Mutter, den Kopf gesenkt, wusste nicht, wer hier war, was ihn auch nicht interessierte, da er mit seiner eigenen Trauer kämpfte. Was würde jetzt nur aus ihnen? Wie konnten sie den Verlust des Mannes, der für sie alles war, verkraften? Millionen von Fragen schwirrten in seinem Kopf, er konnte aber nur den Gedanken fassen, weit, weit weg zu rennen, so schnell er konnte, um dem Szenario, das er noch immer vor Augen hatte, wo sein Vater bei lebendigem Leibe verbrannte und um sein Leben flehte, zu entkommen.

Amador Ibarra, der in Begleitung seiner Mutter, Consuela, kam, sprach der Witwe sein Beileid aus und ihre atemberaubende Schönheit weckte seine Manneskraft. Schnell hielt er den Hut tiefer, um die sichtbare Beule zu verbergen. Er war sofort vernarrt in sie, näherte ihr sich aber nicht weiter. Das hätte später noch Zeit, entschied er, wenn keiner in der Nähe wäre, der seine Leidenschaft sah und sie verletzlich und einsam wäre. Franco war aber immer noch ganz sein bester Freund und zu diesem Mann hatte er eine Bindung, wie zu keinem anderen Mann bisher. Sein Tod war ein schrecklicher Schock und der Groll, den Amador gegen seine Tochter hegte, die ihn zu verschulden hatte, saß qualvoll tief. Dennoch geht das Leben weiter und Amador wollte noch viel davon genießen.

In unangemessen kurzer Zeit machte Amador den Standort von Helenas Landhaus ausfindig und auch eine Seitenstraße, die er heimlich nutzen konnte, um dorthin zu gelangen. Zögerlich erlaubte ihm Helena, das Haus zu betreten und dankte ihm dafür, dass er sich um ihres und Marcus' Wohlergehen sorgte.

Amador war angetan von ihren braunen Augen, ihrem weichen, dunklen Teint und diesem dichten, langen Haar; wie er sich danach sehnte, es zu berühren, um seine Hände zu wickeln und sein Gesicht in seinem betörenden Duft zu vergraben. „Das ist doch das Mindeste, Helena. Wenn ich dich duzen dürfte?"

„Ja. Natürlich", antwortete sie, denn gerade war es ihr egal, wie er sie ansprach.

Amador meinte: „Franco war wirklich mein bester Freund. Für mich so viel mehr als nur ein Angestellter. Nie kannte ich einen Menschen, der so gütig, intelligent und lebensfroh war."

„Das war er und noch mehr", stöhnte Helena tief, um die Tränen zu verstecken, die ihre Haltung erschütterten.

„Er war nicht nur mein bester Freund, sondern auch der beste und visionärste Weingutsverwalter, den ich je hatte. Dass auf meinem Grund und Boden ein solcher Unfall passieren konnte, an dieser Schuld werde ich für den Rest meines Lebens zu tragen haben." Endlich kam er zum Punkt, reichte ihr einen Umschlag und erklärte: „Aus diesem Grund habe ich ein Treuhandkonto für die Ausbildung Ihres Sohnes eröffnet. Hier sind die Bankunterlagen für Sie."

„Señor Ibarra", meinte Helena, sichtlich berührt. „Ich weiß nicht, was ich sagen soll. Das ist zu großzügig, ich kann es doch nicht annehmen."

„Bitte, Helena. Das ist mir eine Ehre. Natürlich bekommen sie auch von der Versicherung noch monatlich Geld."

„Ich habe eine Arbeit, Señor, werde gut bezahlt und brauche nicht mehr."

„Man braucht immer mehr, Helena, wenn man es am wenigsten erwartet."

Ihre Affäre begann damit, dass Amador sie gelegentlich, dann regelmäßig, wenn Marcus in der Schule war, im Landhaus besuchte. Wenn er nicht auf dem Weingut war, erklärte er seine Abwesenheit damit, dass er potenzielle Kunden akquirierte. Niemand traute sich, ihm Fragen zu stellen.

Während sie und Amador ihre Beziehung heimlich weiterführten, setzte Helena ihre Arbeit für einen reichen Unternehmer fort, lieferte Essen für seine besonderen Abendessen und Partys, war flexibel und konnte in ihrer eigenen Küche arbeiten. Sie konnte dann das fertige Essen mit Marcus' Hilfe in einem Kleinbus transportieren.

Marcus verehrte seine Mutter. Ihre Arbeit zählte. Es ging nicht nur darum, Essen zu kochen, es ging darum, Emotionen für das Auge, die Nase, den Gaumen zu schaffen. „Ich wünschte, ich hätte dein Talent", sagte er. „Etwas, das mich in helle Aufregung versetzte, wie bei dir das Kochen."

„Du wirst als eigenständiger Mensch deinen Weg gehen. Welchen Weg du auch immer einschlägst, tue es stets mit Güte im Herzen. Verändere auf der Welt etwas."

„Ich werde es versuchen, Mutter." Er lud die mit Essen beladenen Tabletts beladen in den

Warmhaltebehälter im Kleinbus und verriegelte die Tür. „Darf ich fahren?", fragte er. Helena wusste, Marcus war ein guter Fahrer, denn sein Vater hatte ihm die Verkehrsregeln beigebracht, obwohl er etwas zu jung war für den Führerschein. So nahmen sie die Seitenstraßen abseits von Polizeistreifen.

Helena war bescheiden, aber ihre Fähigkeiten als Köchin und Bäckerin waren weithin bekannt und brachten ihr viel Lob und Anerkennung beim Personal dieses Unternehmers wie auch seinen Gästen ein. Man grüßte sie respektvoll und Marcus wurde immer dann, wenn sie Tabletts mit ihren kulinarischen Kreationen brachten, wie ein Familienmitglied behandelt.

Es gab allerlei Klatsch und Tratsch über die Affären, der sich verbreitete wie der Wein und die Obstbrände. Sehr oft ging es um den Schürzenjäger Amador Ibarra, der sich sowohl als skrupelloser Winzer, als auch als heuchlerischer Frauenschwarm einen Namen machte, der seine Frau quer durch das gemeinsame Haus und zur Tür hinaustrat, weil sie sich scheiden lassen wollte.

Wann immer sie von Amadors Eskapaden hörte, traf es Helena bis ins Mark und sie tat zwar den gemeinen Tratsch als Neid auf seinen Erfolg ab, sah aber mit eigenen Augen, dass es stimmte, als er bei einem Abendessen ihres Arbeitgebers zu Gast war.

Großspurig betrat er den großen Saal des Hauses, wo eine Cocktailparty stattfand, und alle Köpfe drehten sich nach ihm um. Helena versteckte sich schnell hinter einem Paravent, dass er sie nicht sehen konnte und bat die Kellner, an ihrer Stelle die Tabletts zu den Gästen zu tragen.

Ihr Herz pochte vor Wut und Fassungslosigkeit, als sie sah, wie Amadors Hand über die Knie einer koketten Frau wanderte und dann, soweit es ging, ihr Kleid hochschob. Er und die Frau waren beschwipst und bekamen von dem Spektakel, das sie veranstalteten, nichts mit, was sie nicht sehr zu stören schien. Hätte jeder der Anwesenden gewusst, dass Amador mit Helena vögelte, wäre sie geächtet worden. Dass alle diskret waren, war die einzige rettende Gnade für ihre Ehre.

Kurz nach dieser Erfahrung, die ihr die Augen öffnete, kämpfte sie ständig für sein Bild in der Öffentlichkeit. Helena konnte sich nur denken, was vor sich ging, wenn niemand hinsah. Dann fiel es ihr wie Schuppen von den Augen. Sie selbst war eine verdorbene Frau, keine romantische Mätresse eines verheirateten Mannes, der sich um sie kümmerte und verehrte, sondern eine dieser Schlampen, über die sich die feinen Kreise bald das Maul zerreißen würden, wenn sie nichts unternahm.

Amador weigerte sich, sich von ihr fern zu halten. Zwischen ihnen baute sich immer mehr Spannung auf. Für Amador war das eher anregend. Für Helena war das Maß endgültig voll. Den Rest ihrer gemeinsamen Zeit warfen sie sich nur noch laute Worte und Kraftausdrücke an den Kopf. Bis zu diesem verheerenden Tag, an dem ihr Streit in Gewalt umschlug, es eine Leiche und eine Küche voller Blut gab.

———

Jetzt war Marcus eine Waise. Ein Jugendlicher, voller Wut und Verzweiflung, weil er beide Eltern auf tragische und grausame Weise verlor.

„Marcus", sagte seine Tante Rosa leise auf Helenas Beerdigung. „Du wirst jetzt bei mir und Onkel Tomas leben. Weit weg von hier und den unerträglichen Erinnerungen.

„Ja", stimmte Marcus zu. „Ich will es vergessen. Alles. Jeden. Ich will es vergessen."

Auf der Stockton High School absolvierte er eine Klasse nach der anderen wie ein Zombie. Er schloss keine Freundschaften und ging keine Beziehungen ein. Die einzigen freudigen Momente verbrachte er mit seinem Onkel Tomas, der auf einem Flugplatz für Charterflüge arbeitete. Dort durfte er die vielen Hangars anschauen und in den vielen Privatflugzeugen sitzen, die den reichen und gut vernetzten Menschen gehörten. Das aufregendste war, als einer der Piloten Marcus auf seinen ersten Flug mitnahm und ihm das komplizierte Flugzeug von vorne bis hinten erklärte.

Das Gefühl, das einfach nicht von dieser Welt war, hatte es ihm aber besonders angetan. Wenn er hoch über der Erde schwebte, wo er nichts hörte als das Summen der Motoren, wo der Himmel für ihn wie eine warme Decke und die Wolken wie weiche Kissen waren.

Marcus kam dem Wunsch seiner Eltern nach einer guten Ausbildung und einem sicheren Beruf nach. Für sie stürzte er sich ins Studium und schloss es mit Auszeichnung ab. Er bestand die Vortests für die Hochschulen und bewarb sich auf mehreren Universitäten. Er wusste, er war hoch qualifiziert, aber der Gedanke, sich hoch zu verschulden und während des Studiums mehrere Nebenjobs auszuüben, dämpfte seine Stimmung. Dennoch hörte er täglich den Anrufbeantworter ab, die ihm Mut machten.

Rosa öffnete den Brief, denn Marcus war zu nervös, um ihn selbst zu lesen und hatte ein stolzes Lächeln im Gesicht. „Du wurdest in Berkeley angenommen. Du gehst zum Studieren.“

Marcus nahm den Brief in die Hand und konnte kaum seine Aufregung verbergen. Dann schlug die Realität zu. „Aber diese Uni kann ich mir nicht leisten, Tante Rosa. Das ist eine der elitärsten Universitäten landesweit. Selbst mit einem Nebenjob könnte ich nie die Studiengebühren, die Bücher und die Lebenshaltungskosten...“

„Doch, kannst du“, unterbrach sie ihn. „Deine

Mutter hat dafür extra einen Treuhandfonds für dich angelegt."

„Einen Treuhandfonds? Wie konnte sie sich das leisten? Sie konnte als Köchin gut leben, aber doch nicht gut genug, um so viel Geld auf die Seite zu schaffen."

„Laut des Anwalts, der als Testamentsvollstrecker deiner Mutter fungierte, hat sie auch etwas Geld aus der Lebensversicherung deines Vaters angespart. Sie muss gespart haben, was sie konnte. Das ist der Kontostand."

Marcus traute seinen Augen kaum. Auf der Bank of California hatte er, auf seinen Namen, tausende von Dollar auf einen Treuhandfonds eingezahlt. Mehr als genug für das Studium.

„I-ich kann das fast nicht annehmen, Tante Rosa. Das ist, als nähme man Blutgeld. Wären meine Eltern nicht gestorben, hätte ich mir das Studium nie leisten können."

„Aber sie starben, mein lieber Junge. Lass es nicht umsonst gewesen sein. Sie wollten beide, dass du ein wunderbares Leben hast, egal, was es kostet."

EINIGE JAHRE BELEGTE Marcus zahlreiche Kurse und war sich nicht im Klaren, welchen Weg er einschlagen sollte. Er belegte Philosophie, Volkswirtschaft, Politikwissenschaften und Anthropologie. Jeder Kurs faszinierte ihn und in den meisten brachte er hervorragende Leistungen, er wusste aber noch immer nicht recht, was er werden wollte. Er sammelte auch ein paar Scheine für einen Abschluss in Betriebswirtschaft, denn er dachte, seine eigene Flugcharterfirma zu haben, wäre am lukrativsten und würde am meisten Spaß machen.

Marcus' Flugstunden, die er zweimal die Woche im Cockpit einer Cessna 172 hatte, während sein Fluglehrer auf dem Sitz des Co-Piloten saß und alle technischen Feinheiten des Fliegens bewertete, waren der Höhepunkt seines Lebens. Obwohl er ein schlechtes Gewissen hatte, etwas Geld aus seinem Treuhandfonds für die Flugstunden und für die Pilotenprüfung ausgegeben zu haben, hatte er das Gefühl, das Geld gut angelegt zu haben. Sein eigenes Flugzeug und eine eigene Charterfirma zu haben, schien ein Traum zu bleiben. Die Kosten konnten astronomisch sein. Dennoch war es durchaus möglich, dass er seinen Pilotenschein bekam und nur zum Spaß flog, sich jetzt ein Flugzeug charterte und vor allen Geistern und tragischen Erinnerungen floh, die ihn quälten.

Dennoch fehlte etwas in seinem ausgefüllten, zielgerichteten Leben. Ein wahrer Zweck, eine bedeutende Existenz, Erhabenheit. Woher diese hochtrabenden Ziele kamen, wusste Marcus nicht, sie nagten aber an ihm bis zu einem Punkt, wo er die Botschaften nicht mehr ignorieren konnte. Er wünschte, er hätte wirklich pragmatisch und auf das

Wesentliche fixiert sein können wie sein Mitbewohner, Ben Parker. Wenn jemand mit beiden Beinen im Leben stand, dann Ben. Während es aber seinen Freund in eine Firma zog, wurde Marcus von einer unerklärlichen Kraft in eine andere Richtung gezogen.

Berkeleys jahrzehntelange Geschichte, mit Studentenprotesten für die Bürgerrechte, Menschenrechte, Arbeiterrechte, Frauenrechte, gegen den Vietnamkrieg und für die Meinungsfreiheit war weithin bekannt. An einem Freitagnachmittag zwischen den Vorlesungen schlenderte Marcus über den Campus, als ihm ein Schild vor einem Hörsaal auffiel. „California Innocence Project." Innen sprach ein leidenschaftlicher Anwalt des CIP mit ernster Miene zu den versammelten Studenten des Strafrechts.

„Die Idee hinter dem Unschuldsprojekt ist einfach", erklärte der Anwalt. „Wenn eine DNS-Analyse Menschen überführen kann, die sich eines Verbrechens schuldig gemacht haben, kann sie auch beweisen, dass Menschen, die fälschlicherweise schuldig gesprochen wurden, unschuldig sind. Sollten begründete Beweise für eine Unschuld vorliegen, bitten wir das Gericht um eine Anhörung, um den Fall neu aufzurollen. Sollte das Gericht zu dem Schluss kommen, dass wir genug Beweise für eine Unschuldsvermutung haben, wird der Mandant entlastet."

Im Publikum erhob sich eine Hand. „Was sind das meistens für Fälle?"

„Alle möglichen Fälle", antwortet der Anwalt. „Von Todesurteilen, über Fehlverhalten der Anklage und allem dazwischen. Die Hauptgründe für Fehlurteile sind schlechte Identifikation, falsche Geständnisse, falsche Zeugenaussagen, offensichtliches Fehlverhalten und nicht effektiver Rechtsbeistand.

„Wir haben drei Hauptziele: Unschuldige aus dem Gefängnis zu bringen, Jurastudenten eine erstklassige Ausbildung zukommen zu lassen, dass sie gute Anwälte werden und die Gesetze und Verfahren zu ändern, um die Zahlen der unschuldig Verurteilten zu senken und das Rechtssystem zu verbessern.

Obwohl dieses Thema im Studium nicht in seinen Fachbereich fiel, lag Marcus eine Frage auf der Zunge, die oft gestellt wurde: „Wie viele Gefangene sind tatsächlich unschuldig?"

„Viele sind es nicht. Wir nehmen aber nur Fälle an, wo wir sicher annehmen, dass sie es sind und es neue Beweise gibt, dass sie kein faires Verfahren bekamen.

„Kam je einer frei und später stellte sich heraus, er war wirklich schuldig?"

"Alle potenziellen Mandanten werden auf Herz und Nieren geprüft, um herauszufinden, ob sie unschuldig sein könnten oder nicht. Sollte es zum

97

Prozess kommen, übernimmt das California Innocence Project den Fall. In circa der Hälfte der Fälle wird die Schuld des Mandanten durch eine DNS-Analyse widerlegt und etwa die Unschuld von etwa 43% der Mandanten wurde bewiesen, in 15% der Fälle reichte die Beweislage nicht aus.

„Aber, um die Frage zu beantworten, hypothetisch, das könnte passieren. Wie heißt noch dieses alte Sprichwort: Besser alle Schuldigen laufen lassen, als einen Unschuldigen zu verurteilen. Menschen, die verurteilt werden, obwohl sie unschuldig sind, verlieren ihre Freiheit, ihre Würde, ihre Menschlichkeit. Ruinierter Ruf, ruinierte Familien, ruinierte Leben", sagt der CIP-Sprecher zum Publikum. „Sie hoffen auf Erlösung, Entlastung und auf einen neuen Lebensinhalt. Am meisten suchen sie nach Vergebung, für sich selbst und die Menschen, die ihnen das Leben zur Hölle machten."

Marcus stellte sich vor, dass es doch möglich wäre, dass der Mörder seiner Mutter eines Tages ein Klient beim CIP wäre; ein schuldiger Mensch, den sie mit neuen Methoden überführten oder jemand, der fälschlicherweise eingesperrt wurde, während der wahre Mörder frei herumlief. Bis Marcus sich an den grauenhaften Tag erinnern konnte, an dem er die Leiche seiner Mutter auf dem Küchenboden fand, war weder das eine noch das andere Szenario möglich.

· · ·

„Jurastudium. Das sind weitere Ausbildungsjahre." Marcus' Freund, Ben Parker, ein Pragmatiker, kämpfte nie gegen Windmühlen, er suchte immer nach dem rationalen Gesichtspunkt.

„Ja. Ich aber habe das Bedürfnis, mit meinem Leben etwas Bedeutendes anzufangen." Dennoch, Marcus errechnete, dass er, wenn er die beiden Jahre bis zum Abschluss überstanden hatte, dann noch drei Jahre Jura studierte, samt Praktika und bis er dann die Anwaltszulassung hatte, er knapp 30 wäre, ehe er als Pflichtverteidiger einen Fuß in einen Gerichtssaal setzte.

„Du bist ein Naturtalent", lobte Ben Marcus und klopfte ihm auf die Schulter. „Du gewinnst sicher jede Debatte. Ich kann schon deine Schlussplädoyers hören. Geschworene werden dir an den Lippen hängen", überspitzte er es. Außerdem können wir uns ein Zimmer teilen."

„Du auch?"

„Klar. Im Unternehmensrecht ist viel Geld zu machen, denn man hat mit reichen Leuten und ihren Anwesen und Immobilienfirmen zu tun, man zeigt ihnen, wie man all das abwickelt, ohne Steuern zahlen zu müssen."

„Du willst dich tatsächlich mit diesen Typen im Dreck wälzen?"

„Oh, etwas ehrenamtliche Arbeit, pro bono, werde ich hin und wieder schon tun, vielleicht

Kirchenrecht oder Steuervermeidung. Bei all der Kohle, die ich scheffeln werde, wird es mir eine Freude sein, etwas an die Kleinen zurückzugeben."

„Wie großzügig von dir", bemerkte Marcus und wusste sehr wohl, wie großzügig sein Kumpel wirklich war. Diese geldgierige Seite von ihm war nur Fassade. Während seiner Studentenzeit hatte Ben viel mit zwei Studentenjobs um die Ohren. Er hatte keinen Treuhandfonds oder wohlhabende Eltern, hegte aber nie einen Groll gegen Marc wegen seines Reichtums. Da seine Schulden für das Studium immer mehr stiegen, war offensichtlich, wieso er den hoch bezahlten Weg des Unternehmens-rechts einschlug.

„Vielleicht können wir eines Tages eine Kanzlei aufmachen", schlug Ben vor.

„Ich habe davon keine Ahnung. Ich denke, ich werde mich auf Strafrecht spezialisieren und dann vielleicht Strafverteidiger werden, um Fälle für unbedeutende Leute zu übernehmen. Das würde wohl nicht viel Geld einbringen, um unsere eigene Kanzlei zu finanzieren."

„Keine Sorge, ich werde dann das gut bezahlte Unternehmensrecht bearbeiten, während du die schwere Arbeit übernimmst, die Hungerleider zu verteidigen." Ben winkte ab.

„Hey, manche von denen sind wirklich unschuldig und nicht alle sind „Hungerleider", du herzloser Klotz!" Marcus klopfte seinem Freund brüderlich auf den Kopf.

„Danke, Atticus Finch. Das habe ich gebraucht."

„Hei, Ben..."

„Ja."

„Ich möchte dir etwas erzählen, etwas über mich, meine Familie, das du wissen solltest..."

KAPITEL ACHT

Michael Barron blinzelt mit den Augen
und hebt die Augenbrauen, dass das Botox sich
verteilt.

„Malen sie keine Bilder mehr mit Airbrush?"

Barron schüttelt den Kopf. „Heute nennt man
das Bildbearbeitung, Doktor." Aber live kann man
das nicht tun. In HD sieht man jeden noch so
kleinen Makel und jeden Strich."

„Zum Glück. Deshalb bin ich heutzutage so gut
im Geschäft."

Barron besuchte die Del Rio Klinik in Mexico-
Stadt seit er Miguel Ibarro der Junge mit einer
hässlichen Narbe auf der linken Gesichtshälfte war.
Sein Traum, Schauspieler zu werden, wurde durch
eine dumme, sinnlose Kneipenschlägerei und eine
zerbrochene Bierflasche zunichte gemacht.

Sein Gesicht war entstellt, als Dr. Ruiz an diesem Abend ins Haus kam und Miguel dachte, er wäre sein Leben lang entstellt. Der Arzt reinigte die Wunde, zog gekonnt winzige Glasscherben aus dem geschwollenen Gewebe und nähte dann alles gekonnt wieder zusammen. Dann spritzte er noch ein Antibiotikum, um einer Infektion vorzubeugen.

„Kommen Sie in ein paar Wochen in meine Klinik in Mexiko, dann beginnen wir mit einigen Behandlungsschritten", hatte der Arzt gesagt. „Wir arbeiten eine Behandlung mit plastischer Chirurgie aus, dass das Gesicht wieder normal aussieht; sogar besser als normal.

„Das können Sie, Doktor?", fragte Miguel, voll ekstatischer Hoffnung. Der Arzt versicherte ihm, dass die Möglichkeiten plastischer Chirurgie „besser als jemals zuvor" seien. „Heutzutage kann man alles richten."

Es bedurfte monatelanger Behandlungen, vieler Operationen und es kostete viel Geld, das hübsche Gesicht, mit dem er geboren wurde, wiederherzustellen. Miguel hegt im Herzen zwar einen leichten Groll, ist aber dankbar, dass seine Schwester ihn anhielt, sich hinter verschlossenen Türen zu verstecken und Lieder zu schreiben, die niemals jemand hören würde, denn so fand er den Mut und die Stärke, seine Lieder zu vertreiben.

„Was ist los? Angst? Angst, dass du scheitern könntest?", spöttelte sie.

„Dasselbe könnte ich von dir sagen, kleine Möchtegern-Künstlerin."

„Eines Tages werde ich eine sein. Ich werde so berühmt sein, dass du mich beneiden wirst. Du wirst dann immer noch in deinem Zimmer sitzen und Lieder schreiben, die nie jemand hören wird, während alle mich um meine Bilder anflehen werden."

„Du meinst all diese Zeichnungen, die du wegwirfst und in deinem Mülleimer verbrennst? Warum machst du das mit dem Feuer? Du bist verrückt."

„Und du machst dir falsche Hoffnungen. Niemand will einen Sänger mit einer dicken, fetten Narbe im Gesicht sehen. Ich kann immer eine bessere Künstlerin werden, du aber wirst nie auf dem Cover eines Albums sein."

„Raus, du kleine Schlampe!", schrie er und schmiss einen Schuh nach ihr, sie duckte sich, dass er an ihrem Kopf vorbei schnellte. Anabel eilte aus dem Zimmer und streckte ihrem Bruder die Zunge raus.

Miguel spielte leidenschaftlich seine Gitarre und traf im Kopf eine Entscheidung: Er würde seine Lieder in einem der örtlichen Studios aufnehmen, wo ihn niemand sehen würde, außer der Tontechniker, dort würde man seine Musik beurteilen, nicht sein Aussehen. Many, ein erfolgreicher Songwriter, ließ seine Musik von einem großen Star covern, blieb für die Öffentlichkeit anonym und nur Branchenkenner wussten von ihm. Die Konkurrenz war groß, ein Erfolg war ein Sechser im Lotto, aber es gab viele Möglichkeiten, seine Lieder Vertretern von Plattenfirmen zu präsentieren. Er brauchte nur einen großen Hit, um sein Leben zu ändern und die Vergangenheit hinter sich zu lassen.

Das große Geld lockte. Er wurde fündig, schrieb ein Lied, dann noch eines, schließlich hatte er genug Geld, um die Krankenhausaufenthalte bezahlen zu können.

Sein Vater war beeindruckt, wie er sich durch plastische Chirurgie verändert hatte. „Nun musst du dich nicht mehr im Hintergrund halten. Du kannst vorne mitwirken und mit mir im Marketing arbeiten. Es gibt viele Frauen, die Wein gerne kaufen und trinken und von einem solch gutaussehenden Mann gerne bedient werden wollen."

„Ich möchte aber nicht ins Weingeschäft einsteigen, Papa."

„Hängst du noch immer diesem albernen Traum nach, ein großer Hollywoodstar zu werden? Gib's auf Miguel. Sieh der Realität ins Auge. Arbeit, faire, echte Arbeit ist es, was die Familie Ibarra ausmacht..."

Dr. Ruiz wirft die Nadeln und Spritzen in den Behälter für medizinischen Abfall. „Auf welches große Spektakel bereiten Sie sich diesmal vor?"

„Es sind eigentlich mehrere nacheinander", antwortet Barron und schaut sich im Handspiegel an. „Zunächst gibt es ein großes Fernsehinterview; ehe ich's vergesse, schauen Sie *Entertainment Tonight* an. Danach gibt es ein paar öffentliche Auftritte und eine Werbetour für mein neues Album. Wir handeln außerdem einen Filmvertrag aus."

Der Arzt wirft einen letzten Blick auf das Gesicht seines Patienten. Es ist das Gesicht, das Michaels Musikvideos aufhellt, ihm Millionen von Klicks verschafft und seine Lieder in die Charts bringt. Bald schon wird dieses Gesicht auf 15 Meter hohen Plakaten prangen, Frauen werden darumstehen, es wird weltweit im Fernsehen sein, es muss makellos sein.

„Die Hauttransplantate, um die Narbe zu verbergen, haben all die Jahre gut gehalten. Durch Laserbehandlungen und Implantate wurde es nahezu perfekt. Sie sehen außerdem um Jahre jünger aus. Gute Arbeit, wenn ich mich mal selbst loben darf."

„Sie sind ja noch narzisstischer als ich, Doktor", scherzt Barron. „Ihre Arbeit genügt höchsten Ansprüchen. Da brauche ich kaum mehr Make-up."

„Selbst in hoher Auflösung?"

„Selbst in hoher Auflösung wird man nie mein wahres Alter erraten", meint er, denn er ließ ihn aussehen wie Mitte 20.

„Stellen Sie Ihr Licht nicht unter den Scheffel,

Michael, sie waren ein perfekter Patient. Sie tranken nicht, ernährten sich gut, mieden die Sonne. Das alles beschleunigte den Heilungsprozess. Also lassen Sie sich jetzt nicht gehen, sonst ruinieren Sie meine Arbeit."

„Niemals" betont Barron empathisch. „Ich arbeitete zu hart, um dorthin zu kommen, wo ich bin, um meine Karriere oder mein Aussehen aufs Spiel zu setzen."

„Sie sind mehr als Ihr Aussehen. Denken Sie immer dran."

„Danke, Doktor. Sie sind wohl der einzige, der das denkt."

Mit Ruiz verbindet Miguel mehr als ein Verhältnis zwischen Arzt und Patient. Ruiz stieß für ihn die Tür auf, damit er ein Schauspieler, der Star Michael Barron werden konnte. Mit einem Kundenstamm, der alle möglichen Unterhaltungskünstler umfasst, hilft Ruiz bis zum heutigen Tag, Barron von den üblichen Speichelleckern und Zuhältern fernzuhalten, damit sein Ruf keinen Schaden nimmt.

Barron umarmt Ruiz noch einmal herzlich und verlässt dann das Arztzimmer. Er geht durch die Hintertür, dass niemand im Wartezimmer Michaels Gesicht erkennt, das auch die Titelseiten der Zeitschriften im Wartezimmer ziert.

———

Um den Mord an Helena Morales zu vertuschen, hatte Miguel das Messer, mit dem sein Vater sie erstach, in einem Bankschließfach versteckt. Alle paar Jahre ließ er es strategisch von einer Bank in die andere umziehen, dass kein Mitarbeiter ihn allzu gut kennen lernte. Als er ein Promi wurde, wusste er, man würde mit Argusaugen jeden seiner Schritte beobachten, deshalb konnte er es nicht riskieren, mit dem Beweisstück in einem Mordfall gesehen zu werden.

Für seine Banktermine kleidet er sich unauffällig und benutzt einen gefälschten Ausweis, wie man ihn spielend bekommt, wenn der Preis stimmt. Schon seit langer Zeit hat Miguel derartige Beziehungen und bereits als Jugendlicher hat er sich gefälschte Ausweise besorgt, um Alkohol zu kaufen, in Bars gehen und sich ins Abenteuer stürzen konnte. Aber es gab auch Pop, Bestechungen und dass er seinen Kopf aus der Schlinge zog.

Heute betritt Miguel, bekleidet mit einem Porkpie-Hut aus Filz, einer dicken Sonnenbrille und einem falschen Bart, lässig die Bank und fragt nach seinem Schließfach. Er reicht der Sachbearbeiterin seinen Ausweis und legt seinen Zeigefinger auf den Scanner.

„Natürlich, Mr. Mendez."

Miguel trägt einen kleinen Tornister zum Schließfach und die Bankkauffrau steckt ihren Schlüssel in die Doppelverriegelung. Er steckt noch seinen Schlüssel hinein, dann ist alles erledigt. Die Bankkauffrau holt das dünne, rechteckige Kästchen aus dem Regal, stellt es auf den Tisch und lässt Miguel dann allein.

Er holt einen Umschlag aus dem Kästchen, aus dem er eine Plastiktüte zieht. Dort drin befindet sich, eingewickelt in das blutgetränkte Küchentuch und eng umwickelt mit Klebeband, die Mordwaffe, ein Küchenmesser mit gezahnter Klinge mit dem Blut von Helena Morales und den Fingerabdrücken von Amador Ibarra. Miguel nimmt den Umschlag heraus, packt ihn in seine Tasche, schiebt das Schließfach wieder ins Regal und schließt es ab. Dann sagt er der Bankkauffrau, dass er fertig ist.

Auf dem Postamt die Straße hinunter, schiebt Miguel den frankierten Umschlag in ein beschriftetes, internationales Postfach und beantwortet die „üblichen" Fragen.

„Wie lange wird es dauern, bis es ankommt?"

„In Barcelona, Spanien? Drei bis fünf Werktage per International Express."

„Perfekt", antwortet Miguel, reicht dem Postbeamten einen 100 Dollar Schein und erhält etwas Wechselgeld.

Zu Hause wählt er die Nummer seiner Mutter.

„Miguel? Was für eine Überraschung." Madalena freut sich, von ihrem Sohn zu hören, der kaum anruft, außer er braucht etwas. Sie weiß, dass er jetzt Michael Barron, ein aufstrebender Star, ist.

Den Unterhaltungsnachrichten schenkt sie aber wenig Beachtung. Für sie wird er immer ihr Sohn Miguel bleiben.

Das ist ihm aber sehr recht. Sollte sein Handy jemals gehackt werden, wird niemand erfahren, dass Miguel Ibarra in Wirklichkeit Michael Barron ist.

„Hallo, Mama. Schön, deine Stimme zu hören. Ich weiß, oft rufe ich nicht an, brauche aber deine Hilfe."

„Hast du Geldsorgen, Miguel?"

„Nein, nein. Gerade bin ich flüssig. Du musst mir nur einen Gefallen tun. Ich habe dir gerade ein vertrauliches Paket geschickt und du sollst es für mich an einem sicheren Ort, vielleicht in einem Bankschließfach deponieren."

„Was ist es?"

„Besser, du weißt es nicht. Und öffne es nicht, Mama."

„Ich soll es nicht öffnen? Warum darf ich nicht wissen, was drin ist?"

„Frage echt nicht, Mama. Vertraue mir einfach."

„Was, um Himmels Willen, hast du diesmal angestellt? Ist das; du kannst nicht von mir erwarten, dass ich bei einem Verbrechen mitmache, Miguel."

„Es geht nicht um mich, Mama. Sondern um Papa. Papa hatte einen Unfall, eine Prügelei", lügt Miguel. „Jemand zog ein Messer, aber Papa wehrte sich."

Madalena ist beunruhigt und interessiert sich gerade echt nicht für Amadors Probleme. „Also war es Notwehr. Wo liegt das Problem? Dann geh zur Polizei."

„Nicht direkt Notwehr. Ich kenne die Einzelheiten nicht", lügt er weiter, „aber der Mann starb. Papa stellte sich nie."

Miguel hört Madalena über das Telefon nicht fluchen, kann es aber über das Telefon spüren. „Amador war, gelinde gesagt, nie ein Ehrenmann. Wann passierte das alles? Von Abuela oder deiner Schwester habe ich nie was davon gehört."

„Es passierte vor langer Zeit. Wir wollten nicht, dass es jemand erfährt, selbst Abuela nicht, besonders aber Anabel."

„Wie lange ist das her?"

„Jahre. 15."

„15 Jahre? Und wieso erfahre ich das erst jetzt? Darum machst du dir erst jetzt Sorgen? Warum?"

„Es ist schwer zu erklären, aber ich dachte, es ist an der Zeit, dass du es erfährst, bevor du es von jemand anderem hörst. Auf diesem Messer sind Papas Fingerabdrücke und das Blut des Opfers ist der Beweis, der Papa lebenslang ins Gefängnis bringen könnte. "

„Oh, Miguel. Du versteckst Beweismittel und jetzt willst du, dass ich mich zur Komplizin mache? Schalte deinen Grips ein. Warum hast du das Messer nicht einfach in die Bucht geworfen?"

„Ich sagte Papa, ich hätte es getan und einen Stein daran gebunden, dass es nicht abtreibt."

„Das ergibt alles keinen Sinn, Miguel. Du hättest dieses Ding doch immer und überall los werden können. Warum versteckst du es für ihn?"

Fertig, von Madalenas bohrenden Fragen, platzt es aus Miguel heraus: „Weil Papa vor langer Zeit für mich etwas vertuschte."

„Was hat er für dich vertuscht? Was hast du getan?"

„Ich hatte einen Autounfall. Ich überfuhr mit dem Auto eine Frau."

„Du hattest mit deinem Auto einen Zusammenstoß mit einer Frau?"

„Nein, Mama. Ich überfuhr *sie*. Sie war schwer verletzt. Lag auf der Straße. Mich sollte niemand erkennen, so floh ich." Hier. Er sagte es. Endlich. Er hatte Angst vor ihrer Reaktion, war aber erleichtert, dass er es sich von der Seele reden konnte.

„Mein Gott, Miguel! Was meinst du, du flohst? Du hast sie auf der Straße liegen lassen? Miguel, sag mir nicht, sie ist tot."

„Ich bringe es kaum über die Lippen, Mama. Gott, vergib mir."

Madalena flucht noch mehr, diesmal laut. „Wieso kam euch die Polizei nicht auf die Schliche? Jemand muss euch doch gesehen haben. Auf dem Auto waren doch sicher Spuren."

„Ich ließ mein Auto dort, jemand hat es gestohlen und fuhr weg."

„Gestohlen? Und niemand hat etwas bemerkt?

Dein schickes Auto wurde gestohlen und man konnte es nicht zu dir zurückverfolgen?"

„Ich sagte es dir schon. Papa hat sich darum gekümmert. Ich weiß nicht wie, aber er schaffte es."

„Ich kann das alles gar nicht fassen, Miguel. Das ist doch sicher noch nicht das Ende der Geschichte. Ich will es aber gar nicht wissen. Ich kann doch nicht Komplizin zweier Verbrechen werden."

Madalena ist sich sicher, da ist noch mehr im Busch. Wie kam es, dass Miguel nicht erwischt wurde? Warum sollte ihr Sohn ein Messer aufbewahren, durch das sein Vater im Gefängnis landen würde? Außer als Druckmittel. Eine Falle für Amador, die er zuschnappen lassen konnte, wenn er ihn für etwas erpressen musste. Wie der Vater, so der Sohn. Miguel sah eine Chance und ergriff sie. Und nun hat Madalena die Chance.

„Das mach ich unter einer Bedingung", stimmt sie zögerlich zu. „Überrede deinen Vater, dass er mich Anabel sehen lässt. Dass er sie nach Spanien kommen lässt."

„Du weißt, was er davon hält, Mama."

„Er ist kein Diktator und Anabel ist kein Kind mehr."

Miguel nervt das ganze Thema, das seit Jahren an der Familie nagte. „Dann kann sie dich doch selbst besuchen", keift er. „Sie weiß, wie man ein Flugticket besorgt."

„Etwas hält sie auf. Vermutlich die Lügen deines Vaters, dass ich sie verließ."

„Ich weiß nicht, warum. Vergiss Anabel. Hilfst du mir?"

Plötzlich geht Madalena ein Licht auf. Das war vielleicht die Gelegenheit, zu tun, was sie immer tun wollte: *„Ich werde dich vernichten, Amador Ibarra. Mit Gottes und der Hilfe deiner Opfer werde ich dich vernichten."*

„Natürlich, Miguel. Keine Sorge. Dein Geheimnis ist bei mir sicher."

KAPITEL NEUN

Als Marc das für die Mandanten vorgesehene Besprechungszimmer neben dem Gerichtssaal betritt, liest Clive Parsons eine Klatschzeitschrift. Komischerweise ist sie etwas abgewetzt, ein paar Seiten fehlen, andere sind zerrissen. Aber Parsons scheint ganz darin vertieft.

„Sag mir, du liest jetzt mehr Klatschblätter, als du lesen *kannst*, Clive", sagt Marc im Spaß. Er zieht es vor, ihn nicht Bulldog zu nennen.

„Für gewöhnlich schon, Kollege. Aber heute brauche ich etwas Sinnloses, um den Druck abzubauen. Wie groß schätzt du unsere Chancen ein?"

Heute ist die Anhörung von Clive Parsons und seine Chance auf eine Wiederaufnahme des

Verfahrens basierend auf neuen Informationen, die er Marc zur Prüfung gab.

„Ich verspreche nie etwas, ich denke aber, wir haben gute Chancen, Clive. Sieht so aus, als ginge es in ein paar Minuten los. Bereit?"

Schick angezogen, vermutlich zum ersten Mal in seinem Leben, mit grauen Hosen, einem blauen Hemd, einem dunkelblauen Sakko und schwarzen Schuhen gleicht Parsons eher einem Wirtschaftsprüfer als einem groben, gefallenen Kriminellen. Das offene Hemd ohne Krawatte verleiht ihm einen legeren Hauch, den er so jetzt kaum empfinden kann. Er schließt seine Zeitschrift und schaut auf das Titelbild. Der Fernsehstar hat eine gezackte Narbe im Gesicht und Clive überlegt still.

„Ich glaube, ich kenne diesen Mann", sagt Clive und runzelt die Augenbraue, als überlege er, woher nur.

„Vermutlich haben Sie ihn schon einmal im Fernsehen gesehen. Michael Barron ist ein großer Star, wie ich höre."

„Vielleicht. Ich habe aber so ein Gefühl im Bauch. Kennen Sie so ein Gefühl?"

„Kam schon mal vor." Marc schaut auf die zerknitterte Seite, hat aber kaum die Chance, darüber nachzudenken, denn Bailiff schaut schon in den Gerichtssaal.

„Showtime, meine Herren."

Clive steht auf, atmet tief ein und wieder aus. Marc legt ihm tröstend die Hand auf die Schulter und sie gehen zusammen zum Tisch der Verteidigung.

Der Gerichtsvollzieher befiehlt, „Erheben Sie sich", als Richter Larimer den Saal betritt. Der Jurist schlägt mit dem Hammer. „Setzen Sie sich."

Marc beginnt, mit Erlaubnis des Richters: „Vor 15 Jahren wurde Clive Parsons ein fairer Prozess verwehrt, während er in Untersuchungs-haft saß und man überredete ihn, eine Verständigung im Strafverfahren zu unterzeichnen, er sei schuldig an einem Unfall mit Fahrerflucht, für den er stets seine Unschuld beteuerte.

„Auch wenn es Beweise gab, dass er dem Opfer nahe stand, da man Fingerabdrücke auf der Motorhaube und im Auto den Geldbeutel des Opfers fand, hat mein Mandant jede Schuld am Tod der Frau bestritten und nur zugegeben, das Auto, mit dem sie angefahren wurde, gestohlen und Geld aus ihrem Geldbeutel entwendet zu haben, etwa fünf Dollar. Euer Ehren, wir bitten darum, sich neue Beweise anzusehen, die Sie, so glauben wir, überzeugen werden, dass Sie ihm das Verfahren gewähren, das ihm damals verwehrt wurde."

Der Staatsanwalt erwidert: „Den Akten nach zu urteilen, gestand Mr. Parsons freiwillig und Hinweise auf einen anderen Täter wurden nie gefunden."

Marc wirft ein: „Der damalige Anwalt meines Mandanten hat ihn damals nicht nur nicht korrekt vertreten, sondern ihm auch gesagt, sein Fall wäre aussichtslos und der Verteidiger verwehrte ihm sein Recht. Er unterschrieb ein Geständnis, das er nicht lesen konnte, denn Mr. Parsons kann nicht lesen. Sie lasen ihm die Aussage vor, rieten ihm, zu gestehen und Mr. Parsons unterschrieb mit einem X."

„Das ist auch völlig legal"; antwortet Richter Larimer.

Marc erwidert: „Ja, wenn man versteht, was man unterschreibt und vom Staatsanwalt und vom eigenen Anwalt nicht angelogen wird."

„Einspruch, zum Wort „angelogen", Euer Ehren."

„Abgelehnt, bis ich alle Beweise gehört habe. Deshalb sind wir hier. Mr. Jordan, Sie sagen, Ihr Mandant konnte nicht lesen, jedoch hat er dieses Gericht bezüglich seines Falls während der letzten fünf Jahre angeschrieben."

„Im Gefängnis hat er Lesen und Schreiben gelernt, Euer Ehren. Ein Nachweis, dass er Analphabet war, wurde vom Gefängnisdirektor und einem Gutachter bestätigt, die damals mit Parsons zusammenarbeiteten. Schließlich lernte er lesen und man gestattete ihm, seine Akte und das Geständnis, das er unterschrieb, zu lesen. Er war bestürzt und wütend. Also las er juristische Fachzeitschriften und erfuhr, dass er bei Gericht eine Petition einreichen konnte. Mit Hilfe eines Mitgefangenen und dem

Sprachlehrer begann er Briefe zu schreiben, die immer stichhaltiger wurden, da mein Mandant immer mehr mit der juristischen Terminologie und dem Protokoll vertraut wurde."

„Ja." Damit hebt Larimer einige Dokumente hoch. „Ich habe alle Briefe hier."

Der Staatsanwalt verdreht die Augen und meint: „Das ist ein echt bewegender Moment, Euer Ehren, aber die Tatsache bleibt, dass es Spuren vom Angeklagten und einen Augenzeugen gab, der ihn am Tatort identifizierte. Er hat freiwillig ein Geständnis unterzeichnet und jetzt erklärt er es für ungültig."

Marc fleht: „Euer Ehren, ich bitte um mehr Zeit, mir den Fall genauer anzusehen und nach entlastenden Beweisen zu suchen, die Mr. Parsons zugutekommen. Er hat das Gefühl, wie auch ich, dass die Polizei und die Staatsanwaltschaft nicht genug getan haben, diesem Verbrechen nachzugehen. Das Auto gehörte nicht ihm. Diese Person wurde aber nie identifiziert. Gut möglich, dass diese Person für den Unfall mit Fahrerflucht verantwortlich ist und Parsons nur zur falschen Zeit am falschen Ort war.

„Es gibt vermutlich auch Zeugen, die nicht befragt wurden und Licht in die Sache bringen könnten. Ich beantrage etwas Zeit, um alles gründlich zu untersuchen und meine Erkenntnisse präsentiere ich dem Gericht zu einem späteren Zeitpunkt."

„Einwände?", fragt Larimer den Staatsanwalt, dieser schüttelt den Kopf und wünschte eigentlich jetzt woanders zu sein. „Jetzt gerade nicht, Euer Ehren. Auch wenn ich glaube, für das Gericht ist es eine enorme Zeitverschwendung."

„Ich bin der Richter hier. Ihrer Bitte leiste ich Folge, Mr. Jordan. In zwei Wochen kommen wir wieder hier zusammen."

„Euer Ehren, zwei Wochen", wendet Marc mit offenen Händen ein. „Das ist ein alter Fall, der schon 15 Jahre läuft. Ich brauche mehr Zeit."

„30 Tage." Der Hammer fällt. Die Verhandlung ist geschlossen.

Marc packt seinen Aktenkoffer und versucht, Parsons zu versichern, dass er alles für ihn tun wird. „Ich setze meinen eigenen Detektiv, Clive, darauf an. Er wird jeden Stein einzeln umdrehen."

Parsons streckt die Hände aus, damit man ihm wieder seine Handschellen anlegen kann, dann wird er aus dem Gerichtssaal geführt. „Sie sind meine letzte Chance, Herr Anwalt."

KAPITEL ZEHN

IHR MODEHAUS IN BARCELONA ZU LEITEN, kostet Madalena viel Kraft und Zeit. Die Modeschauen sind der Inbegriff der *Haute Couture*, auffällig, glamourös, schmutzig, extrem bunt. Sie ließ ihre klugen Instinkte walten und war eine der ersten Designerinnen, die sexy und trendige Kleidung entwarfen, vom Dessous bis zur Abendgarderobe und alles dazwischen für die vollschlanke Frau. Das dehnte ihren Kundenstamm enorm aus, denn Frauen lechzten buchstäblich nach Essen und Mode, in die man auch passte, wenn man nicht gertenschlank und kurz vor der Bulimie war.

Da ihre Kundschaft zur Oberschicht gehört, ist ihr Unternehmen lukrativ genug, um ihr ein recht angenehmes Leben zu ermöglichen und sich Einfluss bei der gehobenen Gesellschaft zu verschaffen. Sie ist mit all ihren schmutzigen, kleinen Geheimnisse und ihren gefährlichen Liebschaften vertraut. Im Gegenzug kann sie, wenn sie einen Privatdetektiv benötigt, einen Kunden mit entsprechenden Beziehungen fragen, dann wird ihr der beste in Spanien vermittelt: Global Investigations, mit Niederlassungen in den USA und dem Hauptsitz in San Diego, Kalifornien. Perfekt.

Als sie diesen Detektiv anruft, hat Madalena das Bild eines Detektivs wie im Film im Kopf: Etwas zerzaust, Raucher, vielleicht sanft und geheimnisvoll. Er trägt einen Namen, der eher zu einem Detektivroman passt, Dante Monroe, und Madalena ist sich sicher, er ist kein Klischee und keine Ermittlung ist für ihn zu schwer. Sie ruft sich ins Gedächtnis, dass dieses Geschäft ernst ist und konzentriert sich in diesem Moment wieder auf die Dinge, die im Augenblick wichtig sind.

„Womit kann ich dienen, Señora?", fragt Dante, gewillt, in einem melodischen Akzent, den Madalena nicht richtig zuordnen kann, seine Versprechen einzulösen.

Sie hatte die Nachrichten Kaliforniens verfolgt, seit sie von Amador fortgejagt wurde und versucht, die Vorkommnisse auf dem Weingut und in der Familie Ibarra zu verfolgen. Dazu hatte sie eine Sammlung der üblichen Nachrichten im Weingeschäft verfolgt, über neue Marken und Sorten, Erweiterungen, Werbeveranstaltungen und alle oberflächlichen Lobeshymnen. Dennoch konnte es auf jeder Veranstaltung Anhaltspunkte geben und sie verspricht, sie Dante zu faxen.

„Ich möchte, dass Sie alles über das Weingut Ibarra herausfinden, was Sie können. Über den Besitzer, die Familienmitglieder, die Mitarbeiter und alles, dass sie mit dem, was in den letzten 15 Jahren geschah, verbindet", weist sie ihn an.

„Suchen Sie nach etwas Bestimmten? Sie wissen, um die Suche etwas einzuschränken?"

„Jetzt gerade kann ich es nicht genau sagen, ich möchte aber, dass Sie jeder Spur nachgehen, jedem Detail und sei es noch so winzig. Natürlich spielt Geld keine Rolle."

„Das wird erledigt. Ich halte Sie regelmäßig über meine Fortschritte auf dem Laufenden", sagt ihr Dante in einem respektvollen Ton, der ihr Bestätigung gibt.

WENN ES EINES GIBT, worin Dante gut ist, wobei er Experte für viele großartige Ermittlungsverfahren ist, dann ist es das Selbstvertrauen des kleinen Mannes. Es geht ihm um die Leute hinter den Kulissen, die Helfer, Angestellten besonders aber um diejenigen, die für sehr wohlhabende Leute arbeiten. Als wichtig betrachtet zu werden, gefällt ihnen, denn oft werden sie das nicht von ihren Arbeitgebern. Sie sind zu Anfang vielleicht zurückhaltend, wollen nichts

Vertrauliches ausplaudern oder haben das Gefühl, über die Menschen zu lästern, die ihr Gehalt bezahlen, ist ethisch und moralisch verwerflich. Dennoch wärmen Dantes beruhigende Art, sein Allerweltsgesicht und wenn nötig seine Brieftasche, mit 20 und 50 Dollar, bald die Herzen und lösen sogar die Zungen der Zurückhaltendsten.

Vielleicht ist es der karibische Einschlag in seiner Stimme, der es ihr antut oder sein Erscheinungsbild eines Mischlings, doch Carmela, die Haushälterin der Ibarras ist sofort hin und weg. Mit warmen Augen und einem breiten Lächeln, heißt sie Dante an der Hintertür des Haupthauses willkommen. Jedoch ist sie noch neu und sie reicht ihn weiter an Victoria, eine alteingesessene Mitarbeiterin, deren Zuneigung für Madalena bekannt ist und von allen geteilt wird.

Bei einer Tasse starkem, mexikanischem Kaffee und einer Schüssel Pudding, die Victoria, die Köchin mit den rosa Wangen, gekocht hat, erzählt sie Dante Geschichte um Geschichte über die Familie Ibarra. Diese Geschichten wurden jahrelang geheim gehalten. Eine besonders ...

„Miguel kam eines Nachts nach Hause mit einer blutigen Schnittwunde im Gesicht. Er geriet des Öfteren in Prügeleien, deshalb dachten wir uns nichts dabei. Er aber war so verzweifelt und bat seinen Vater, Señor Amador, keinen Arzt zu rufen, weil er etwas Schreckliches getan hatte. Er blutete so schlimm, dass der Señor darauf bestand, dass Dr. Ruiz einen Hausbesuch macht."

„Und hat er es getan? Machte er einen Hausbesuch?"

„Oh, ja. Er war ein guter Arzt. Sehr diskret bei Familienangelegenheiten."

„Weißt du, was Miguel Schreckliches getan hat?"

„Nein...nicht wirklich. Ich lauschte nicht und hatte in der Küche zu tun."

„Was passierte danach? Nachdem der Arzt Miguel behandelt hat?"

„Miguel blieb wochenlang im Haus und hatte schreckliche Narben im Gesicht. Er arbeitete im hintersten Teil des Weinguts, damit keiner ihn sehen konnte. Dann, eines Tages, verließ er das Weingut, vermutlich um sich behandeln zu lassen."

„Was war das für eine Behandlung, Victoria?"

„Eine Gesichtsoperation, um die Narbe loszuwerden."

„Hat es funktioniert?"

„Sehr gut, möchte ich meinen. Aber ich habe Miguel schon eine Weile nicht mehr gesehen."

„Was ist mit Señor Ibarra? Kommst du mit ihm klar?"

Sie geht zur Küchentür und lauscht nach Schritten. Die Luft ist rein. „Ich versuche, ihm aus dem Weg zu gehen und einfach meine Arbeit zu machen. Er ist ein ruppiger Mann, hatte aber einem Mitarbeiter, den er vor langer Zeit wirklich als guten

Freund betrachtete. Franco, den Leiter des Weinguts."

„Kennst du seinen Nachnamen?"

„Ich weiß nicht mehr. Wir nannten ihn Franco. Er war so nett."

Dante nimmt gerne das leckere Sandwich an, das wie aus dem Nichts auftaucht. „Was geschah mit ihm?"

Victoria bekreuzigt sich und hat Tränen in den Augen, nach all den Jahren. Sie erinnert sich an das Feuer. Kann aber kaum darüber sprechen.

„Schon gut, Viktoria. Du musst mir nicht mehr sagen. Aber eines noch: Was ist mit Francos Familie. Hatte er Frau und Kinder?"

„Ja, ich glaube schon. Der Name seiner Frau war Helena. Manchmal sprach er von ihr recht liebevoll. Und er hatte einen kleinen Sohn, Marcus, der dürfte jetzt erwachsen sein, meine ich. Eine Witwe und eine Halbwaise. Wie traurig."

„Leben sie noch in dieser Gegend?"

Victoria schüttelt den Kopf und schenkt Dante Kaffee nach. „Nein, nein. Ich glaube nicht."

„Ich kann verstehen, dass Señora Ibarra nicht mehr hier lebt. Weißt du, wo ich sie erreichen kann?"

„Sie ist jetzt in Spanien. Sie und der Señor hatten einen heftigen Streit, bei dem es um ihre Tochter Anabel ging, die öfters in großen Schwierigkeiten steckte."

„Welche Art Schwierigkeiten?"

Victoria kreist mit dem Zeigefinger und deutet an, „Schwierigkeiten im Kopf".

„Mentale Probleme?"

„Eher schlechte Angewohnheiten. Dinge, die sie sehr traurig machten. Das machte auch die Señora traurig."

„Geht das etwas genauer?", drängt sie Dante.

„Ich will es nicht sagen. Ich könnte mich irren. Ich weiß nur, dass sich die Señora bemühte, Anabel zu beschützen und sie von hier fortschaffen wollte. Aber Amador ließ das nicht zu. So ging sie allein."

„Sie ging dann nach Spanien, ohne ihre Tochter."

Victoria nickt. „Oh, sie wollte nicht gehen. Nicht ohne Anabel. Amador hat sie gezwungen. Ich vermisse sie so sehr. Sie war wunderbar zu uns. Eine großartige Dame."

„Also war Señor Ibarra damals alleinstehend und zog selbst zwei kleine Kinder groß. Er muss sich ohne seine Frau einsam gefühlt haben."

Victoria schürzt verächtlich ihre Lippen. „Wir hatten den Verdacht, er traf sich mit einer anderen, erfuhren aber nie, wer es war."

„Woher kam dieser Verdacht?"

„Viele kleine Dinge. Auch viele große Dinge. Oft verließ er das Haus durch die Hintertür und sagte nicht, wann er wiederkommt. Einmal fuhr er im alten Truck eine einsame Landstraße hinunter. Als er wiederkam, war er sehr erregt, putzte den Truck von oben bis unten, dann duschte er und warf seine Kleidung in die Feuertonne.

„Señor Ibarra wusste, dass sie all dies beobachteten und einen Verdacht hegten?"

„Nein, nein. Wir waren sehr diskret. Als seine Angestellten waren wir so gut wie unsichtbar. Er behandelte uns, als wären wir Luft, mussten aber natürlich tun, worum er uns bat. Und er wusste, er hatte uns gedroht, uns zu entlassen, sollten wir je über seine persönlichen Angelegenheiten sprechen."

„Und jetzt? Wollen Sie es riskieren?"

„Für Señora Madalena würden wir alles riskieren."

Wer, was, wann, wo. Dante nutzt Victorias Geheimnisse als Leitfaden und geht unzählige Seiten von Mikrofilmkarten und Online-Datenbanken nach Jahre alten Artikeln durch. Tatsächlich findet er wenig Sensationelles oder Belastendes, jedoch befolgt er Madalenas Anweisungen und folgt jedem Hinweis, jedem noch so kleinen Detail und jedem Ereignis, das 15 Jahre zuvor geschah. Instinktiv meint er, Madalena wisse mehr, als sie sagt, dass sie befürchtet, ihre Familie sei in irgendein Verbrechen oder zumindest peinliche Aktivitäten verwickelt. Aber sein Job ist es, jedes Fitzelchen an Informationen zu sammeln, dass sie als brauchbar erachten könnte, nicht etwas zu beurteilen oder

Schlüsse zu ziehen. Erst einmal, wird er Victorias Geschichten als „Klatsch" abtun und die Einzelheiten für sich behalten.

„Ich stieß auf diese Randnotiz im Verbrechensteil der örtlichen Zeitung, über einen Unfall mit Fahrerflucht, bei dem eine Frau ums Leben kam. Dante berichtet: „Ich kann keine Verbindung zu Ihrer Familie erkennen. Nur einen Verweis auf ein junges, spanisches Mädchen, die man sah, als sie vom Tatort wegrannte. Ein anderer Mann stahl das Auto und fuhr davon. Das Auto war ein Zonda, ein sehr teurer Sportwagen, eine wahre Rarität. Es wurde verlassen in einer Gasse gefunden und die Polizei nahm, aufgrund von Spuren, die dort gefunden wurden, einen ortsansässigen Rabauken fest. Wissen Sie, ob Ihr Sohn je eine Zonda hatte?"

„Keine Ahnung. Er hatte einen Sportwagen, ich weiß aber nicht, welches Modell", antwortet Madalena, was aber nur die halbe Wahrheit ist. „Das ist aber dennoch eine tragische Geschichte. Wer war die Frau?"

„Ihr Name war Angela Bolane. Kommt der Ihnen bekannt vor?"

„Nein, überhaupt nicht. Was ist mit dem Mann, der festgenommen wurde?"

„Sein Name lautet Clive Parsons. Er sitzt 20 Jahre bis lebenslänglich ein."

„Ich weiß nicht, wer er ist. Es ist aber gut, dass ihn die Polizei verhaftete. Was für ein grausiges Verbrechen."

Madalenas Herz pocht erleichtert. Es wurde nicht erwähnt, dass Miguel irgendwie damit zu tun hatte. Natürlich nicht. Denn er floh. Niemand erkannte ihn oder sein Auto. Eine unglaubliche Glückssträhne. Wenn er aber dafür verantwortlich ist, dann sitzt ein anderer Mann lange im Gefängnis, für ein Verbrechen, das er nicht begangen hat. Dennoch war Parsons dort, schließt sie. Seine Fingerabdrücke wurden gefunden. Er ließ sie einfach auf der Straße krepieren. Also ist er ebenso schuldig, wie ihr Sohn. Es gab doch noch Gerechtigkeit.

Dante beendet seine Rückblende mit den Worten: „Ein paar Monate danach, brannte es auf dem Weingut Ibarra."

Madalena bekommt einen trockenen Rachen und ihre Sicht ist getrübt. Hätte sie sich nicht gesetzt, wäre sie gestürzt. „Ein Feuer? Etwas Ernstes?"

„Ein Angestellter wurde getötet. Der Leiter des Weinguts, Franco Jourdain. Es wurde aber als Unfall eingestuft, ausgelöst durch eine offene Dose Methanol. Man ging davon aus, Jourdain hatte ein Streichholz angezündet, um zu rauchen, dann geschah das Schlimmste, der Bericht kam aber bezüglich dieser Theorie zu keinem Ergebnis."

Gott steh uns allen bei, betet Madalena im

Stillen. *Bitte, lass das nicht Anabels Werk sein. Lass es ein Unfall gewesen sein.*

Ihr kurzes Schweigen ist ein Alarmzeichen, aber Dante bleibt objektiv. „Kannten Sie diesen Mann, als Sie hier gelebt haben?"

„Amador hatte viele Angestellte", weicht sie seiner Frage aus. „Ich kann mich nicht an all ihre Namen erinnern. Dante, finde mehr über Franco heraus, wenn du kannst, ob er Familie hatte und wie es ihnen heute geht."

„Ich kümmere mich darum."

Der Mord an Helena Morales vor 15 Jahren war ziemlich groß in den Nachrichten. Die Tatwaffe, ein Messer mit gezahnter Klinge, wurde nie gefunden. In einem Artikel geht es um den Sohn des Opfers, dessen Name nicht genannt wurde, weil er Minderjährig war, der einen jungen Mann mit einer Narbe über ihr knien sah, den man aber nie ausfindig machen konnte.

„Ich glaube, Ihr Ehemann könnte sich mit Helena Morales getroffen haben, wie Ihre Küchenhilfe annahm, es gibt aber keinen endgültigen Beweis. Sonst führt nichts zur Familie Ibarra, wie ich sehe", fasst Dante in seinem aktuellen Bericht zusammen. Dass von einer Narbe im Gesicht die Rede war, hat er einen Verdacht und dieser deckt sich mit Victorias Erinnerungen. Und doch geschah dies, nachdem

Madalena von ihrem Ehemann aus dem Haus geworfen wurde, also ist es denkbar, dass sie nichts von der Affäre oder davon wusste, dass Helena Francos Geliebte war.

„Soll ich weiter graben, Señor?"

„Ich muss darüber nachdenken, Dante. Sie waren sehr gründlich. Ich melde mich, wenn ich Sie wieder brauche."

Amador ist ein Schürzenjäger, das weiß Madalena nur zu gut, aber ein Mörder? Er hat viele fragwürdige Seiten, sie kann aber nicht glauben, dass er jemanden kaltblütig umgebracht haben könnte, erst recht keine Frau. Dennoch ist er in etwas sehr Heimtückisches verwickelt. Und er hat seinen Sohn Miguel mit hineingezogen.

Sie öffnet den Wandtresor und lässt darin das Päckchen, das ihr Miguel schickte, verschwinden. Soll sie es wagen, es zu öffnen und zur Mitwisserin zu werden? Sie hat keine Wahl. Vorsichtig öffnet sie den Umschlag und entfernt die Luftpolsterfolie, unter der eine Plastiktüte mit noch mehr Anhaltspunkten hervorkommt. *Nein. Nicht berühren. Sonst kommen deine Fingerabdrücke auf die Tüte.* Sie findet ein Paar Wollhandschuhe und bedeckt mit einem Tischläufer den Schreibtisch.

Vorsichtig, dass sie die Tasche nicht zerreißt, öffnet Madalena den Reißverschluss und holt den Inhalt, ein blutbeflecktes Küchentuch, heraus. Sie unterdrückt einen Brechreiz, als sie das Blut eines

Toten sieht, eines Menschen, den ihr Ehemann tötete. Sie nimmt die Handtücher weg, um die Mordwaffe, ein Küchenmesser mit gezahnter Klinge, anzusehen. Fragend schaut sie auf die Buchstaben „H.M." auf dem Elfenbeingriff. Eine Firmenmarke. Die Initialen einer Person?

Dann kommt es ihr. Es gab keinen Streit mit dem *Mann*, den Amador hinterging. Miguel hatte gelogen. Amador traf sich mit Helena Morales. Das wusste sogar die Küchenhilfe. Madalena sieht den Streit eines Pärchens. Amador war ein unverbesserlicher Mann, der alles von einer Frau wollte, selbst aber nie was zurückgab. Diese Frau hatte genug und stellte Amador ein Ultimatum. Er muss sie getötet haben. Warum sonst hätte Miguel das Messer all die Jahre verstecken sollen? Warum, in Gottes Namen, warf er es nicht in die San Diego Bay?

Bei dem Gedanken, dass Miguel in diesen Albtraum verwickelt ist, läuft es Madalena kalt den Rücken runter. War er der junge Mann, der vor so vielen Jahren gesehen wurde, wie er sich über Helenas Leiche beugte? Warum war er als erstes da? Folgte er Amador, um belastende Beweise dieser Seitensprünge zu bekommen? Würde der Junge, Helenas Sohn, ihn erkennen, wenn er Miguel jetzt sieht? Es ist unmöglich, dass er sich all die Jahre nicht daran erinnerte. Aber Miguel sieht jetzt anders aus.

Ohne Narbe. Und älter. *Bitte, der Junge darf sich nie erinnern, wer Miguel ist.*

Als Dante wieder das Wort ergreift, berichtet er von einer neuen Entwicklung. Die Nachrichten verfolgen nun eine Geschichte über Clive Parsons, der eine Petition für ein neues Verfahren startete, um die Verurteilung wegen Fahrerflucht aufzuheben.

Madalena ist erschüttert. Jetzt kommt alles zusammen. Die Farce der Familie Ibarra kann nicht lange so weitergehen.

„Wissen Sie, wer den Fall bearbeitet?"

„Ich glaube, es ist ein Pflichtverteidiger", sagt Dante. „Ich kriege seinen Namen raus."

„Verfolgen Sie diese Geschichte weiter, Dante. Ich muss wissen, was dabei herauskommt."

„Glauben Sie, es hat etwas mit Ihrer Familie zu tun?"

„Ich hoffe, diese Verbindung werden Sie nie herstellen."

MADALENA RUFT Abuela an und besteht darauf, dass sie nach Kalifornien zurückkehrt, um ihre Kinder zu beschützen. Sollte etwas über Anabels oder Miguels Untaten herauskommen, muss sie sich darauf gefasst machen, Amador, die Wurzel ihrer Probleme, zu kontrollieren. Sie wird die Beweise über seinen Kopf halten, wie ein Fallbeil, das kurz davor ist, hinunter zu sausen.

„Es bricht mir das Herz", lamentiert Abuela. „Amador ist mein Sohn, aber die Zukunft der Familie liegt in meinen Enkeln. Sollte Amador ans Messer geliefert werden, wird auch deren Leben versaut."

„Ich werde alles tun, dass das nicht geschieht, aber ich kann mich nicht einfach zeigen. Ich brauche einen guten Grund, einen berechtigten."

„Es gibt einen guten Grund für Sie, Madalena zurück zu bringen. Das Verlobungsfeier Ihrer Tochter."

KAPITEL ELF

Sᴜᴄʜ ᴛɪᴇꜰ ɪɴ Bᴜʟʟᴅᴏɢꜱ Fᴀʟʟ ᴇɪɴᴢᴜᴀʀʙᴇɪᴛᴇɴ,
ist ein Teil der Strafverteidigung, von der Marc weiß,
er kann dies nicht allein bewältigen. Nicht in 30
Tagen. Er muss jeden Stein einzeln umdrehen,
Zeugen finden, die er befragen kann, Beweise
ausarbeiten und bewerten. Die meisten
Privatdetektive bearbeiten Fälle, wo es um
Scheidung, Sorgerecht oder
Hintergrundinformationen für Arbeitgeber geht. Er
weiß, es gibt nur eine Art Privatdetektive, die Fälle
wie seinen bearbeiten. Kriminalfälle zu bearbeiten ist
eine Spezialität, für die Strafverteidiger gut bezahlen,
besonders bei einem bedeutenden Mandanten. Aber
armen Leuten widerfährt oft keine Gerechtigkeit,
weil ihr Geldbeutel solche Dienstleistungen nicht
hergibt. Jemanden zu finden, der es umsonst macht,

ist ein schöner Traum und auch seine Anwaltskollegen können ihm nicht weiterhelfen, jemanden zu finden. Aber Marc hat noch ein Ass im Ärmel.

„Ben, du musst mir bei etwas behilflich sein."

„Raus mit der Sprache", antwortet Ben, nimmt seine randlose Brille ab und dreht sich langsam mit seinem Stuhl, eine Art Meditationstechnik.

„Ich weiß, du vertrittst ein paar schmierige Klienten", bemerkt Marc.

„Ja, leider."

„Und ich weiß, sie haben die großen Scheine für den besten Anwalt."

„Das wäre wohl ich."

„Hattest du es je nötig, einen Privatdetektiv zu engagieren, einen der kriminellen Aktivitäten auf den Grund geht?"

Instinktiv schaltet Ben die Freisprecheinrichtung aus. „Die Hälfte meiner Klienten haben Dreck am Stecken. Sie arbeiten an der Wall Street. Ich bearbeite aber keine Anzeigen über Strafsachen. Für sowas beauftragen sie einen entsprechend spezialisierten Anwalt."

„Du weißt, einen solchen wie dich, Ben. Wann hörst du auf, für die Bösen zu arbeiten und tust etwas Bedeutendes mit deinem Talent als Jurist?" Marc weiß, Ben hatte mit dem Gedanken gespielt, sich auf Strafrecht zu spezialisieren, sich aber noch nicht entschieden, auf welcher Seite des Zauns das Gras grüner ist. Bens große Persönlichkeit und der kindliche Charme ergänzen sich im Gerichtssaal perfekt, da passen langsame Denker und Protzer schlecht. „Wir könnten Typen wie dich bei der Verteidigung brauchen."

„Nein. Ich bin nicht sicher, ob ich den ganzen Abschaum unternehmerisch verteidigen könnte. Und ich bin ebenso wenig großherzig wie du ein Meister des kleinen Mannes."

„Dann habe ich nur eine einzige andere Möglichkeit."

„Ich suche nach einer Stelle als Staatsanwalt. Aber vorerst suche ich nur. Also, zurück zu dir, denn du brauchst einen Privatdetektiv."

„Ich brauche den Namen, Ben."

„Das wird nicht billig. Kann sich das dein Mandant leisten?"

„Wohl kaum. Noch nicht einmal ich werde hierfür bezahlt. Richter Larimer hat es mir aufs Auge gedrückt. Ben, es ist ein großer Fall. Ich denke, da geht etwas nicht mit rechten Dingen zu. Ich brauche jemanden mit guten Beziehungen, der leicht durch das Raster rutschen und sich Antworten holen kann, ohne dass jemand Verdacht schöpft."

„Dann gibt es nur einen Menschen, den ich kenne, der gewillt und dazu imstande ist."

· · ·

AUF DER VISITENKARTE von Global Investigations stehen ein paar Spezialisierungen, die Marc ins Auge stechen: Neuen Hinweisen nachgehen, Abläufe von Ereignissen belegen, forensische Analyse.

„Wollen Sie diese Art Fall bearbeiten?", fragt Marc den Privatdetektiv, der eher einem von Bens Firmenkunden ähnelt, als einem, der solchen hinterher schnüffelt. Gepflegt, gut angezogen, aber nicht aufgesetzt und mit einem sanften Auftreten, das selbstsicher, jedoch nicht arrogant wirkt. Man kann ihn einordnen, er ist höflich und sehr interessiert an Marcs Fall. Außerdem ist er glattrasiert, was neu ist, in der heutigen Zeit der Gesichtsbehaarung.

„Ich habe tausende von Stunden Ermittlungsarbeit auf dem Buckel, Mr. Jordan, einschließlich mehrerer strafrechtlicher Untersuchungen. Davon würde ich gerne mehr machen. Und ich will ihn wirklich Pro Bono übernehmen. In meiner gesamten Laufbahn habe ich mich der Gerechtigkeit verschrieben, genau wie meine Mandanten. Also würde ich gerne wissen, was Sie brauchen."

Dantes jamaikanischer Akzent, der jetzt noch deutlicher zu hören ist, hat einen beruhigenden Einfluss auf Marc, der ihn auf der Stelle einstellen will. „Ist Ihr Terminkalender frei. Denn bei diesem Fall braucht man ein scharfes Auge und einen klaren Blick. Ich möchte Sie nicht überfordern."

„Ich habe ein paar Klienten, meistens geht es um Hintergrundinformationen und Familienange-legenheiten. Sie sollten sich nicht überschneiden. Tatsächlich will ich nicht, dass das passiert. Ich kann meine anderen Klienten an andere Detektive übergeben, außer einem, dessen Situation etwas komplizierter ist. Aber das dürfte ich bald beendet haben."

„Gut. Ich brauche Sie wirklich, um in die Vollen zu gehen. Ich habe bald eine Beweisaufnahme und ich muss dem Richter etwas präsentieren können, dass es zu einer Wiederaufnahme eines Verfahrens kommt."

„Sagen Sie mir, was Sie wissen müssen, ich kümmere mich darum."

„Mein Mandant ist zu 20 Jahren bis lebenslänglich verurteilt. Er ist kein guter Mensch. Er ist vorbestraft wegen Körperverletzung, Alkohol am Steuer und vielem mehr. Aber es ist gut möglich, dass er im Gefängnis landete für ein Verbrechen, das er nicht begangen hat. Ich bin der Überzeugung, irgendwo gibt es noch Beweise, die nicht eingebracht wurden. Man hat mit ihm ein schmutziges Spiel getrieben oder ihn zumindest sehr schlecht beraten, damit er sich schuldig bekennt."

„Das geschieht leider viel zu häufig."

„Ja, das denke ich auch. Aber in diesem Fall ist etwas faul. Ich suche nach etwas Großem, das diesem Fall eine Wendung gibt, nicht nur nach einer kümmerlichen Petition oder einem Trick. Hier ist die Akte. Ich möchte, dass Sie Dinge sehen, die noch nicht einmal ich sehen kann und Dinge finden, an die ich nicht einmal denken würde. Gehen Sie jeder Spur nach und sei sie noch so trivial. Ich muss Sie warnen. Der Fall ist alt, 15 Jahre."

„Manchmal werden ziemlich alte Fälle schnell wieder zu aktuellen", bemerkt Dante, um bei der Wortwahl zu bleiben.

„Dann wollen wir dem hier mal wieder Leben einhauchen. Hier ist die Akte."

„Danke, Mr. Jordan." „Er schiebt sie in seinen Aktenkoffer und schaut kaum auf die Beschriftung.

„Marc. Nennen Sie mich Marc."

„Danke, Marc. Ich mache mich heute noch dran."

Dante Monroe verlässt Marcs Büro, die Akte des Falles Clive Parsons im Aktenkoffer, und weiß nicht, dass zwei seiner Klienten bald schon zu Fall gebracht werden.

KAPITEL ZWÖLF

Um 16:00 Uhr pazifischer Zeit kommt Madalena am San Diego International Airport an. Der Flug hatte über 15 Stunden gedauert, dafür sah sie aber ziemlich gut aus, denn in der ersten Klasse gab es eine eigene Dusche und eine Umkleidekabine. In ihrem hellblauen Cocktailkleid, das ihr schwarzes Haar und den roten Lippenstift betont, nimmt Madalena ein Taxi zum Weingut Ibarra, um das Abendessen der Familie zu sprengen, auf dem Anabels Verlobung bekannt gegeben werden soll.

Amador macht ihr keine Angst mehr. Sie weiß tief im Innersten, dass er Helena tötete und dass Miguel es für ihn vertuschte. Sie hat das Messer, das Amadors Schicksal besiegelt, kann aber diese Anschuldigung nicht einfach in den Raum stellen.

Sie will ihn schwitzen lassen, dass er sich schließlich selbst mit seinem verdächtigen Verhalten verrät.

Amador, Abuela, Anabel und Marc stehen alle auf der luxuriösen Terrasse, trinken Cocktails und genießen Tapas. Sie bemerken Madalenas Taxi nicht, das die lange Straße hinauffährt und auf der U-förmigen Auffahrt hält. Madalena verlässt das Taxi und schreitet durch die 2 Meter hohe, verglaste Vordertür aus Eiche. Erinnerungen an die Jahre, die sie auf dem Anwesen verbrachte, prasseln in Schüben auf sie ein: Der Schmerz über Amadors Affären. Die Enttäuschung darüber, dass ihr Sohn ständig mit dem Gesetz in Konflikt geriet. Die quälende Trennung von ihrer Tochter, die von ihrem Mann nach Spanien geschickt wurde und die Anabel nicht in die Arme nehmen und sich von ihr verabschieden konnte.

Als sie die leise Musik und die lockere Unterhaltung hört, die aus dem Haus kommt, entschließt sich Madalena, nicht zu klingeln und sich vom Hausdiener ankündigen zu lassen. Das Tor zur Terrasse ist leicht zu öffnen und stellt im Haus ihr Gepäck ab. Für alle sichtbar betritt sie das Haus und ihre selbst entworfenen hochhackigen Sandalen klopfen rhythmisch auf den spanischen Fließen, dann steht sie ruhig da, bis sich alle nach ihr umdrehen.

Anabel erschrickt, als sie ihre Mutter sieht nach Jahren heimlicher Briefe und Anrufen. Zögerlich reicht sie ihr die Hand zum Gruß und als Madalena sie an sich drückt, erwidert sie die Umarmung, zeigt aber keine Zuneigung. Sie haben Madalenas plötzliches Verschwinden vor Jahren noch immer nicht vollständig aufgeklärt. Das Gefühl, verlassen worden zu sein, das Anabel noch immer empfindet, wird durch Amadors Manipulation noch verstärkt.

Amador fragt mit unverhohlener Verachtung: „Was machst du hier? Du bist nicht eingeladen."

Marc ist perplex ob dieser offenen Feindseligkeit, kann aber Anabel nur einen neugierigen Blick zuwerfen. Er sieht, wie sich ihr Kiefer spannt und geht näher zu ihr, um sie zu beruhigen.

„Ich würde doch nie die Verlobungsfeier meiner Tochter verpassen. Und dank Abuela kann ich dieses wundervolle Ereignis mit euch genießen."

„Du?" Amador dreht sich zu seiner Mutter, schaut wütend und schäumt: „Du hast sie eingeladen? Meine eigene Mutter?"

„Sie ist Anabels Mutter", antwortet Abuela bestimmt, aber ruhig. „Sie hat ein Recht, hier zu sein."

Amador weiß, er streitet sich besser nicht mit seiner Mutter. Den Arm lässt sie wie ein Schwert durch die Luft sausen, um sich Respekt zu verschaffen.

„Keine Sorge", sagt Madalena. „Ich möchte hier keinen Ärger machen. Ich will meine Tochter sehen und meinen zukünftigen Schwiegersohn kennenlernen. Und auch ein paar alte Freunde besuchen."

In dieser schönen Atmosphäre mit dem vielen Blumenschmuck und den luxuriösen und bequemen Möbeln, nimmt Madalena vom Kellner gerne ein Glas Champagner an. Ergreifende Erinnerungen kommen auf, zu ihrem Unbehagen, sie verdrängt sie aber. Es gibt momentan wichtigere Dinge, um die sie sich kümmern muss, als ihr persönliches Herzweh.

Als wäre sie noch immer die Herrin im Haus, streift Madalena in die Küche, wo das Abendessen zubereitet wird und sie die Küchenhilfen überrascht, die sie mit einem fröhlichen Lächeln begrüßen. Es ist schon Jahre her, sie haben sie aber alle in guter Erinnerung behalten. Victoria, die Chefköchin, umarmt Madalena so herzlich, als wäre sie ihre lange verschollene Schwester.

„Señora Ibarra", grüßt sie Victoria und sichtbare Tränen füllen ihre freundlichen, braunen Augen. „Ich dachte, ich würde Sie nie wiedersehen."

„Ich auch, Victoria."

„Sie bleiben hoffentlich lange?"

„Ich bin nicht sicher, zumindest aber bis zur Hochzeit. Nun erzählen Sie mir alles, was in meiner Abwesenheit passierte."

„Oh, man", beginnt Victoria und schlägt aufgeregt die Hände zusammen. „So viel. Das würde Stunden dauern."

„Darüber müssen wir bald sprechen, Victoria. Aber heute Nacht brauche ich Ihre Hilfe."

„Aber immer, Señora. Sie können auf mich zählen."

Durch das Esszimmer weht ein delikater Duft. Victoria und das Küchenpersonal tragen kunstvoll angerichtete Paellas, Teigtaschen und Gerichte aus Huhn und Schwein auf, die sie auf Tische mit Tischtüchern stellen. An der Essensausgabe locken große Stücke von Rippchen, die innen noch leicht rosa sind und ein dampfender Topf mit Soße. Als keiner hinsieht, legt Victoria das Messer, das ihr Madalena gab, neben die anderen auf die Essensausgabe, weiß aber nicht, was das für Auswirkungen haben wird. Die Kellner sind angestellte Küchenhilfen und benutzen meistens das Kochgeschirr der Ibarras, können also kaum erkennen, dass dieses Messer anders ist als die anderen.

Marc geht zur Essensausgabe und verlangt ein großes Stück Rippchen. „Ich bin am Verhungern und das sieht lecker aus", sagt er frei heraus.

Der Kellner will nach dem Messer mit der Gravur greifen, nimmt aber ein anderes, von dem er meint, es sei geeigneter, um Rindfleisch zu schneiden. Als Marc bei dem großen Stück, das er kredenzt bekommt, das Wasser im Mund zusammenläuft, fallen ihm auf dem Elfenbeingriff die Initialen H.M. ins Auge. Ihm entgeht nicht, wie es sich an Eleganz von den anderen auf dem Tisch unterscheidet. Er sieht im Kopf schwach den Geist seiner Mutter, die in der Küche gekonnt Essen würfelt und schneidet, der aber schnell vom leckeren Duft des Fleisches verdrängt wird.

Amador ist noch immer aufgebracht, dass seine Frau erschien, obwohl sie nicht willkommen ist und nähert sich dem Buffet, in der Hoffnung, etwas Essen würde ihn trösten. Als er das Messer sieht, mit dem seine Geliebte getötet wurde, die Mordwaffe, mit den Initialen H.M. auf dem Griff, das er in der Hand hatte, als sie heftig miteinander kämpften, erstarrt er, kalter Schweiß tritt ihm auf die Stirn und ihm wird flau im Magen. *Wie kam das hierher, in Gottes Namen? Spielt mir mein Verstand einen Streich?*

Er hat sich noch nicht überlegt, ob er es an sich nimmt, da bildet sich schon eine Schlange hungriger Gäste hinter ihm. Ihr Gerede über das unwiderstehliche Festmahl, das sie sich einverleiben, bringt Amador kurz aus dem Konzept, als er aber wieder zur Essensausgabe schaut, ist das Messer verschwunden. Er sagt sich, er sähe Gespenster. An diesen „Vorfall" hatte er seit Jahren nicht mehr gedacht. Verwirrt geht er wieder zur Bar und schenkt sich etwas Starkes ein.

Madalena wusste, sie konnte mit der echten Mordwaffe nicht ins Flugzeug. Deshalb machte sie mit der Digitalkamera ein Foto davon. So ließ sie sich eine Nachbildung anfertigen, die dann an Victorias

Adresse, in den USA, geschickt wurde und auf dem Päckchen stand „Nicht öffnen, bis ich da bin." Nachdem es kurz an der Essensausgabe aufgetaucht war, hat es Victoria nun in der Tasche ihrer Schürze versteckt und wird es später der Señora zurückgeben.

Madalena glaubt, dass ihr Plan aufgeht. Die Saat geht auf: Amador einen Heidenschreck einzujagen.

Die Gespräche beim Abendessen sind meistens leicht und locker, denn man genießt das gute Essen und die guten Tropfen, obwohl so ein Gefühl in der Luft liegt, dass es jeden Augenblick vorbei sein könnte. Madalena verleiht dem Gespräch etwas Persönliches, indem sie zu Marc sagt: „Ich möchte Ihnen sagen, wie es mich freut, Sie hier zu treffen, Marc Jordan. Scheinbar machen Sie meine Tochter sehr glücklich, ich weiß aber fast gar nichts über Sie. Bitte, erzählen Sie etwas von sich."

Anabel sagt ganz stolz: „Marc ist Anwalt, Mutter. Er verteidigt Menschen, die Hilfe brauchen, in einem System, das sich gegen sie verschworen hat."

„In welchem Rechtsgebiet sind Sie tätig, Marc?"

„Strafrecht. Ich bin Strafverteidiger."

„Können Sie von einem interessanten Fall erzählen, an dem Sie arbeiten?"

„Details fallen natürlich unter die anwaltliche Schweigepflicht, aber mein neuester Mandant ist ein Mann, bei dem ich mir die Wiederaufnahme des Verfahrens bei einem Verbrechen erhoffe, das schon Jahre zurückliegt. Er schwört, unschuldig zu sein."

„Echt? Wie können Sie so etwas beweisen?" Madalenas Enthusiasmus ist ernst gemeint, denn sie hat noch immer nicht die leiseste Ahnung, wer Marc eigentlich ist.

„Indem ich beweise, dass sich sein Anwalt oder die Staatsanwaltschaft eines Dienstvergehens schuldig gemacht hat. Oder beweise, dass er fälschlich bezichtigt wurde."

„Warum sollte jemand so etwas tun?"

„Um zu verschleiern, wer der wahre Täter ist", wirft Anabel ein und fühlt sich kompetent und zugehörig.

„Es muss eine wichtige Persönlichkeit gewesen sein, wenn er so etwas heimtückisches geplant hat", meint Madalena.

Marc isst einen Bissen und trinkt etwas Wein. „Das denkt mein Mandant auch, aber ich muss noch einen Hinweis finden, wer es sein könnte."

„Was war es denn für ein Verbrechen? Mord?", flüstert Madalena mit einer Spur schwarzem Humor.

„Unfall mit Fahrerflucht. Ein Todesopfer. Eine Frau."

Das kommt Magdalena unerwartet bekannt vor. Sie will Haltung bewahren. „Was für eine Tragödie. Werden wir davon in den Nachrichten hören?"

„So groß ist der Fall nicht, aber es gibt Polizeireporter, die über die Fälle schreiben, also vielleicht."

Marc spricht frei von der Leber weg, denn er hat

schon einen Aperitif intus und zu jedem Gang trinkt er ein Glas Wein. Er stellt sein Licht für gewöhnlich unter den Scheffel und es überrascht ihn, dass er so offen über seine Arbeit spricht, wenn auch vage.

Alle am Tisch sind ruhig, versuchen lässig zu wirken und es sich schmecken zu lassen. Aber im Kopf reimt sich jeder einzelne zusammen, was an dem Tag geschah, als Miguel mit dem Auto eine unschuldige Frau anfuhr und sie tot im Straßengraben liegen ließ.

Amador war der Ansicht, seinen Sohn und den Ruf der Ibarras zu beschützen zu wollen, als er Whitey anheuerte, um sich „darum zu kümmern". Er hätte alles getan, um Miguel vor dem Gefängnis zu bewahren, selbst den Prozess hinausgezögert, dass der Ruf seines Weinguts keinen Schaden nimmt.

Madalenas Meinung nach beschützt sie ihren Sohn und hat vor, diese Information aus Dantes Ermittlungen zu nutzen. So will sie Amador zwingen, Anabel zu überzeugen, mit ihr in Spanien zu leben, mit oder ohne Marc. Marc ist ein Teil in Anabels Leben, was ihrem Plan etwas durcheinander wirft.

Abuela ist bestürzt, dass ihr Sohn und ihr Enkel Mörder sind und ihre Enkelin eine Brandstifterin ist. Sie muss sich aber entscheiden, was sie dagegen unternimmt.

Anabel weiß nichts von der versteckten Intrige. Sie weiß nichts von Miguels Verbrechen oder der mörderischen Vergangenheit ihres Vaters. Darüber hinaus leugnet sie die Tatsache, dass Franco Jourdain, der Mann, den sie mit ihrem verheerendsten Feuer tötete, Marcs Vater war.

„Marc redet gewöhnlich nicht so viel über seine Arbeit", verteidigt ihn Anabel. „Er weiß, ich bin stolz auf ihn, wir versuchen aber, nicht miteinander über die Arbeit zu reden."

„Miss Anabel, ein Anruf", unterbricht Carmela, die Haushälterin, höflich und Anabel entschuldigt sich. Da sie jetzt weg ist, hat Madalena die Gelegenheit, mehr über ihren zukünftigen Schwiegersohn zu erfahren.

„Erzähl mir von deiner Familie, Marc. Wann lernen wir sie kennen?"

Er schüttelt den Kopf. „Das geht leider nicht. Meine Eltern sind tot", sagt er mit einem Gesichtsausdruck, der verrät, dass er es schon so oft erzählte, dass er nichts mehr dabei empfindet.

Madalena ist erstaunt. „I-ich weiß nicht, was ich sagen soll, außer dass es mir leid tut."

„Es ist schon lange her", sagt Marc, als heile die Zeit alle Wunden. „Ich schätze, da ich bald ein Familienmitglied bin, solltest du es wissen. Mein Vater starb bei einem schrecklichen Unfall, einem Feuer am Arbeitsplatz. Einem Weingut, ähnlich diesem hier."

Madalena, Abuela und Amador sitzen gebannt und ruhig da, erleichtert, dass Anabel nicht im

Zimmer ist, jedoch hat sie Schuldgefühle, die Marc nicht sieht.

„Es tut mir so leid. Es muss so tragisch für dich gewesen sein. Wie lange ist es her?" Madalena bricht es fast das Herz. *Das darf doch nicht wahr sein.*

„Ich war ein Jugendlicher, noch sehr jung. Ich machte mir mehr Sorgen um meine Mutter und wie ich mich um sie kümmern sollte."

„Ja, natürlich. Sie muss es sehr schwergenommen haben. Ich nehme an, sie starb an gebrochenem Herzen." *Ein frommer Wunsch, Madalena, jetzt kennst du aber die Wahrheit.*

„Nein, nicht an gebrochenem Herzen. Sie wurde Opfer eines Einbrechers." Marc kann das Wort „Mord" nicht aussprechen.

„Das ist fast nicht zu ertragen", säuselt Madalena und nimmt noch einen Bissen. Ein Glas Wein greifbar und auch nötig.

Amador dreht sich der Magen um. Schweißflecken bilden sich auf seinem Hemd, glücklicherweise sieht man es durch seinen Smoking nicht. Seine Tochter ist verlobt mit dem Sohn der Frau, die er tötete, der Frau, die er liebte. Aber es war kein Mord, sagt sich Amador. Es war Notwehr. *Ja, das werde ich behaupten, sollte es je ans Licht kommen.* Er legt einen Schwur ab, dass er dieses Messer los wird! Aber wo ist es nur, zum Teufel? Hat er es überhaupt jemals gesehen?

„Das tut mir leid", entschuldigt sich Anabel, als

sie zurückkehrt. „Habe ich etwas Wichtiges verpasst?"

„Nichts, Liebes", sagt Magdalena quirlig. „Aber nun, da du zurück bist, lasst uns alle auf das glückliche Paar anstoßen und ihnen zu ihrer Verlobung gratulieren." Die Gläser werden erhoben und man stößt an.

„Auf die Verlobung", sagt Amador väterlich. „Die ohne meine Zustimmung erfolgte."

„Ach, Papa. Sei nicht so altmodisch", tadelt ihn Anabel. „Aber wenn es um die Formalitäten geht, wird Marc um deinen Segen bitten. Vielleicht beim Cognac nach dem Abendessen."

Als es an der Tür klingelt und im Foyer aufgeregt getuschelt wird, schrecken alle hoch. Sie sehen, dass Carmela, die die Vordertür öffnet, angenehm überrascht darüber ist, wen sie dort sieht. Schwere, selbstsichere Schritte kommen ihnen entgegen und als sie sich umdrehen, sehen sie Miguel, den verlorenen Sohn, selbstsicher ins Esszimmer schreiten.

Madalena und Abuela sind froh, ihn zu sehen und schmeicheln ihm. „Was für eine schöne Überraschung." „Wir dachten, du seist verreist."

„Ich war ein paar Wochen in Mexiko für eine Filmszene, bin aber für eine ganz kleine Weile wieder hier. Keine Sorge, Papa. Ich bleibe nicht lange. Ich wollte aus meinem alten Zimmer nur ein paar Sachen holen."

153

Marc bleibt der Mund offenstehen, als er sieht, es ist Michael Barron, der narzisstische Sänger, der Showmensch. Er flüstert Anabel zu: „Das ist der Kerl von Top of the Hyatt. Er kennt deine Familie?"

„Er *gehört* zu meiner Familie", flüstert Anabel.

„Warum hast du mir das nie gesagt?"

„Eine lange Geschichte."

Marc ist in Gedanken in der Vergangenheit. Etwas an Barrons Gesicht, seinem Profil, kommt ihm bekannt vor, das rührt nicht nur daher, dass er als Promi in den Charts ist. Er hat Bilder im Kopf, an eine Narbe, wo es kein Anzeichen für eine Narbe gibt. Der Wein macht seinem Kopf zu schaffen. Der Stress mit Clives Verfahren macht ihm zu schaffen und die Albträume vom Mord an seiner Mutter. Den Rest des Abendessens nimmt er nur verschwommen wahr, denn Marc spürt plötzlich eine dunkle Aura im Raum.

Amador entschuldigt sich: „Ich bin gleich zurück, rede nur kurz mit meinem Sohn. Bitte, lasst es euch weiterhin schmecken."

Der Streit zwischen den beiden ist nichts Neues, wiederholt sich dauernd, und Amador zögert, anzuerkennen, was sein Sohn erreicht hat.

„Nein, Papa. Ich sagte es schon."

„Ich könnte dich an unsere Niederlassung in Spanien versetzen. Um ehrlich zu sein, ist es besser, du bist nicht hier", sagt Amador bestimmt.

„Warum das denn?", fragt sie flüchtig, während

sie in seinem Schrank nach Sachen zum Packen sucht.

„Unten ist der Sohn von Helena Morales und isst mit unserer Familie, die deiner Schwester nahesteht, zu Abend", sagt Amador leise und verblüfft. „Er sah dich an dem Tag, Miguel. Glücklicherweise hast du keine Narbe und er erinnert sich nicht, aber eines Tages vielleicht. Dann ist deine Karriere vorbei!"

Das berührt Miguel nicht und er erinnert seinen Vater: „So wie die deine."

„Das kannst du nicht riskieren, deinetwegen und meinetwegen. Je sichtbarer du für die Welt bist, desto größer sind die Chancen, dass er sich erinnert."

„Diese Chance will ich ergreifen."

„Welche Chance?"

Miguel dreht sich zu der Stimme um und sieht, dass seine Mutter wie aus dem Nichts erschien. Amador macht ein ganz zorniges Gesicht und stürmt hinaus, vorher warnt er aber noch Miguel ein letztes Mal, fort zu bleiben.

Überraschenderweise stimmt Madalena ihrem verachtenswerten Ehemann zu, dass Miguel dem Haus und auch der Hochzeit ihrer Schwester fernbleibt, aber aus anderen Gründen.

Sie kommt mit einer Ausrede: „Es würde an ihrem Ehrentag nicht passen, wenn die Presse herausfindet, dass Michael Barron Anabels Bruder ist. Gib deiner Schwester ihre 15 Minuten des Ruhms. Lass es nicht zu einem Paparazzi-Auflauf werden. Nach der Hochzeit und wenn ein bisschen Zeit verstrichen ist, können wir eine große Familienfeier abhalten, wo so viel Presse sein wird, wie du willst."

„Ich habe mein Leben als Künstler stets aus dieser Familie herausgehalten, denn mein Privatleben soll privat bleiben. Vater war nie einverstanden mit meinem Beruf und nur weil er meinen Erfolg nicht zu würdigen weiß, werde ich mir nicht madig machen lassen, was ich erreichte. Also keine Sorge, ich komme nicht. Komisch, er will, dass *ich* mich in Spanien verstecke, für ihn arbeite, aber ist regelrecht versessen darauf, dass Anabel hierherkommt und bei dir lebt. Das verstehe ich nicht."

„So will er wieder mit mir in Kontakt treten, um mich dafür zu bestrafen, dass ich die Scheidung und das alleinige Sorgerecht für die kleine Anabel wollte. Wenn jemand eine Strafe verdient, dann dein Vater, für alles, was er uns angetan hat."

Miguel weiß nicht, wie weit er dieses Gespräch fortführen soll. „Du meinst aber nicht, dass er mich wegen des Unfalls vor Jahren aus der Schusslinie holte?"

„Das und...Miguel, ich weiß, was in dem Paket ist, dass du mir geschickt hast, und bin ziemlich sicher, ich weiß, wessen Blut wirklich darauf ist."

Er macht die Schlafzimmertür zu und schließt ab. „Du hast es geöffnet? Ich habe dich gebeten, das zu lassen. Nun könntest auch du Ärger bekommen."

„Nicht einen solch großen, in dem du steckst, Miguel." Tiefe mütterliche Liebe verdrängt ihre Entrüstung und ihr kommen die Tränen. „Den Mord an Helena Morales zu vertuschen, der mit dem Messer begangen wurde, das du nicht in die Bucht werfen konntest. Oh, geliebter Sohn, warum bist du es nicht einfach los geworden?"

Sie sitzen beide bei ihm am Bettrand und fühlen sich wie Komplizen, perplex und unsicher, was die Zukunft bringt. Miguels ganze Angeberei verfliegt. „Ich habe sie nicht getötet, Mutter", keucht er emotional. „Du weißt, ich könnte das nie."

„Das bezweifelte ich keine Sekunde, Miguel. Dein Vater war es, er hat dich aber mit hineingezogen und du bist ein Komplize. Ich werde tun, was in meiner Macht steht, um dich zu beschützen, zaubern kann ich nicht. Du weißt, wer unten ist, nicht?"

„Ja." Er packt den Rest seiner persönlichen Gegenstände in einen kleinen Nachtkoffer und macht den Reißverschluss zu. Madalena küsst ihren Sohn, vielleicht das letzte Mal für lange Zeit und sieht zu, wie er über die hintere Treppe verschwindet.

Jetzt sind Marc und Anabel weg und Amador wieder im Büro und in der Stille der Bücherei besprechen Madalena und Abuela ängstlich, wie sie

Anabels Geheimnis vor Marc geheim halten. Was Madalenas Verdacht angeht, Amador hätte Marcs Mutter getötet, so nimmt es Abuela mit, dass Madalena das Messer für alle sichtbar drapiert hat.

„Als ich dich hierher einlud, hatte ich keine Ahnung, dass du etwas so Drastisches tun würdest."

„Consuela, du weißt, ich musste Amadors Aufmerksamkeit erlangen, um ihn zu quälen."

„Aber musste das vor den Augen des Verlobten deiner Tochter sein? Was, wenn er sich an etwas erinnert und sich einen Reim darauf macht?"

„Das geschähe uns allen recht. Wir hängen alle mit drin. Lügen, Heimtücke, Mord. Das muss ein Ende haben."

Abuela denkt an alle Schandtaten der Familie, schüttelt den Kopf und wünscht sich, sie mögen wie von Zauberhand verschwinden.

„Miguel hat sich eines Unfalls mit Fahrerflucht schuldig gemacht, für den ein anderer büßt. War es ein Unfall, vielleicht unter Alkoholeinfluss? Hat er Panik bekommen und ist vom Unfallort verschwunden? Amador holt immer wieder für seinen Sohn die Kastanien aus dem Feuer und er selbst ging immer wieder fremd und tötete eine Frau, mit der er schlief. Ein Verbrechen aus Leidenschaft, eine Meinungsverschiedenheit, die aus dem Ruder lief? Mord oder Notwehr?"

„Was ist mit Anabel?", fragt Madalena Consuela.

„Sie hat mit all dem nichts zu tun. Sie ist krank und braucht professionelle Hilfe."

„Sie ist in psychiatrischer Behandlung und hat, seit sie damit angefangen hat, kein Feuer mehr gelegt", betont Abuela.

„Und was wird geschehen, wenn sie herausfindet, dass der Mann, den sie tötete, der Vater ihres Verlobten ist? Was wird *er* dann tun? Das müssen wir berücksichtigen. Anabel darf es nie erfahren. Das darfst du ihr nie erzählen."

Abuela schwört: „Nein, natürlich nicht, aber die Wahrheit kommt früher oder später ans Licht. Einer von uns wird irgendwann einen Fehler machen. Marc *wird* es irgendwie herausfinden."

„Vermutlich werden sich ihre Wege trennen oder es wird etwas passieren."

„Worauf willst du hinaus, Madalena? Du schlägst doch nicht vor, dass Marc etwas passiert, er verletzt wird oder schlimmer?"

„Natürlich nicht, Abuela. Das wird nicht passieren, versprochen. Ich muss aber Anabel von hier fortschaffen, von allem hier."

„Aber sie werden bald heiraten. Sie sollte ihn niemals verlassen. Was könnte passieren, dass sie verschwindet?"

„Keine Ahnung. Es muss aber etwas sein, das ihre Liebe zerstört."

KAPITEL DREIZEHN

MARC WOLLTE NIE EINE OBDUKTION SEINER Mutter, aber die Ereignisse in letzter Zeit spornen ihn an. Die ein oder andere Erinnerung. Ein Bild im Kopf. Ein Wunsch, es zu wissen. Er zeigt dem zuständigen Richter, was er hat und bittet um die Akte seiner Mutter.

„Das ist über 15 Jahre her", erinnert ihn der Richter.

„Ist das auf Ihrem Computer?"

„Nein, erst vor zehn Jahren haben wir alles vollständig digitalisiert. Die Akte ist immer noch auf Papier gebannt."

Das ist nicht Marcs erster Besuch in der Pathologie. Er musste einmal einen Mandanten, der einen Angehörigen identifizieren sollte und dann in Tränen ausbrach, begleiten und auch einem Mann nachweisen, dass er seine Frau misshandelte. Diesmal geht er ins Labor, als ziehen ihn die Leichen, die darauf warten, aufgeschnitten zu werden, dass jedes Organ unter dem Mikroskop untersucht werden kann, regelrecht an. Es ruhen Tote hier, manche verhüllt, andere nicht. Das Engelsgesicht eines Mädchens täuscht nicht über die Prellungen und Schnittwunden auf ihrem kleinen Körper hinweg. Junge, Alte, Männer, Frauen. Die Todesursachen natürlich, durch Unfälle und Gewaltverbrechen.

In Marcs Kopf sind lauter Fragen. *Wurden ein paar der Frauen, die hier liegen, vom Mann mit der Narbe getötet? War das einzige Opfer dieses Killers seine Mutter? War es ein Verbrechen aus Leidenschaft oder schlicht ein Akt der Gewalt? Ist er ein Serienmörder? Wird er das wieder tun und vielleicht Marc eine Pause beim Mordfall Helena verschaffen?* Vielleicht ist eine der männlichen Leichen der Mörder seiner Mutter und ihn hat endlich sein Schicksal ereilt.

Marc durfte, als seine Mutter getötet wurde, die Leiche nicht identifizieren. „Sie" dachten, der Stress, dass sie tot war, sei zu schmerzlich. Irgendwie kam die Polizei, der Pathologe steckte sie in einen Leichensack und schaffte sie ins Leichenschauhaus, dann kam ihre Schwester Rosa von Stockton her, um sie zu identifizieren.

Er öffnet die Akte. Die Tatortfotos seiner Mutter

sind ein Schock für ihn. Sie liegt auf dem Boden, auf einem Foto nicht zu erkennen, bei einem weiteren mit dem Gesicht nach oben. Blut ist auf ihrem Kleid und der Schürze und so viel Blut fließt kreisförmig aus ihrem Bauch, dass Marc nicht glaubt, dass noch welches in ihr ist, als die Polizei kommt.

„Alles gut, Mr. Jordan?", fragt der Pathologe und hebt die Akte auf, die Marc aus der Hand gefallen ist.

„Ja. Verzeihung. Ich...können Sie sie mir vorlesen?"

„Natürlich. Wollen Sie sich zuerst setzen?"

„Ja. Danke."

„Verstorben: Helena Morales. 34 Jahre alt. Weiblich, 1,70 m, 60 kg. Stichwunde am Bauch, lebenswichtige Organe verletzt. Todesursache unklar..."

„Unklar? Sie wurde ermordet."

„Als die Akte zusammengestellt wurde, wurde die genaue Todesursache noch untersucht. Nach einer vollständigen Obduktion wurde es dann offiziell als Mord bezeichnet."

„Ja. Natürlich. Bitte, fahren Sie fort."

„Der Tatort wurde gesäubert, sodass man keine Fingerabdrücke fand, bis auf die des Opfers und es gab auch keine Einbruchsspuren. Unter ihren Fingernägeln wurden Hautpartikel gefunden, aber die DNS konnte man nicht ausmachen. Es gab Abwehrverletzungen, die darauf schließen lassen, dass sie sich gewehrt hat. An den Händen fand man

Schnitte und Hämatome. Sie und ihr Mörder kämpften womöglich um das Messer."

„Was ist mit der Mordwaffe?"

„Keine Spur von ihr. Die Polizei geht davon aus, der Mörder nahm sie mit." Der Pathologe liest weiter: „Die Tote war im gebärfähigen Alter und, Verzeihung, wenn ich das sage, sie hatte vor ihrem Tod Geschlechtsverkehr..."

„Was? Nein...woher wissen Sie das? Fand man Sperma?", platzt es aus Marc. *Das wäre doch hilfreich, oder?*

„Kein Sperma, aber..."

„Aber was?"

„Tut mir leid, das zu sagen, aber sie war schwanger, im dritten Monat."

Als er das hört, nimmt Marc die Akte und liest sie selbst. Er ist bestürzt, dass seine Mutter zu jemandem ein solch inniges Verhältnis hatte, so kurz nachdem sein Vater gestorben war. Es schockiert ihn auch, dass er einen Bruder oder eine Schwester hätte haben können. War es möglich, dass es Francos Kind war? Marc überschlägt die Zeitspanne im Kopf und kommt zu einem traurigen Schluss. Seine Mutter hatte mit irgendjemandem ein Verhältnis. Mit wem? Einem verheirateten Mann? Jemand, der sie betäubte und anschließend schwängerte? Hätte sie ihn geheiratet? Hätte er ihr einen Antrag gemacht?

War ihr Geliebter ihr Mörder, vielleicht deshalb, weil sie schwanger war und er deswegen wütend war? Oder war *sie* wütend und stellte *ihn* zur Rede, stritt mit ihm, provozierte ihn? War ihr Tod ein Verbrechen aus Leidenschaft? War es ihre Schuld und er unschuldig?

Marc zieht im Kopf Vergleiche über Anabel und seine Mutter, zwei ganz unterschiedliche Frauen: Die eine heiß, feurig und sexy, die andere zurückhaltend, gesetzt, aber mit einem Hauch leicht sinnlicher Selbstsicherheit. Verliebte er sich in Anabel, weil sie das genaue Gegenteil seiner Mutter war, um seinen Anspruch als Sohn geltend zu machen und Helena auf ein Podest zu stellen?

Viele Jungen verlieben sich in Frauen, die so sind wie ihre Mütter, wenn auch sie eine treusorgende Geliebte brauchen. Und andere, wie er, wollen die Beziehung Mutter Sohn besonders halten, sodass keine Frau vergleichbar oder eine Konkurrenz ist. Nun kommt diese neue Erkenntnis, dass Helena eine Affäre hatte, eine heimliche, unerlaubte, da merkt er, dass sie auch unehrenhaft war, wie viele andere Frauen.

———

„Und, wie geht Ihnen? Privat, meine ich?"~

„Ich bin mit jemandem zusammen."

„Was Ernstes?"

„Ja. Ich bin seit kurzem verlobt", sagt Marc ganz offen, was

Dr. McMillan überrascht. „Also wollen Sie heiraten? Wirklich? Und dieses Detail haben Sie ausgelassen?"

Marc hatte seine Therapiesitzungen nicht mehr regelmäßig wahrgenommen, seit das mit Anabel etwas Ernstes wurde. „Ich hatte so viel mit einem Prozess und anderen Dingen zu tun."

„Die da wären?"

Marc erzählt ihm vom Bericht des Pathologen, wie grausam es war, ihn zu lesen, wie befreiend es dennoch war.

„Meine Mutter war schwanger. Sie hatte was mit einem anderen Mann, so schnell nach dem Tod meines Vaters. Meine heilige „Mutter", sagt Marc schmerzerfüllt, aber auch mit einem Hauch Zynismus.

„Ihre Mutter war ein Mensch, Marc, die mit dem tragischen Tod Ihres Vaters fertig werden musste, eine alleinstehende Frau, die einen Sohn allein großziehen musste, aber auch Trost und Liebe brauchte. Seien Sie nicht zu hart mit ihr."

Peinlich berührt schüttelt Marc den Kopf und tadelt sich im Stillen. „Ich bin kleinlich und kindisch, ich weiß. Ich fasse es nicht, dass ich solche Gedanken habe."

„Die Beziehung zu Ihnen und Ihrer Mutter wurde eine völlig andere, als sie ermordet wurde. Sie fühlen sich nicht nur schuldig, weil Sie sie nicht beschützen konnten, Sie fühlen sich auch von ihr im

Stich gelassen. Sie hielten so große Stücke auf sie, zurecht. Sie war eine treusorgende Mutter und ein bewundernswerter Mensch. Nun, da du entdecktest, dass auch sie weibliche Bedürfnisse und Emotionen hatte und eine Affäre, die vielleicht ihr Tod hätte sein können, fühlst du dich wieder verlassen."

Marc hat daran eine Weile zu knabbern und neigt in Gedanken den Kopf. Er kann nur nicken, denn diese schmerzliche Erkenntnis verschlägt ihm die Sprache.

Dr. McMillan wechselt zu einem pragmatischeren Thema, dass es für seinen Mandanten angenehmer wird. „Wie läuft es in Ihrem neuen Fall? Ich sah die Zeitungsartikel und las, dass der Mandant glaubt, man hätte ihn zu Unrecht bestraft.

„Ja, gerade ist es verwirrend", meint Marc, wobei er jedes Wort haucht. „Aber Details kann ich nicht verraten."

„Ja, ich weiß. Das werde ich dann einfach alles in den Nachrichten lesen müssen. Ich fragte mich nur, wie Sie das alles unter einen Hut bringen. Wollen Sie noch einen Termin?"

„Ähm...ich muss mir über ein paar Dinge klar werden, Doktor."

„Dazu bin ich da."

„Nein. Das muss ich allein handhaben. Vorerst. Ich melde mich dann."

. . .

Marc geht den Gang hinunter, wartet dann ungeduldig auf den Aufzug, sieht dann aber, in vielen Stockwerken warten noch Fahrgäste. Er entschließt sich, die Treppe zu nehmen. Als wäre es Schicksal, schließt sich die Tür hinter ihm und die Tür vor ihm öffnet sich und Anabel tritt heraus. Sie läuft an den Türen vorbei den Flur hinunter.

Anmutig setzt sie sich in Dr. McMillans Lehnstuhl und sorgfältig zieht sie ihre Bluse und ihren Rock zurecht. Sie legt die Füße hoch, fühlt sich entspannt und plaudert ausgelassen über das Abendessen bei ihrer Verlobung und wie Marc ihre Familie zum ersten Mal traf.

„Marc?"

„Er ist mein Verlobter. Erzählte ich das nicht?" Sie streckt die Hand aus und zeigt einen geschmackvollen Verlobungsring, Gold mit einem Diamanten, drei Karat. „Ich weiß, ich war eine Weile nicht hier, war aber sicher, ich erwähnte ihn. Sein Name ist Marc Jordan. Er ist Anwalt. Strafverteidiger."

McMillan lässt Anabels Hand los, als hätte sie etwas Verbotenes getan. Er verbirgt sein Erstaunen über den Namen und widersteht dem Drang zu sagen, *auch er ist ein Patient von mir!* „Nein, das wusste ich nicht. Wollen Sie beide bald heiraten?"

„Oh, ich hoffe es. Er weiß aber überhaupt nichts

von meinem Problem. Sie wissen, wie sehr ich versuchte, meine Impulse zu kontrollieren. Ich brauche sie, dass ich völlig geheilt werde,

Dr. McMillan. Ich habe Albträume und Marc ist bei mir, aber ich erzähle ihm nie, wovon ich träume. Er darf nie erfahren, was ich getan habe. Ich will nie wieder ein Feuer entfachen. Warum sollte ich? Ich bin jetzt glücklich und solange ich Marc habe, werde ich es immer sein."

McMillan kommen Gedanken über ernste Konsequenzen und ihm ist wohl bewusst, dass er ethisch eine Grenze überschreitet, weil er nicht sagt, dass er ihr Arzt ist, zögert aber, sich bei etwas einzumischen, was für Anabel ein Durchbruch sein könnte. Sie ist drauf und dran, etwas zu verraten, was für die Behandlung überaus belebend ist.

„Erzählen Sie mir von dem Feuer, Anabel. Das, welches ihnen so viel Schmerz bereitet, wegen dem Sie hier in Behandlung sind."

„Ich weiß nicht mehr viel davon. Ich brauche Sie, Sie müssen mir helfen, mich zu erinnern. Ich befürchte aber, damit komme ich nicht zurecht."

„Hier kann man am sichersten damit umgehen, also finden Sie einen Genesungsprozess. Sollten Sie zustimmen, könnten wir es mit Hypnose, einer ganz leichten Trance, versuchen."

„Ja. Ja. Ich muss mich erinnern, habe aber auch richtig Angst."

„Na schön, Anabel. Legen Sie sich zurück und

entspannen Sie sich einen Moment. Atmen Sie ruhig und machen Sie ihren Geist frei, so gut Sie können."

„Na schön."

„Gleichmäßig ein- und ausatmen. Aber zwingen Sie sich nicht. Nur den Atem fließen lassen, als ob sie einschlafen, bleiben sie aber wach. Nun, stellen Sie sich vor, Sie sind an einem ruhigen Ort, wo Sie sich wohl fühlen. Irgendwo, wo Sie schon einmal waren, vielleicht an einem Strand, wo sie Ebbe und Flut zuschauen.

Ich zähle von zehn bis eins runter, dann fühlen Sie, wie sie treiben... Atmen Sie tief ein, ja, ruhig und gleichmäßig, wieder, ein und aus..."

„Erzählen Sie mir von dem Feuer, Anabel. Das, welches ihnen so viel Schmerz bereitet, weswegen Sie hier in Behandlung sind."

„Ich wollte nicht, dass es so schlimm wird", sagt sie verträumt. „Es sollte nur ein kleines Feuer werden. Ich war so wütend auf meinen Vater und vermisste meine Mutter so sehr."

„Wo sind Sie, Anabel?"

„Im Reiferaum, wo die Weinfässer lagern."

„Und was geschah? Wie entzündete sich das Feuer?"

„Ich entzündete ein Streichholz und hielt die Flamme an eines der Fässer. Irgendwie sprang die Flamme von einem Fass zum nächsten über. Eine Dose Methanol war offen, der dumme Hausmeister, die entzündete plötzlich alles, es war groß und schön und ich konnte nicht wegsehen.

„Was hatten Sie für ein Gefühl, angesichts der möglichen Gefahr, der Vernichtung?"

„Oh, ich fühlte mich überhaupt nicht gefährlich oder vernichtend. Es war himmlisch, leidenschaftlich, umhüllte mich, beruhigte mich." Jetzt fällt sie vor Ekstase fast in Ohnmacht. „Ich hatte das Gefühl, die Flammen laden mich in ihre Wärme ein und rotgoldene Arme wollen mich umschließen. Aber ich konnte mich nicht bewegen."

Er ermutigt sie, sich auf das Wesentliche zu konzentrieren. „Was passierte dann?"

„Dann hob mich plötzlich jemand hoch und trug mich aus dem Schuppen."

„Was wollte er?"

„Er wollte es löschen, das Feuer, das Tohuwabohu, das konnte ich aber nicht zulassen. Ich musste ihn aufhalten."

„Was taten Sie, um ihn aufzuhalten?"

„E...er legte den Schlauch in den Schuppen, um das Feuer zu löschen, das konnte ich aber nicht zulassen. Den Wasserhahn zuzudrehen, war das einzige, woran ich denken konnte."

„Sie wussten, was geschehen würde, wenn Sie das tun."

„Ich dachte lediglich, dass Wasser würde versiegen. Und das Feuer würde weiter brennen."

„Aber nicht nur das passierte."

„Nein. Nein. Plötzlich hörte ich diesen Schrei, irgendwo in der Ferne." Das fühlte sich so unwirklich an. Meine Gedanken und Gefühle übermannten mich."

„Wer schrie, Anabel?"

„Keine Ahnung. Ich konnte die Stimme nicht zuordnen..."

„Überlegen Sie. Wer war noch mit Ihnen im Schuppen? Es war jemand, den Sie kannten und dem Sie vertrauten."

„Ich glaube, es war Franco. Franco schrie um Hilfe. Ich konnte mich aber nicht bewegen. Ich wollte mich nicht bewegen."

„Was geschah mit Franco, Anabel?"

„Er...er..." Sie windet sich auf dem Stuhl und möchte die Bilder im Kopf verdrängen.

„Was geschah mit Franco, Anabel? Warum schrie er?"

„Er...er...ich konnte ihn in den Flammen nicht sehen."

„Er verbrannte bei lebendigem Leib, nicht wahr?"

„Ja. Das habe ich zumindest gehört."

„Was war das für ein Gefühl, als sie wussten, Franco war tot?"

„Ich konnte es nicht glauben. Franco war mein Freund, für mich fast wie ein Vater. Er war immer für mich da, tröstete und beschützte mich."

„Was war das für ein *Gefühl* Anabel?"

171

„Ich wollte, dass ich krank bin. Nicht Franco. Franco nicht mehr." Anabel schreit laut und vergeblich nach ihrem Freund: „Komm zurück, Franco..."

„Wer war Franco, Anabel. Was war seine Aufgabe auf dem Weingut?"

„Er war der Verwalter des Weinguts. Franco Jourdain, der Verwalter des Weinguts. Franco, mein Freund. Mein einziger Freund. Ich mochte Franco sehr. Und ich tötete ihn!" Anabel weint vor Schmerz und Reue, ihr Körper möchte der quälenden Erinnerung entkommen, sie schlägt mit den Fäusten gegen den Stuhl.

Dr. McMillan dreht sich vor Abscheu der Magen um. Sein Verdacht wurde jetzt bestätigt. Franco war Marc Jordans Vater. Marc ist sein Patient. Marc ist Anabels Verlobter. Wie kann er sie beide objektiv behandeln mit diesem Wissen? Er steht auf und trinkt einen großen Schluck Wasser. Er wünschte, es wäre etwas Stärkeres. Er wünschte, er könnte diese Sitzung abbrechen. Aber es gab noch mehr, das ans Tageslicht kam. Sicher war, dass sich Anabel zumindest eines Totschlags schuldig gemacht hatte. Er konnte aber nichts von diesem Geständnis der Polizei oder sonst jemandem mitteilen. Man hatte ihr und auch der Polizei gesagt, dass es ein grausiger Unfall war, verursacht durch eine offene Dose Methanol. Etwas Anderes konnte er nicht sagen.

„Na schön, Anabel. Beruhigen Sie sich. Tief

einatmen, ein und aus. Sie wachen jetzt auf. Sie werden sich an alles, bis auf den Schmerz und die Schuld erinnern. So können Sie mit den Folgen umgehen und wir können einen Weg finden, Ihnen zu helfen.

„Na schön."

Sie erwacht, erfrischt und ruhig, aber diese Ruhe währt nur kurz. Plötzlich ist sie aufgedreht und erregt. Die Hypnose bewirkte bei ihr das Gegenteil, was vorkommt, aber selten. Entweder war sie noch nicht vollständig wach oder noch nicht damit fertig, ihrem Gewissen Luft zu machen. Sie redet jetzt wie ein Wasserfall, erzählt von ihrem Bruder und seinen Kneipenschlägereien und wie ihr Vater ihm immer wieder aus der Patsche half, selbst nach einem Unfall mit Fahrerflucht, in den Miguel irgendwie verwickelt war. Sie ist neidisch und wütend, McMillan versetzt sie aber wieder in Trance.

„Welche Fahrerflucht, Anabel?"

Sie keucht schwer, dann ruhig, dann teilnahmslos. „Eine Frau wurde von einem Auto angefahren und der Unfallverursacher ließ sie am Unfallort liegen und fuhr davon."

„Warum glauben Sie, Ihr Bruder hätte damit etwas zu tun?"

„Oh, er gerät immer in Schwierigkeiten. Es würde mich nicht überraschen, wenn er etwas wusste, aber es nicht zugeben wollte. Ich erinnere mich nur, dass er eines Nachts nach einer Schlägerei nach Hause kam und diese üble Schnittwunde im Gesicht hatte. Lange hatte er eine Narbe. Dann verließ er uns eines Tages. Als er zurückkehrte, war sein Gesicht verheilt. Alles an ihm war anders."

McMillan sagt nichts mehr, außer dass Anabel diesmal langsam aufwachen soll. Ihre Zeit ist um. Sie werden nächste Woche weitermachen. Anabel kramt ihre Habseligkeiten zusammen, verlässt heiter die Praxis, fühlt sich frei von jeder Last.

Als er Anabels überraschende Geständnisse verarbeitet, kommen in McMillans Kopf verstörende Erinnerungen: Der Besuch der Kommissare, die Fahrt ins Leichenschauhaus, um die Leiche zu identifizieren, die Beerdigung, wie er versuchte, die Kinder zu trösten, die ebenso wenig zu trösten waren, wie er selbst. Ein unbekannter Mann wurde gesehen, als er in sein Auto stieg. Dieser überfuhr sie, sie war tot, er beging Fahrerflucht und ließ sie auf der Straße sterben.

McMillan spult die Tonbandaufnahme von Anabels Sitzung zurück und spielt eine bestimmte stelle immer wieder ab.

„Eine Frau wurde von einem Auto überfahren und der Fahrer ließ sie liegen und fuhr weg... Warum meinen Sie, ihr Bruder hätte etwas damit zu tun?... Oh, er gerät immer in Schwierigkeiten. Es würde mich nicht überraschen, wenn er etwas wusste, es aber nicht zugeben wollte... Nach einer Schlägerei kam er nach Hause, mit dieser üblen Schnittwunde im Gesicht.

Lange hatte er eine Narbe. Dann verließ er uns eines Tages. Als er zurückkehrte, war sein Gesicht verheilt. Alles an ihm war anders."

McMillan öffnet seine Schreibtischschublade und holt den Zeitungsartikel, den er aufbewahrte. Er ist vergilbt und zerknittert, weil er ihn jahrelang immer wieder las und dabei an den grausigen Vorfall dachte. „Zeugen konnten den Fahrer des Autos nicht identifizieren, sondern sahen nur sein blutiges Gesicht. Er raste von einem Parkplatz weg und überfuhr eine Frau, die des Wegs kam. Der Motor lief noch, er fuhr weg und er ließ sie auf der Straße liegen." Dieser Mann konnte nie gefunden werden, bis jetzt.

McMillan ist sich sicher. Der Bruder seines Patienten, Miguel Ibarra ist derjenige, der seine Schwester, Angela Bolane, vor 15 Jahren tötete. Ihm dreht sich der Magen um. Er unterdrückt einen Würgereflex.

KAPITEL VIERZEHN

„Danke, dass ich Sie besuchen darf, Mr. Parsons. Ich glaube, es ist eine gute Zeit zum Reden."

„Komme ich aus meiner Zelle raus, ist es immer eine gute Zeit. Mein Anwalt schickte Sie zu mir?"

Dante nickt. „Ich brauche Einzelheiten über Ihren Fall, sodass ich neue Beweise sammeln kann, die Sie entlasten."

„OK. Fragen Sie."

„Erzählen Sie mir alles, was in der Nacht passierte, als die Polizei kam, um Sie festzunehmen, bis dahin, wo sie ins Landesgefängnis kamen. Eines nach dem anderen."

„OK. Nun, ich war allein in meiner Wohnung. Ich war stinksauer, denn Whitey ließ sich Zeit mit dem Geld für das Auto, das ich ihm brachte. Ich wusste, es war viel wert. Und Whitey hatte das Geld."

„Machten Sie oft mit Whitey Geschäfte?"

„Nur ein paar Mal. Im Allgemeinen stehle ich keine Autos. Aber sein Ruf eilt ihm voraus, wenn Sie verstehen."

„Ja. Sie waren also zu Hause. Was geschah dann?"

„Ich versuchte, ruhig zu bleiben, ein Bier zu trinken und schaute etwas fern, Wrestling, wenn ich mich recht entsinne. Ich nickte eine Weile ein. Dann klopfte es an der Tür. Nein, es klopfte nicht, jemand hämmerte. Es waren die Bullen."

„Sie gaben sich zu erkennen?"

„Aber hallo. Laut und deutlich. Ich öffnete die Tür. Hätte ich es nicht getan, hätten sie sie eingetreten."

„Wie spät war es?"

„Irgendwann morgens. Als ich aufwachte, sah ich die Sonne aufgehen. Jedenfalls klopften die Bullen an die Tür. Ich öffnete, versuchte ruhig zu bleiben, zitterte aber in meinen Stiefeln. Waren sie wegen der Kneipenschlägerei hier? Hatte jemand gesehen, wie ich das Auto nahm? Ich fragte, was sie von mir wollten. Sie wollten mit mir auf die Wache, um ein paar Fragen zu stellen. ‚Worum geht es?', fragte ich. ‚Das klären wir auf der Wache', antworteten sie. Ich ging mit, ohne zu zögern. Ich wusste, ich steckte in der Tinte. Aber ich wollte die Aussage verweigern."

„Als Sie auf der Wache waren, wer befragte Sie?"

„Ein Kommissar. Man teilte mir mit, dass ein Auto gefunden wurde, das in einen Unfall mit Fahrerflucht verwickelt war, mit meinen Fingerabdrücken darin. Sie beschuldigten mich, das Auto gestohlen zu haben. Ich fragte, von welchem Auto sie reden. Natürlich sagte ich ihnen nichts, aber zuletzt sah ich das Auto bei Whitey. Ich glaube nicht, dass ich Spuren hinterließ und ich weiß, Whitey verriet ihnen nichts. Er wusste nicht, wo ich wohnte."

„Aber sie fanden Sie. Sagten Sie ihnen auch, wie?"

„Sie sagten, sie hätten das Auto in einer Gasse gefunden. Es ist mir schleierhaft, wie zum Teufel es dorthin kam.

„Glauben Sie, Whitey hat es genommen?"

„Ja. Ich meine. Wer sonst? Warum aber hätte er das tun sollen? Er hätte ein paar große Scheine dafür bekommen können. Warum es irgendwo in einer Gasse abstellen? Aber ich habe ihn nicht verpfiffen."

„Bei der Ehre als Dieb", murmelt Dante klischeehaft. „Was geschah dann? Was sagte der Kommissar?"

„Es wurde schlimmer. Er sagte, bei dem Unfall mit Fahrerflucht wurde eine Frau getötet und meine Fingerabdrücke seien auf ihrem Geldbeutel. So kamen sie auf mich. Wegen anderer Verbrechen war ich in der Kartei, wie Sie wissen."

„Ich kann in Ihrer Akte den Bericht der Festnahme einsehen, weiß also, was sie Ihnen vorwarfen. Nachdem sie festgenommen wurden, was geschah dann?"

„Sie kennen ja die Prozedur. Sie nehmen dich in Gewahrsam und du musst alle persönlichen Sachen abgeben."

„Was hatten Sie an, Mr. Parsons?"

„Ähm, alte Jeans, Laufschuhe ... gute. Ich meine, ich hätte sie neu gekauft. Ein Hemd, eigentlich ein T-Shirt."

„Farbe?"

„Mehrfarbig. Eines dieser Batik-T-Shirts mit allen möglichen Farben. Oh, ja. Ich war wie von Sinnen, als dieser Punk, mit dem ich mich prügelte, sein Blut darauf schmierte. Der hat es total versaut."

Dantes Beweisradar ist aktiviert. „Ihre Kleidung. Was geschah mit Ihrer Kleidung?"

„Keine Ahnung. Ich musste mich ausziehen und sie abgeben. Sie steckten mich in einen orangefarbenen Overall und sperrten mich in eine Zelle."

„Das wäre erst einmal alles, Mr. Parsons. Gibt es etwas, das ich für Sie tun kann oder kann ich Mr. Jordan etwas ausrichten?"

„Sagen Sie ihm, er solle mich nicht vergessen."

„Ich bin sicher, das wird er nicht. Er hat sich richtig in ihren Fall verrannt."

· · ·

DA DER FALL 15 Jahre zurückliegt, könnte der Raum für diese Beweismittel überall sein: In einer Asservatenkammer des Gerichtsgebäudes, einer abgesicherten Garage oder irgendwo in einem Schuppen, einfach vergessen. Nachdem er ein paar Leute fragte, erreicht Dante ein angemietetes Gebäude mit geringen Sicherheitsvorkehrungen. Man muss sich nicht ausweisen, um Zutritt zu bekommen und der Mitarbeiter ist nicht zertifiziert von der Organisation, die Beweismittel begutachtet. Man kann nicht sehen, ob jemand ein- oder ausging, denn Kameras waren keine installiert.

Die Schachtel mit der Aufschrift PARSONS, Clive, 2005, schaut zwischen in paar Dutzend anderen hervor, denn sie wurde vermutlich achtlos eingeräumt oder vermutlich aus der ursprünglichen Asservatenkammer geholt.

Dante zieht die Schachtel raus und öffnet das Schloss am Pappkarton, das nicht verriegelt ist. Darin befinden sich Parsons Schuhe, rot, von Nike, kaum getragen, verblasste, blaue Jeans und, wie Clive gesagt hatte, ein Batikhemd, mehrfarbig mit rot. Als er näher hinsieht, bemerkt Dante, dass es einen roten Fleck gibt, der dunkler als die anderen ist. Es sieht aus wie ein verschmierter Klecks. Er spürt, dass er Konsistenz hat, nur ganz leicht. Würde man nicht nach einem solchen Fleck suchen, man würde ihn übersehen, besonders auf einem so bunten Hemd. Es ist mehr als sicher, dass sich damals niemand darum scherte, denn sie hatten ihren Mann. Fall abgeschlossen.

Dante holt eine Plastiktüte aus der Innentasche seiner Jacke und legt das T-Shirt hinein, faltet es aber vorher noch sorgfältig zusammen, dass dieser eine Fleck nicht verwischt wird. Er bringt das Schloss wieder an, stellt die Box wieder in ihr Fach, dann trägt Dante, der kein bisschen schlauer ist, die Tasche mit dem T-Shirt hinaus.

DER KRIMINALTECHNIKER STEHT in einem abgedunkelten Raum und trägt mit einem Zerstäuber Fluoreszin auf, eine Chemikalie, die hoch empfindlich auf Enzyme und Eisen in roten Blutzellen reagiert. Blutspuren können so auf der Kleidung nachgewiesen werden, selbst dann, wenn sie mehrmals gewaschen wurde. Zum Glück wurde Bulldogs Hemd, bis man ihn verhaftete, nie gewaschen.

„Sie haben gute Augen", lobt ihn Hannah. Jahrelang war sie für Dante eine gute Freundin und Stütze, die alles stehen und liegen lässt, um seinen Wünschen nachzukommen. „Hättest du es nicht gesagt, ich hätte es vermutlich übersehen, bis ich es unter die FLS-Lampe gelegt hätte. Das Blut ist irgendwie verschwunden, aber die DNS ist noch intakt. Ich kann nur nicht feststellen, wem sie gehört. Scheinbar ist diese Person nicht im System gespeichert. Aber was ich habe, ist eine Grund-DNS. Das ist mal ein Anfang. Wenn ich etwas Genaues habe, lasse ich es dich wissen.

„Gute Arbeit." Dass Dante ihn informiert, das Labor hätte etwas gefunden, beflügelt Marc. „Das ist ein Anfang. Lasst sie es weiter überprüfen, bis sie etwas Schlüssiges hat. Vielleicht haben wir Glück."

„Ich bleibe dran", verspricht Dante. „In der Zwischenzeit versuche ich, ein paar Zeugen zu finden. Ich fange mit dem Barkeeper an, wenn er noch in der Nähe ist."

„ZUM ERSTEN MAL HIER. Ich sah ihn noch nie." Jerry, der Wirt, schenkt Dante einen Whisky pur ein. Nach all den Jahren arbeitet er noch immer in derselben Bar, ist etwas älter geworden, etwas in die Breite gegangen und hat schütteres Haar. „Aber ich erinnere mich an Bulldog; er kam regelmäßig her. Ich hatte eine Prügelei mit diesem Milchgesicht, gutaussehend, spanischer Typ. Hat ihm das Gesicht ziemlich zerschnitten, alles war voller Blut. Ich holte hinter der Bar meinen Baseballschläger hervor und sagte ihnen, sie sollten das draußen klären. Der Kleine ist gerannt wie von der Tarantel gestochen. Bulldog leerte sein Glas, dann rannte er ihm hinterher. Dann hörte ich Reifen quietschen, als ich aber die Tür erreichte, sah ich Bulldog über eine Frau gebeugt, die im Straßengraben lag. Dann sprang er in das Auto, das sie angefahren hatte, und fuhr davon."

„Was ist mit dem anderen Typ? Der mit dem Bulldog sich prügelte? Haben Sie den je wiedergesehen?"

„Scheinbar hat er sich in Luft aufgelöst. Er kam tatsächlich nie mehr."

„Wissen Sie noch, was es für ein Auto war?"

„Oh, ein schicker Sportwagen. Die Marke konnte ich nicht erkennen, es war aber leuchtend rot. Ich weiß, so eines habe ich vorher und seither nie mehr gesehen."

„War sonst noch jemand draußen, irgendwelche Zeugen, an die Sie sich erinnern?"

„Nein. Es war kurz vor Mitternacht. Wenn zuvor jemand dort war, war er gegangen. Ich rief den Notruf an. Jemand musste es tun."

„Was sagten sie, als sie dort ankamen?"

„Angela, tot auf der Straße."

„Sie kannten sie?"

„Angela arbeitete im Restaurant, gleich dort drüben. Sie machte für gewöhnlich um 23:30 Uhr Feierabend. Eine nette Dame, soweit ich mich erinnere."

KAPITEL FÜNFZEHN

„Señor Ibarra, draußen vor der Tür steht ein Mann, der möchte Sie dringend sprechen."

„Wer ist es, Carmela? Sagte er keinen Namen?"

„Nein", antwortet die Haushälterin. „Ich frage, aber er sagt es mir nicht. Er sagt nur, es ist *muy importanto* und dass es um Señora Anabel geht."

„Was?" Beunruhigt schickt Ibarra die Frau weg. „Ich kümmere mich darum, Carmela."

Er öffnet die Vordertür und fragt: „Wer sind Sie? Was wollen Sie?"

„Ich muss mit Ihnen etwas Ernstes besprechen, Ihre Tochter Anabel betreffend."

„Woher kennen Sie meine Tochter und mit welchem Recht betreten Sie mein Haus, ohne eingeladen zu sein?"

„Mein Name ist Dr. Victor McMillan. Lassen

Sie mich rein, dann erkläre ich es", sagt McMillan in professionellem Ton, ruhig, aber bestimmt.

Zögerlich, aber neugierig, lässt es Amador zu, dass der Arzt eintritt, dann führt er ihn in sein privates Arbeitszimmer. „Nun, worum geht es? Und woher kennen Sie meine Tochter? Ich kenne Sie nicht, Sir."

„Ich bin Psychiater. Ihre Tochter, Anabel, ist eine Patientin von mir."

„Eine Patientin von Ihnen? Meine Tochter ist bei keinem Psychiater und braucht auch keinen."

„Mehrere Monate habe ich sie regelmäßig gesehen. Ich merke, das ist eine Verletzung des Verhältnisses Arzt Patient, sie steht aber kurz vor dem Durchbruch bei ihrer Behandlung."

„Das nervt mich immer mehr, Doktor. Hören Sie auf, auszuweichen."

„Ich möchte nicht aufdringlich oder beleidigend sein. Anabel ist von Schuldgefühlen geplagt und emotional angeschlagen. Ich versichere Ihnen, ich möchte ihr nur helfen. Ich will der Wahrheit auf die Spur kommen, um ihretwillen."

Ibarra bekommt einen steifen Hals. „Weiter."

„Scheinbar macht ihr ein schlechtes Gewissen zu schaffen wegen einer Sache, in die sie als kleines Mädchen verwickelt wurde. Ein Feuer hier auf Ihrem Weingut, von dem sie glaubt, sie hätte es gelegt und einer Ihrer Mitarbeiter dadurch den Tod fand."

„Das ist Unsinn", lacht Ibarra abwehrend und winkt ab. „Anabel hatte nie mit so etwas zu tun."

„Ich kann verstehen, dass Sie das nur widerwillig von Ihrer Tochter glauben wollen und für gewöhnlich würde ich keine Patientendaten an Dritte verraten, nicht einmal an einen Angehörigen. Aber dieser Fall ist einzigartig. Ihre Tochter ist ein Feuerteufel, eine Pyromanin, fachlich ausgedrückt, und ich möchte ihr mit Hypnose helfen."

„Haben Sie ihr Flausen in den Kopf gesetzt, vielleicht durch Hypnose? Ich hörte von Ärzten, die sich der Suggestion bedienen, um ihre Patienten zu manipulieren."

„So etwas würde ich nie tun, das versichere ich Ihnen, Señor Ibarra."

„Nun, ich versichere *Ihnen*, sie legt keine Feuer. Frauen tun so etwas nicht. Nur verrückte Männer sind dazu im Stande."

„Sicher, die meisten Pyromanen sind Männer. Aber diese Krankheit kann jeden mit einer bewegten Vergangenheit ereilen. Besonders nach einer schweren Kindheit, wenn ein Elternteil oder beide nicht da waren. Ich weiß, ihre Mutter zog vor Jahren von zu Hause aus."

Voller Zynismus sieht Amador den Arzt an und hegt einen Hintergedanken. „Warum sind Sie wirklich hier? Geld? Für Ihr Schweigen?"

„Ich will kein Geld. Ich bin hier, um ein Unrecht

wiedergutzumachen. Um ein paar Antworten zu bekommen."

„Die scheinen Sie alle selbst zu haben."

„Ich möchte mit Ihnen nicht über Anabels Zustand streiten. Kürzlich hat sie während ihrer Sitzung etwas verraten, über ein Verbrechen, das es gab, für das ein Unschuldiger ins Gefängnis kam."

„Und nun bin ich verwirrt *und* verärgert." Amadors Blutdruck steigt, was man seinem Gesicht ansieht. Das kommt ihm alles nur allzu bekannt vor. „Anabel hat kein Verbrechen begangen."

„Anabel nicht. Scheinbar war ihr Sohn vor etwa 15 Jahren in einen Unfall mit Fahrerflucht verwickelt, bei dem eine Frau starb. Ich weiß nicht, wie Sie das geschafft haben, Sie aber vertuschten es, um Ihren Sohn zu beschützen, dafür wurde ein anderer ins Gefängnis gesteckt."

Amador lacht gleichgültig. „Das ist mehr als ein Hirngespinst. Davon träumte Anabel oder malte es sich aus, als sie unter Ihrer Hypnose stand."

„Nein, Señor. Kein Hirngespinst." McMillan holt einen Zettel aus der Innentasche seiner Jacke. „Das ist eine Kopie des Zeitungsartikels vor 15 Jahren. Darin geht es um den grausigen Vorfall."

Ibarra überfliegt ihn schnell und oberflächlich. „Das steht nichts über meinen Sohn."

„Nein. Aber Anabel hat den Verdacht, dass es ihr Bruder war und es vertuscht wurde wie viele seiner anderen Verfehlungen."

Ibarra wirft den Zettel zu McMillan, der aber zu Füßen des Arztes auf den Boden fällt. „Ich habe nicht solch großen Einfluss. Und selbst wenn, was geht Sie das an?"

„Die Frau, die zu Tode kam, war meine Schwester."

Als sich das Blatt so unglaublich schnell wendet, dreht sich Ibarra der Magen um, er beißt die Zähne zusammen, steht aber trotzig da. „Ihr Verlust tut mir leid. Sie wissen aber nicht, wovon Sie reden. Sie verlassen besser mein Haus."

McMillan fährt fort: „Es gab Zeitungsartikel über diese beiden Vorfälle, das Feuer im Weingut und den Unfall mit Fahrerflucht. Also erzählen Sie mir nicht, nichts von alledem wäre passiert."

„Wenn sie dafür verantwortlich sind, wiederhole ich, was wollen Sie?"

„Ich will Gerechtigkeit für meine Schwester. Ich will, dass Sie und ihr Sohn diese Schuld eingestehen. Sie können den Behörden sagen, dass es ein Unfall war, aber übernehmen Sie wenigstens die Verantwortung."

„Und wenn ich mich weigere? Was werden Sie dann tun? Sie haben keinerlei Beweis."

„Ich würde zu den Behörden gehen und ihnen von meinem Verdacht erzählen."

„Das können Sie nicht tun", warnt Amador. „Sie würden Ihre Lizenz und somit Ihre Existenzgrundlage verlieren."

„Nicht, wenn ein Verbrechen verübt wurde und, wie ich glaube, ein Unschuldiger dafür büßt."

„Das war vor so vielen Jahren und wer immer dafür büßt, er ist schuldig. Die Polizei wird das nicht ernst nehmen."

McMillan sträubt sich angesichts Ibarras ablehnenden Haltung. Er steht auf und schwört, vor er geht: „Ich habe etwas, da werden die Behörden zuhören."

„Und das wäre?"

„Testen Sie meine Entschlossenheit, Señor, dann kommt alles ans Licht. Aber ich bin sicher, Ihnen wäre lieber, das würde es nicht."

Ibarra wechselt zu einem sympathischen: „Schauen Sie, Dr. McMillan. Ich verstehe, Sie sind wütend. Das alles weckte Erinnerungen an den Tod Ihrer Schwester. Reden wir vernünftig darüber und schauen, ob wir zu einem gegenseitigen Einvernehmen kommen. Lassen Sie uns aber draußen reden. In diesem Haus haben die Wände Ohren und ich will nicht, dass sonst wer dieses Gespräch hört. Zur Beruhigung mache ich Ihnen einen Drink. Das machen vernünftige Männer, sie einigen sich bei einem Glas."

„Ich will nichts trinken."

„Bitte. Lassen Sie mich gastfreundlich diese Wende begießen. Ich habe einen neuen Wein, der gerade auf den Markt kam." Er öffnet die Karaffe und schenkt den rubinroten Tropfen in einen Kelch.

189

Geschwind wirft er eine Tablette mit hinein, wie er sie normalerweise zusammen mit seinem abendlichen Brandy einnimmt.

Auf der Terrasse hebt Ibarra sein Glas, prostet dem Arzt zu und dieser nimmt zögerlich ein Schlückchen Wein. Er spürt, wie seine Hände zittern und nimmt einen größeren Schluck.

„Bitte, denken Sie genau nach, Doktor, ehe Sie eine Entscheidung fällen. Das geht nicht gut für Sie aus."

„Oder für Sie, Señor Ibarra. Und Ihre Familie."

„Was wollen Sie. Was verlangen Sie? Jeder ist käuflich", sagt Amador und lächelt verstohlen.

„Geld? Das kann kein Geld der Welt wiedergutmachen."

„Natürlich nicht. Natürlich nicht. Weiß sonst wer, dass Sie hier sind? Haben Sie mit irgendwem geredet?"

„Nein. Mit niemandem." *Aber ich habe eine Versicherungspolice. Die Bänder von meinen Sitzungen mit Anabel sind in meinem Tresor.*

„Nein. Mit niemandem."

„Ich sehe, wie verstimmt Sie sind, Doktor. Sie sehen sehr müde aus. Warum gehen Sie nicht nach Hause und wir beide schlafen eine Nacht darüber. Ich bin sicher, morgen früh kommen wir zu einer gütlichen Einigung. Ich bringe Sie noch zu Ihrem Auto." *Vielleicht hat er auf dem Heimweg einen*

Unfall, hofft Ibarra, und sein Tod wird als Alkohol am Steuer abgehakt.

„Ich kam mit dem Taxi", sagt McMillan, reibt sich die Augen und versucht, die Müdigkeit, die ihn überkommt, abzuschütteln.

„Dann rufe ich eines für Sie. Ja. Keine Ursache. Warten Sie hier." Ibarra will nur, dass dieser Mann seinen Grund und Boden verlässt und die Droge dient nur als Warnung, dass er besser aufhören sollte, seine Familie zu bedrohen, oder ihm könnte etwas Schlimmeres zustoßen. Ibarra würde seinen Ruf als Arzt ruinieren. Der Taxifahrer könnte etwas zu seinem veränderten Zustand sagen und dass er lebte, als er das Anwesen verließ.

Völlig unerwartet taumelt McMillan in Richtung Tür und stößt versehentlich eine Laterne um, die auf dem Boden zerbricht.

„Sie dämlicher Trottel", brüllt Ibarra und packt McMillan mit fester Hand. Sie kämpfen gegeneinander, McMillan schlägt wild um sich und versucht, gegen Ibarra und gegen seine eigene Orientierungslosigkeit zu kämpfen. Sie stolpern über einen Tisch und McMillan streift mit dem Kopf am Eck des Kaminsimses. Er liegt ruhig da, atmet aber noch. Empört rappelt sich Amador auf und lässt seiner ungezügelten Wut freien Lauf.

Die Jahre des Grabens, Pflanzens und Schleppens in den Weinbergen verliehen Amador eine Kraft und Ausdauer, wie man sie braucht, wenn man einen Körper tragen und vergraben will. Einen Körper, der ein paar Zentimeter größer und ein paar Kilo schwerer ist als er selbst. Jetzt, da McMillan müde und benommen ist, vom Betäubungsmittel, das ihm Amador ins Glas schüttete, dann noch mitgenommen, weil er seinen Kopf anschlug, kann er keinen Widerstand mehr leisten. Ibarra strengt all seine Muskeln an, um sich im Dunkeln unerkannt zu bewegen. Er hebt, trägt und wirft McMillan schließlich in die offene Baugrube, wo Wasserrohre verlegt wurden. Diese Baugrube wird bald schon mit Zement gefüllt, womit die letzten Bauarbeiten an der prunkvollen Replik, La Fama Fountain of Segoyia, die auf dem Hinterhof des Anwesens der Ibarras errichtet wird, abgeschlossen wären. Vor diesem herrlichen Denkmal wird seine Tochter bald vermählt.

McMillans letzter Atemzug wird durch massenweisen Dreck erstickt, verstummt und wird dann tief genug vergraben. Das Problem mit dem Mann, der Anabels Schicksal als Brandstifterin und Miguels Schicksal als einer der Fahrerflucht beging, besiegelt hätte, ist gelöst.

KAPITEL SECHZEHN

MARCS ABENDESSEN MIT BEN PARKER IST EINE nette Abwechslung, auf die er sich schon wochenlang gefreut hatte, waren sie ja beide an ihren stressigen und vollen Terminkalender gebunden. Wie das Schicksal so spielt, sind beide jetzt im Strafrecht tätig, aber auf der jeweils anderen Seite des Gerichtssaals, denn Marc ist ein Pflichtverteidiger und Ben ein Rechtsanwalt.

Als sie beide noch in Berkeley studierten, war Ben Feuer und Flamme für das Unternehmensrecht, während Marc von seinem Wunsch, sich auf Strafrecht zu spezialisieren nicht abzubringen war. Sie hatten sogar darüber geredet, zusammen eine Kanzlei zu eröffnen, ein Traum, der nie Gestalt annehmen sollte, sie blieben aber Freunde.

Jahre später spezialisierte sich Ben auf

Unternehmensrecht, denn die Kredithaie und Betrüger widerten ihn an. Es war die Zeit der Wall Street Haie, die anständige Leute um ihr Geld brachten, sodass sie ihre Häuser und Ersparnisse verloren und das tat ihnen nicht einmal leid. So entschied sich Ben, sich auf Strafrecht zu spezialisieren. Dass kein einziger der Verantwortlichen für den großen Zusammenbruch des Finanzsystems angeklagt oder ins Gefängnis gesteckt wurde, machte ihn fuchsteufelswild. Er malte sich aus, wie sie alle im Hochsicherheitstrakt buckeln mussten und arbeitet jetzt unermüdlich daran, dass so ein großer Betrug nie wieder passiert.

An diesem Abend schneidet Ben Themen an, die eine Freundschaft zwischen zwei Männern möglicherweise beenden könnten. Mit Steak im Mund beginnt Ben: „Hör mal, mein Freund. Wie du weißt, stecke ich meine Nase nicht gerne in deine persönlichen Angelegenheiten."

„Ach. Seit wann?", fragt Marc und isst seinen gegrillten Lachs.

„Ja, ich weiß. Ich fühle mich aber verantwortlich für deine Lage."

„Wovon redest du?", fragt Marc und trinkt Wein, den Anabel empfahl.

Bens einleitender Satz fühlt sich an wie der Schlusssatz, wo doch das Gespräch weitergehen müsste. „Ich war es, der dich in die Kunstgalerie schleppte, wo du die Frau trafst, mit der du jetzt ausgehst."

„Du meinst die Liebe meines Lebens? Die Frau, die ich heiraten will? Und ja, du bist zur Hochzeit eingeladen. Ich kann dir gar nicht genug danken."

„Das wirst du vielleicht nicht, nachdem du gehört hast, was ich weiß", erwidert Ben und trinkt sich mit einem großen Schluck seines Manhattans Mut an, den er normalerweise hat.

Marc zuckt verwirrt. „*Was* weißt du?"

Ben legt sein Messer und die Gabel ab. „Als ich im Unternehmensrecht tätig war, kamen viele Beschwerden und Klagen auf meinen Tisch. Manche davon stehen im Zusammenhang mit dem Weingut Ibarra."

„Klagen? Bist du sicher, es ist *dieses* Weingut Ibarra?"

„Es gibt kein anderes. Um es kurz zu machen: Ich musste ihre Geschichte studieren, die der ganzen Familie. Diese Geschichte ist nicht schön, fürchte ich."

„Hör auf, um den heißen Brei zu reden. Raus mit der Sprache."

Ben atmet tief ein. Dann mal raus damit. „Der Vater hat ein langes Register von Skrupellosigkeiten von Spanien bis Kalifornien. Er hat auch gute Beziehungen. Er holte für seinen Sohn oft die Kastanien aus dem Feuer, bei kleineren Dingen wie Kneipenschlägereien und Ärger mit Frauen. Der Vater hat sich immer mit viel Geld oder unmissverständlichen Drohungen aus der Affäre gezogen, anhängen konnten wir ihm nie etwas."

Marc macht eine Geste, als wolle er sagen „Hör auf zu reden." „Was hat das mit Anabel zu tun?"

„Ich bin nicht sicher, ob sie an einer zwielichtigen Aktion beteiligt ist. Als sie ein kleines Mädchen war, gab es aber den ein oder anderen Vorfall." Er wippt auf seinem Stuhl hin und her, als bohren sich Dornen in seinen Po. Er fährt leiser fort: „Medizinische Vorfälle."

Marc spürt, wie seine Haut brennt und sich sein Hals verspannt. „Du weißt, medizinische Aufzeichnungen unterliegen der Schweigepflicht, Ben. Besonders bei einem minderjährigen Kind. Das klingt nicht sehr ethisch und so gar nicht nach dir."

„Natürlich hatten wir keine volle Akteneinsicht, es gab jedoch vage Hinweise auf Missbrauch."

„Jemand hat sie missbraucht?", fragt Marc und schiebt seinen Teller weg. Der Appetit ist ihm vergangen. Er ist entsetzt und bestürzt, dass solch persönliche Informationen irgendwie ans Licht kommen konnten. „Moment. Du meinst, ihr Vater hat sie missbraucht? Versuchst du mir das zu sagen?"

„Jemand, oder besser...sie wurde ein paar Mal wegen Verbrennungen behandelt."

Marc kann es nicht fassen. „Du meinst, das war ihr Vater? Er hat ihr Verbrennungen zugefügt?" Er denkt: *„Also deswegen kann sie ihn nicht gut leiden."*

„Nein. Sie gehen davon aus...das hat sie sich selbst zugefügt. Als sie Feuer legte. Es ist schon lange her, dass sie deswegen in Behandlung war.

„Das hat sie sich selbst zugefügt? Wie, in Gottes Namen, bist du an all diese persönlichen Informationen gekommen, Ben? Als du als Unternehmensanwalt tätig warst?"

„Nein. Doch. An ein paar. Wir waren nicht sicher, ob sie stimmten oder nur Gerüchte waren."

„Was sind dies für Gerüchte, zum Teufel, dass ihr sie untersucht habt? Und warum?" Marc unterdrückt den Drang, die Gabel nach Ben zu werfen.

Ben murmelt jetzt noch viel leiser: „Vor einer Weile gab es eine große Fusion, der Kauf einer Vertriebsgesellschaft der Ibarras in Barcelona. Der Käufer wollte an die Börse, deshalb mussten umfassende Hintergrundinformationen eingeholt werden über die Moral, Verletzung von Klauseln und so was. Also mussten wir tief graben. Als ich mich an die Staatsanwaltschaft wendete, gab es noch weitere Beschwerden. Wir prüfen gerade, ob sie wahr oder nur Fantasie sind."

„Ich glaube, dies alles ist Fantasie. Wärst du nicht mein bester Freund, würde ich dafür sorgen, dass du aufhörst, Verschwörungstheorien zu streuen."

„Weil du *mein* bester Freund bist, traue ich mich, sie auszusprechen. Vielleicht ist sie in diesem Fall völlig unschuldig und ihr Vater der wahre Mistkerl."

„Anabel *ist* unschuldig. Sie und ihr Vater sehen sich ja kaum. Sollte er eine düstere Vergangenheit haben, liegt es an ihm, nicht an ihr."

Ben nickt, will die Angst seines Freundes mildern, es lässt ihm aber keine Ruhe. „Ich mache mir Sorgen um dich, Marc. Pass auf dich auf."

————

EIN PHÄNOMEN zwischen Himmel und Erde ist, dass man etwas wahrnimmt, bevor man es spürt und etwas spürt, bevor es in etwas Schreckliches ausartet. Tektonische Platten, die unter Spannung stehen, müssen sich, wie Menschen auch, entspannen, sonst brechen sie. Wenn das geschieht, können sie nach allen Seiten ausscheren und richten relativ wenig Schaden an. Oder sie können heftig zusammenstoßen, sodass die Erde schwer erschüttert wird.

Wände wackeln, Geschirr zerspringt, Konserven fallen aus den Regalen und landen krachend in den Gängen. Die Dächer von Gebäuden, die nicht für Erdbeben gebaut wurden, stürzen ein oder der Rest gleich mit und die Bewohner werden lebendig begraben. Auf den Straßen bilden sich tiefe Spalten, die alles in ihrem Umfeld verschlucken.

Die Gebäude des Weinguts Ibarra wurden umgebaut, um Naturkatastrophen zu trotzen und das

Personal in der Villa ist bereit, Wertsachen, wie auch sich selbst zu schützen, wenn ein Erdbeben kommt.

Anabel und ihre Mutter treffen Hochzeitsvorbereitungen, denn sie wollen im Freien die perfekte Zeremonie abhalten, als ihnen das unerwartet heftige Beben das Gleichgewicht nimmt und sie sich verzweifelt aneinander festhalten. Als es nachlässt, sind sie erleichtert, dass niemand verletzt wurde und im Zement der runden Auffahrt nur kleine Risse sind. Das kann man schnell wieder asphaltieren.

Womit sie nicht rechneten, ist das ausströmende Wasser aus kaputten Wasserrohren, um den riesigen Steinbrunnen, der noch nicht fertig ist, ein Monument des Exzesses, aber die perfekte Kulisse für eine Hochzeit wie aus dem Bilderbuch. Anabel und ihre Mutter versammeln die Planer im Haus, wo sie ihre nassen Schuhe ausziehen und sich abtrocknen.

Arbeiter eilen herbei, um das Wasser abzustellen und den Schaden schnell zu beheben. Werkzeug wird geholt, um den rissigen Zement zu zerbrechen und die kaputten Wasserrohre freizulegen.

In seinem elektrischen Golfwagen eilt Amador zum Schauplatz und versucht, beim ohrenbetäubenden Lärm des Presslufthammers zu schreien. „Stopp! Stopp", schreit er. Aber der Bauarbeiter trägt einen Gehörschutz und nimmt den wütenden Mann, der mit den Armen fuchtelt, gar nicht wahr. Wenn er noch ein paar Sekunden weitermacht, kommt Amadors tödliches Geheimnis ans Licht. Er packt den Arbeiter am Arm und dieser ist so perplex, dass er sich fast in den Fuß hämmert.

„Was?" Der Mann stellt den Presslufthammer ab und nimmt seinen Gehörschutz ab. „Was machen Sie dort? Das ist gefährlich, Mann. Wer sind Sie?"

„Ich bin der Eigentümer dieses Grundstücks und verlange, dass Sie sofort die Arbeit einstellen."

„Aber wir müssen dieses Rohr reparieren. Sonst könnte Ihr ganzes Haus überschwemmt werden."

„Warten Sie kurz. Warten Sie eine Minute", befiehlt Amador, denn ein paar geplatzte Rohre sind jetzt seine geringste Sorge. „Sie machen den Brunnen kaputt."

„Es geht nicht anders, mein Herr. Ich bin fast fertig. Treten Sie zurück."

„Señor Ibarra!", schreit der Polier und führt Amador vom Presslufthammer weg. „Verzeihung. Aber bis wir das Rohr repariert haben, gibt es kein Wasser, was aber noch schlimmer ist, keine Hochzeit. Wir sind uns sicher, das Leck ist direkt hier drunter. Wir tun unser Bestes, um nur einen kleinen Bereich zu bearbeiten."

Anabel und Madalena sind jetzt wieder draußen, Anabel ist bestürzt wegen des Schadens, mehr aber darüber, dass Amador sich einmischte. Ich könnte die Hochzeit verschieben oder sie gleich ganz ausfallen lassen. „Lass sie das reparieren, Papa. Lass Sie ihre Arbeit tun."

Die kleinere Nachbildung des grandiosen Springbrunnens La Fama, trägt, in Anlehnung daran, den Namen „Ruhmesfontäne" und ist Amadors Traum, das Symbol seines eigenen Ruhms als Winzer. Es ist eine exquisite Skulptur, mit Engelchen und Göttinnen aus Bronze. Das Original kann eine Fontäne 37 Meter hochschießen, Amadors kleinere Ausgabe schafft aber noch immer beeindruckende 15 Meter. Neben dem Brunnen befindet sich ein lebensgroßer Musiktempel, der genau wie beim Original Musik spielt, wenn der Brunnen in Betrieb ist, was er auch bei der Hochzeit von Marc und Anabel tun wird. Unter dem Vorwand, sein wertvolles Stück zu bewahren, ist Amador sogar bereit, das ganze Haupthaus zu überschwemmen, um sein jüngstes Verbrechen geheim zu halten.

Nachdem der Presslufthammer noch eine Weile seine Arbeit tut, bricht nun der Zement und die Arbeiter beginnen, große Stücke davon weg zu schaffen, damit sie durch die Erde graben und zum Rohr gelangen können. Sie springen zurück und erschrecken über ihren Fund. Anzugstoff, eine Hand, ein Arm, ein Gesicht. Die Arbeit wird jäh unterbrochen. Sie trauen sich nicht, weiter zu graben.

„Mein Gott!"

„Jesus, Maria und Josef."

„Was zum Teufel!"

„So ruf doch einer die Polizei!"

„Iсн наве кеіne Ahnung, wer das ist", schwört Amador dem Kommissar vor Ort. „Ich bin so schockiert wie jeder andere hier."

Anabel wird richtig hysterisch, als die Spurensicherung die Trümmer komplett wegräumt. Madalena legt die Arme schützend um ihre Tochter. Abuela eilt aus dem Haus und stellt sich neben ihre Enkelin. Ihr stockt der Atem. Sie macht drei Kreuze.

„Kennen Sie diesen Mann?", fragt der Kommissar die weinende Anabel und ihre Großmutter.

„Das ist Dr. McMillan", antwortet Anabel mit erstickter Stimme.

„Woher kennen Sie ihn?"

„Er ist Anabels Arzt", erklärt Abuela. Sie schaut ihren Sohn an und murmelt traurig: „Was hast du getan, Amador?"

Erzürnt wegen dieser Andeutung brüllt Amador: „Ich habe nichts getan. Ich weiß nicht, wer dieser Mann ist. Ich hatte keine Ahnung, dass meine Tochter zum Arzt ging. Er ist wohl gekommen, um nach ihr zu schauen und wurde von jemandem angegriffen."

„Entschuldigung, Señor Ibarra, aber Sie müssen mit auf die Wache und ein paar Fragen beantworten. Sie auch, Miss Ibarra."

Anabel fleht: „Bitte, Sie können Anabel nicht mitnehmen. Sie ist so verstört. Sie war den ganzen Tag und die ganze Nacht bei mir und ihrer Großmutter. Sie kann also nichts von alldem gewusst haben."

„Dem müssen wir aber nachgehen. Bis wir den Todeszeitpunkt kennen, ist jeder hier ein Verdächtiger. Wir werden Ihr gesamtes Personal befragen und schauen, ob wir Antworten kriegen."

„Mama, ruf bitte Marc an! Ich möchte, dass Marc mir beisteht."

MARC HAT DAS GEFÜHL, der Asphalt unter ihm bebt, als er vom Gebäude des County Administration Center weg über die Ash Street hinüber nach Columbia, zum Bezirksgericht geht. Er taumelt ein paar Mal nach links und nach rechts. Er tut sein mittelschweres Zittern als eine Gefahr ab, die zu diesem spannenden Leben gehört, und wählt Anabels Nummer, in diesem Moment erhält er aber einen dringenden Anruf.

„Ich komme gleich", antwortet Marc und bahnt sich seinen Weg durch das Polizeipräsidium in der Innenstadt, wo seine Verlobte befragt wird. „Du sagst überhaupt nichts mehr, Anabel", beginnt Marc. Den Kommissar herrscht er an: „Ich bin ihr Anwalt und diese Befragung ist vorbei. Ich möchte mit meiner Mandantin allein reden, bitte."

Als sie ungestört sind, versucht Marc, Anabel zu trösten. „Brauche ich wirklich einen Anwalt, Marc? Ich habe nichts getan. Ich weiß nichts von einem Mord.“

„Was hast du ihnen erzählt, Anabel? Was wissen sie?“

„Nur, dass in einer Baugrube eine Leiche gefunden wurde, vergraben in der Nähe des Brunnens. Ich wusste nichts davon und sagte ihnen das auch. Ich war den ganzen Tag mit meiner Mutter und Abuela zusammen und wir trafen Hochzeitsvorbereitungen. Wir waren draußen, als das Erdbeben ausbrach. Das Erdbeben! Geht es dir gut, Marc?“

„Ja, ja. Mir ist nichts passiert. Wurde nur etwas durchgeschüttelt wie die anderen auch. Was denn sonst. Hat man dich etwas gefragt?“

„Sie fragten mich, ob ich weiß, wer der Tote ist.“

„Weißt du es?“

Sie zittert und antwortet mit Tränen in den Augen. „Ja. Mein Gott. Ich fasse es nicht.“

Er packt sie an den Schultern, um sie zu beruhigen. „Wer ist das?“

„Mein...mein Arzt. Mein Therapeut. Dr. McMillan.“

Als wolle er einen Schlag in den Bauch abwehren, entzieht sich Marc von ihr. Unmöglich. „Dr. McMillan war dein Therapeut?“

„Ja. Ich hätte dir sagen sollen, dass ich wegen

meiner Albträume in Therapie bin. Das ist alles. Wie konnte das passieren? Was soll ich jetzt tun?"

Marc ist zwar bestürzt, aber sein Anwaltsinstinkt kommt wieder. „Keine Sorge. Ich glaube nicht, dass du eine Verdächtige bist. Ich schaue mal, ob ich dich mit nach Hause nehmen kann."

Der Kommissar unterbricht sie mit der Ankündigung: „Wir haben Neuigkeiten, die Sie interessieren dürften. Wir haben ihren Vater als einen Verdächtigen in diesem Mordfall festgenommen."

„Was? Wie?"

„Das Labor fand Haare auf dem Opfer, die identisch mit Señor Ibarras Haaren sind. Außerdem gibt es Fasern auf der Leiche, die mit seiner Kleidung abgeglichen werden. Wir haben einen Durchsuchungsbefehl für sein Haus beantragt."

Anabel legt den Kopf auf Marcs Brust, dieser fragt:

„Wissen Sie, wann er starb. Und wie?"

„Vor etwa zwei Tagen. Er erstickte. Lebendig begraben."

KAPITEL SIEBZEHN

AMADOR IBARRA WURDE VORLÄUFIG FESTGENOMMEN wegen des dringenden Verdachts, Dr. Victor McMillan ermordet zu haben. Man nimmt seine Fingerabdrücke und seine DNS und sperrt ihn für eine Nacht in eine Zelle, ehe am nächsten Morgen die Anklage verlesen wird.

„Bitte", fleht Anabel Marc an. „Du musst das Mandat für meinen Vater übernehmen. Er war es sicher nicht."

„Das kann ich nicht tun, Anabel. Tut mir leid. Ich bin Pflichtverteidiger und dein Vater braucht den besten Anwalt, den man für Geld bekommen kann, einen erfahrenen Strafverteidiger."

Mit der Geschwindigkeit, die nur durch Geld möglich wird, bittet Amadors hochtrabender Strafverteidiger, dass dieser aus der

Untersuchungshaft entlassen wird. „Mein Mandant ist mit der Gemeinde eng verknüpft, hat ein Unternehmen zu führen und Fluchtgefahr besteht nicht. Er ist nicht vorbestraft. Die Beweislage ist bisher dünn, deshalb bitte ich darum, dass eine angemessene Kaution festgesetzt wird.

Der Staatsanwalt protestiert: „Ibarra ist ein spanischer Staatsbürger, hat dort ein Einfamilienhaus und Pässe, um das Land zu verlassen, es besteht also Fluchtgefahr. Außerdem haben wir Spuren am Tatort gefunden, Euer Ehren. Ibarras Haare und Faserspuren seiner Kleidung wurden auf der Leiche gefunden.“

„Die können auch anders darauf gelangt sein. Er war unbefugt auf dem Grundstück und hat sehr wahrscheinlich unbemerkt das Haus betreten.“

„Dr. McMillan hatte auch Alkohol und Medikamente im Körper.“

„Als Arzt konnte er leicht an Medikamente kommen. Vielleicht war das ein Unfall. Er könnte betrunken in die Baugrube gefallen sein.“

„Er hat sich also selbst in eine Plane gehüllt und anschließend einen Haufen Erde auf sich geworfen, dass er erstickte?“

Der Richter hebt die Hand, will kein Wort mehr hören und sagt: „Das können Sie beide bei der Verhandlung in zwei Wochen vorbringen.“

Amador nutzt die Privilegien eines Millionärs, gibt seinen Pass ab und verlässt das Gerichtsgebäude mit einer elektronischen Fußfessel und einem Bescheid über einen Hausarrest in der Tasche.

―――――

„Hallo Oberstaatsanwalt Parker. Gratulation zu Ihrer Beförderung."

„Danke, Dante. Das ist ein neues Feld der Strafverfolgung. Und raten Sie mal, was gleich mein erster Fall ist?"

„Mir ist nicht nach Raten."

„Der Mordfall McMillan. Wir haben Amador Ibarra als Verdächtigen verhaftet und ich brauche Ihre Hilfe."

Für einen Moment verschlägt es Dante die Sprache. Ben Parkers telefonische Bitte ist nichts Ungewöhnliches, denn bereits in der Vergangenheit hat er Dante schon bei Ermittlungen geholfen. Aber das hier führte nun zu vielen Fragen, die ihn allmählich quälen.

Ben ignoriert Dantes betretenes Schweigen und fährt fort: „Dante, ich will, dass Sie das Büro von McMillan durchsuchen. Sie nehmen alles unter die Lupe, dass die Spurensicherung übersehen haben könnte."

„Ist noch überall Polizeiabsperrband?"

„Ja, aber das ist in Ordnung. Es ist kein diensthabender Polizist mehr vor Ort, sollten Sie aber jemanden antreffen, dann sagen Sie, ich hätte Sie geschickt."

Dante merkt, nun ist es Zeit, dass alles ans Licht kommt. „Ben, ich glaube nicht, dass Sie wissen, in was für einem Dilemma ich hier stecke. Ich stellte Untersuchungen für Ibarras Frau und Marc Jordan an. Für mich ist es echt ein Drahtseilakt, jetzt auch noch für Sie einen Fall zu übernehmen."

„Das hatte ich nicht bedacht", antwortet Ben, nachdem er es sich eine Minute durch den Kopf gehen ließ. Dann, ganz der Pragmatiker, schlägt er vor: „Wir bereden das. Fanden Sie irgendetwas heraus, das den Fall Ihres anderen Mandanten gefährden könnte? Etwaige Verbindungen?"

„Bis jetzt nicht. Madalena schienen die Seitensprünge und Geschäfte ihres Ehemanns am meisten zu interessieren und auch, ob ihr Sohn je mit dem Gesetz in Konflikt geriet. Bei Marcs Fall geht es um einen Mandanten, der vor Jahren fälschlicherweise für ein Verbrechen verurteilt wurde. Bis jetzt hat weder der eine noch der andere Fall miteinander zu tun. Aber Marc ist mit Ibarras Tochter verlobt. Das ist also etwas riskant."

Ben meint entschlossen: „Dennoch, ich will, dass McMillans Büro durchsucht wird. Dann wird sich zeigen, wie wir alle hier weitermachen."

. . .

FAST ALLES, was auf McMillans Schreibtisch stand, wurde heruntergenommen: Telefon, Computer, Karteikasten, Akten, Terminkalender. Dante nimmt an, dass es bei der Spurensicherung noch immer um das Offensichtliche geht, sie könnten aber noch gründlicher nachsehen, wenn sie nicht finden, wonach sie suchen. Er ist da, um den Tatort noch gründlicher abzusuchen, wenn möglich, damit man alles findet, egal wie klein oder unscheinbar es erscheint.

Hinter dem Schreibtisch, über der Anrichte, ist ein Gemälde, das fest an der Wand hängt. Es ist noch ganz, also hat es die Spurensicherung wohl übersehen. Dante weiß instinktiv, hinter diesem Bild ist etwas und drückt geschickt den Auslöser, wodurch er es von der Wand nehmen kann. Dahinter kommt ein Tresor zum Vorschein, der mit Aufnahmen von Patienten gefüllt ist. Was seine Arbeit noch einfacher macht, ist der Umstand, dass es kein Zahlenschloss, sondern eines mit Schlüssel gibt und dass der Schlüssel in der mittleren Schublade von McMillans Schreibtisch liegt, unter der Attrappe eines Knaufs. Dante überfliegt alle vertraulichen Bänder von McMillan und nimmt die mit der Aufschrift „A.I." Anabel Ibarra. Schnell schiebt er die Kassette in seine Jackentasche und bringt sie direkt zu Ben.

„Hast du sie dir schon angehört?"

„Nein", versichert Dante.

„Dann hören wir sie uns gemeinsam an.“

Dante und Ben schauen gebannt zu, wie McMillan Anabel in Trance versetzt und hören dem, was sie jetzt zu hören bekommen, genau zu.

„Erzählen Sie mir von dem Feuer, Anabel. Das, welches ihnen so viel Schmerz bereitet, wegen dem Sie hier in Behandlung sind.“

„Ich wollte nicht, dass es so schlimm wird“, sagt sie verträumt. *„Es sollte nur ein kleines Feuer werden. Ich war so wütend auf meinen Vater und vermisste meine Mutter so sehr...“*

„Wo sind Sie, Anabel?“

„Im Reiferaum, wo die Weinfässer lagern.“

„Und was geschah? Wie entzündete sich das Feuer?“

„Ich entzündete ein Streichholz und hielt die Flamme an eines der Fässer. Irgendwie sprang die Flamme von einem Fass zum nächsten über. Es stand eine Dose Methanol offen, der dämliche Hausmeister, die entzündete plötzlich aber alles und es war groß und schön, sodass ich meinen Blick nicht abwenden konnte.

„Was hatten Sie für ein Gefühl, angesichts der möglichen Gefahr der Vernichtung?“

„Oh, ich fühlte mich überhaupt nicht gefährlich oder vernichtend. Es war himmlisch leidenschaftlich, umhüllte mich, betäubte mich. Ich hatte das Gefühl, die Flammen lockten mich in ihre Wärme und

rotgoldene Arme versuchten mich zu umfassen. Aber ich konnte mich nicht bewegen."

„Was passierte dann?"

„Dann hob mich plötzlich jemand hoch und trug mich aus dem Schuppen."

„Was wollte er?"

„Er wollte es beenden, das Feuer, das Tohuwabohu, das konnte ich aber nicht zulassen. Ich musste ihn aufhalten."

„Was taten Sie, um ihn aufzuhalten?"

„E...er legte den Schlauch in den Schuppen, um das Feuer zu löschen, das konnte ich aber nicht zulassen. Den Wasserhahn zuzudrehen, war das einzige, woran ich denken konnte."

„Sie wussten, was geschehen würde, wenn Sie das tun."

„Ich dachte nur, das Wasser würde versiegen und das Feuer weiter brennen."

„Aber nicht nur das passierte."

„Nein. Nein. Plötzlich hörte ich diesen Schrei irgendwo in der Ferne." Das fühlte sich so unwirklich an. Meine Gedanken und Gefühle übermannten mich."

„Wer schrie, Anabel?"

„Keine Ahnung. Ich konnte die Stimme nicht zuordnen..."

„Überlegen Sie. Wer war noch mit Ihnen im Schuppen? Es war jemand, den Sie kannten und dem Sie vertrauten."

„Ich glaube, es war Franco. Franco schrie um Hilfe. Ich konnte mich aber nicht bewegen. Ich wollte mich nicht bewegen."

„Was geschah mit Franco, Anabel?"

„Er...er..."

„Was geschah mit Franco, Anabel? Warum schrie er?"

„Er...er...ich konnte ihn in den Flammen nicht sehen."

„Er verbrannte bei lebendigem Leib, nicht wahr?"

„Ja. Das habe ich zumindest gehört."

„Was war das für ein Gefühl, als sie wussten, Franco war tot?"

„Ich konnte es nicht glauben. Franco war mein Freund, für mich fast wie ein Vater. Er war immer für mich da, tröstete und beschützte mich."

„Was war das für ein Gefühl, Anabel?"

„Ich wollte, dass ich krank bin. Nicht Franco. Franco nicht mehr." Anabel schreit laut und vergeblich nach ihrem Freund: „Komm zurück, Franco..."

„Wer war Franco, Anabel. Was war seine Aufgabe auf dem Weingut?"

„Er war der Verwalter des Weinguts. Franco Jourdain, der Verwalter des Weinguts. Franco, mein Freund. Mein einziger Freund. Ich mochte Franco sehr. Und ich tötete ihn!"

Ben stellt das Band ab und versinkt wieder in seinen Stuhl. Er schließt die Augen, atmet aus, empfindet eine Mischung aus Wut und Herzweh. Der Vater seines besten Freundes wurde von dessen Verlobter ermordet. Er hatte versucht, Marc vor der Familie Ibarra zu warnen, auch vor Anabel, das trieb aber fast schon einen Keil zwischen sie. Wie kann er ihm das nur beibringen? Was soll er mit diesem Geständnis anstellen?

„Ich weiß auch nicht, was ich damit anfangen soll, Ben." Dante ist tief erschüttert. „Soll ich es Madalena Ibarra erzählen? Oder weiß sie das schon. Weiß es die ganze Familie?"

„Ich denke, das müssen sie", mein Ben. Er fühlt sich erschlagen und gleichzeitig ist er wütend, dass die Ibarras mit so viel List und krimineller Energie ihren Hals aus der Schlinge ziehen konnten. Er schwört sich, dass er mit ihnen abrechnet und wenn es das letzte ist, das er tut.

„Ich glaube, auf diesem Band ist noch mehr zu hören", sagt Dante zu Ben, sichtlich beunruhigt. „Bist du bereit, es jetzt zu hören?"

„Mir bleibt nichts Anderes übrig." Ben befürchtet, er hört noch etwas viel Schmerzlicheres und stellt den Rekorder wieder an.

Nachdem Anabel von dem fürchterlichen Feuer erzählt hat, das Franco Jourdain tötete, weckt sie McMillan aus ihrer Trance. Aber sie ist noch lange nicht fertig. In der Aufwachphase ist sie so erregt, dass sie von ihrem Bruder Miguel erzählt und dem

Ärger, in den er immer geriet. Sanft versetzt sie McMillan wieder in Trance...

„Welche Fahrerflucht, Anabel?"

Sie atmet schwer, dann gleichmäßig. „Eine Frau wurde von einem Auto angefahren und der Unfallverursacher ließ sie am Unfallort liegen und fuhr davon."

„Warum meinst du, dein Bruder hat etwas damit zu tun?"

„Oh, er gerät immer in Schwierigkeiten. Es würde mich nicht überraschen, wenn er etwas wusste, es aber nicht zugeben wollte. Ich erinnere mich nur, dass er eines Nachts nach einer Schlägerei nach Hause kam und diese üble Schnittwunde im Gesicht hatte. Lange hatte er eine Narbe. Dann verließ er uns eines Tages. Als er zurückkehrte, war sein Gesicht verheilt. Alles an ihm war anders."

„Halte das Band an, Ben", bittet Dante eiligst. „Als Madalena Ibarra mich einstellte, dass ich mir die Geschäfte ihrer Familie ansehe, drückte sie sich etwas vage aus, wollte aber sicher sein, dass ihr Sohn keine Verbrechen beging. Und als ich Victoria, die Köchin der Familie, befragte, erinnerte sie sich, dass Miguel eines Abends spät nach Hause kam, aufgewühlt, mit Blut im Gesicht. Sie riefen einen gewissen Dr. Ruiz an, der zum Haus kommen und ihn behandeln sollte."

„Das wird ja immer besser und besser. Dennoch

habe ich nichts, um Miguel Ibarra fest zu nageln auch kein Motiv für Amador, McMillan zu töten.

„Vielleicht schon", sagt Dante und reicht Ben einen Umschlag, der sich ebenfalls im Tresor befand und in dem der Zeitungsartikel über den Unfall mit Fahrerflucht steckt, bei dem Angela Bolane getötet wurde. „Ich überprüfte Angela. Sie war Victor McMillans Schwester."

Ben ist verblüfft! Er hat jetzt genug Beweise, um zu einem Richter zu gehen, der Ibarra für den Mord an McMillan anklagen wird. Er hat ein Motiv: Der Arzt wollte Ibarra sprechen, um ihm zu offenbaren, was Anabel unter Hypnose preisgab, so tötete Ibarra ihn, um ihn zum Schweigen zu bringen.

Dante fragt neugierig: „Aber warum hat er die Leiche nicht woanders entsorgt?"

„Er hatte vermutlich nicht ausreichend Zeit oder wollte nicht, dass ihn jemand sieht. Also vergrub er die Leiche auf seinem eigenen Grundstück in einer Baugrube, in die bald Zement kommen würde, in dem Glauben, die Leiche würde nie gefunden."

Das Feuer, der Mord an McMillan und nun ist Miguel Ibarra wohl auch noch in den Fall Clive Parsons verstrickt. Was kann Marc noch alles ertragen? Was kann Ben seinem Freund sagen und wann?

„Marc hat ganz sicher das Recht, Informationen zu bekommen, die seinen Mandanten möglicherweise entlasten könnten", sagt Ben. „Ich brauche aber etwas ganz Konkretes, um Miguel zu identifizieren. Das ergibt langsam alles Sinn, ein konkretes Bild haben wir aber noch nicht. Wir müssen dieses Puzzle schnell zusammensetzen."

Dante nickt zustimmend und teilt Ben mit: „Ich müsste für wenige Tage geschäftlich die Stadt verlassen. Ich bin aber für den Fall zurück sobald ich kann."

„Ich glaube, im Moment kann ich auf dich verzichten. Ich muss Schriftsätze tippen."

„Und Marc darf jetzt noch nichts erfahren."

„Natürlich. Ruf mich an, sobald du kannst, dann arbeiten wir einen Plan aus."

KAPITEL ACHTZEHN

NACHDEM ER IN DER GEGEND NACH Schönheitschirurgen namens Ruiz gesucht hatte, die eine Klinik südlich der Grenze haben, ist Dante nun auf dem Weg nach Mexiko-Stadt. Die Del Rio Klinik ist pompös und geheim, ein Ort für die Reichen und Schönen. Die Tür zur Klinik ist diskret in einem Foyer, von wo aus man in zahlreiche Büros gelangt, an deren Türen keine Namensschilder auf die Namen der Ärzte schließen lassen, nur Nummern. Streng geheim.

Im Wartezimmer liegen die üblichen Alben aus, mit den Vorher-Nachher-Fotos, der beliebtesten Behandlungen, Nasenkorrekturen, Bruststraffungen, Straffung der Oberarme und Gesäßimplantate. Nasen, Brüste, Arme und Hintern liegen besonders im Trend, dort kann man Fett absaugen und es an einem beliebigen Ort wiedereinsetzen.

Um die Patienten im Wartezimmer zu beruhigen, gibt es Wein und Entspannungsmusik, die aus dem Nichts zu kommen scheint. Kein Patient hat zur gleichen Zeit wie ein anderer einen Termin, die Termine überschneiden sich nicht.

„Meinen Sie, der Arzt könnte es schaffen, dass ich aussehen wie der hier?", fragt Dante Heather, die Empfangsdame charmant und sie lächelt.

Sie schaut auf die Fotokopie von Michael Barron und dann zu Dante, dessen Gesichtszüge herrlich rund sind, vermutlich aber nicht so verändert werden konnten, dass er das gemeißelte Gesicht des Filmstars bekam.

„Das kann ich nicht sagen", antwortet sie. „Wir überlassen es am besten dem Arzt, das zu entscheiden."

„Hat er an diesem Mann gearbeitet? Wenn ja, dann hat er gute Arbeit geleistet. Er ist ein Genie. In einem Klatschblatt las ich, er hätte vor ein paar Jahren einen schlimmen Unfall gehabt und davon eine üble Narbe davongetragen. Die kann man jetzt echt nicht mehr sehen."

„Hätten Sie es mir nicht gesagt, wäre mir das entgangen. Ich kann aber über die hier behandelten Patienten nicht sprechen."

Heather ist ganz sie selbst, offenbar eine Patientin, wie auch eine Büroassistentin. Mit perfekt geformten Augenbrauen, die ganz ihren Haaransatz betonen, einem Gesicht, so straff wie eine Saite, vom Botox, jedoch attraktiv und mit Brüsten, die sich unter ihrem dünnen Pullover nicht zu bewegen scheinen, sieht sie so aus, als hätte sie genau das bekommen, was sie wollte.

Die Sprechanlage ertönt. „Natürlich, Doktor. Ich bringe Ihnen die Akten." Zu Dante sagt sie: „Bitte, nehmen Sie Platz. Ich bin gleich zurück, um Ihnen zu helfen, einen Termin zu bekommen."

Dante zwingt sich, so zu tun, als lese er beiläufig eine Zeitschrift, behält aber Heather, die jetzt Aktenordner ins Regal hinter dem Schreibtisch steckt, im Auge. Sie geht wieder ins Hinterzimmer, schließt hinter sich die Tür, Dante begibt sich geschwind zum Regal und ist erstaunt, was für ein Glück er hat. Heather hatte es versäumt, den Aktenschrank abzuschließen. Die erste Akte in der Ablage M ist beschriftet mit „M.B. / M.I." Er zieht sie raus, vergewissert sich, dass es dir richtige ist und eilt aus dem Büro, ehe Heather zurückkommt.

Als er wieder in seinem Auto sitzt, öffnet Dante den Ordner, der die Vorher/Nachher-Fotos enthält. Im Halbprofil sieht man auf seinem Gesicht eine Narbe, von der Wange bis zum Kinn, sonst war er aber jung und gut aussehend. Fotos aus verschiedenen Blickwinkeln und von unterschiedlichen Phasen seiner Behandlung, zeigen

Miguel Ibarra oder seines späteren Pseudonyms, Michael Barron.

Alarmglocken von „Interessenkonflikt", läuten jetzt laut und deutlich in Dantes Kopf und er weiß nicht, wie er damit umgehen soll. Wer wird diese Information als erstes erhalten? Madalena Ibarra? Sicher weiß er von Miguels Gesicht und dass er jetzt Michael Barron ist. Sie wird ihm vermutlich danken und ihm seine Pässe geben, sodass Ihre Dienste nicht weiter gebraucht werden, Dante Monroe, Ihren Scheck bekommen Sie per Post. Marc? Es gibt keinen Beweis, dass Miguel im Fall Clive Parsons der Gesuchte ist, sodass gegenwärtig nichts vor Gericht standhält. Und wie konnte er Marc, seinem Mandanten, erklären, was ihn dazu brachte, nachzubohren und den Bruder seiner Verlobten verdächtigt, ohne Ben Parker zu demaskieren?

BEN STARRT DIE FOTOS AN. „Danke, dass ich sie bekomme, ehe sie Marc bekommt. Obwohl ich meine, er kommt dir und mir auf die Spur, wenn er es herausfindet, hältst du unsere Zusammenarbeit für eine Weile bedeckt."

„Mutter hat das Wort. Vorerst. Ich muss ihm aber schon bald diese Akte bringen. Die ist im Fall Parsons echt wichtig, aber jetzt nicht ihn Ihrem."

„Noch nicht. Vielleicht nie."

„Was ist mit der Tonbandaufnahme von Anabels
Geständnis, dass sie Marcs Vater tötete?"

„Das ist ein anderes Dilemma. Ich muss eine
Weile darüber nachdenken. Das könnte mich meinen
besten Freund kosten."

————

MARC SCHAUT sie in der Krankenakte die Vorher-
/Nachher-Fotos an und ihm gefällt nicht, woran er
denken muss. Das *ist* er, der Mann, der über seiner
toten Mutter steht, der Mann mit der Narbe, die er
nie vergessen wird, der Mann, der jetzt Michael
Barron ist, der Bruder von Anabel, der Frau, die er
heiraten will.

„Woher hast du die, Dante?"

„Ich muss dir jetzt reinen Wein einschenken,
Marc. Vorher spielte es keine Rolle, denn es gab
keine Verbindung zwischen meiner Arbeit für dich
und meiner Arbeit für Madalena Ibarra."

Marc schaut verblüfft auf. „Madalena Ibarra?
Anabels Mutter? Was für eine Arbeit? Und wann?"

„Das war bevor du mich engagiert hast. Sie
wollte, dass ich ein bisschen in ihrer Familie
herumschnüffle, hauptsächlich bei ihrem Ehemann,
und ein paar Hintergrundinformationen einhole, die
sie nicht aus der Zeitung erfuhr. Sie wohnt in
Spanien, aber ich glaube, du weißt das."

„Ja. Dennoch erklärt das nicht diese Fotos. Krankenakten. Hat sie um die gebeten?"

Dante bleibt nicht ganz bei der Wahrheit. „Nein, nein. Das war nur die Nachuntersuchung eines Gesprächs, das ich mit dem Koch hatte. Ich erwähnte beiläufig, dass Miguel Ibarra nach Mexiko musste, um sich von einem plastischen Chirurgen wegen einer Narbe im Gesicht behandeln zu lassen. Als du mich im Fall Parsons engagiertest, fiel mir das wieder ein und ich wollte meine Pflicht tun. Für dich."

Es geht um mehr als den Fall Parsons, Dante. Du hast mir vielleicht gerade geholfen, einen anderen Fall aufzuklären."

„Einen anderen Fall? Welchen?"

„Den Mord an meiner Mutter."

Dante lehnt sich, gegenüber von Marcs Schreibtisch, tief in den Stuhl. Er zermartert sein Gehirn, als Marc diesen schrecklichen Tag beschreibt, an dem er seine Mutter tot in der Küche fand. Er kann sich nur noch daran erinnern, dass ein junger Mann über ihrer Leiche kniete, dessen Gesicht er im Halbprofil sah, mit dieser Narbe, genau wie die, die Miguel Ibarra auf den Arztfotos hat. Jahrelang hatte er kein Ventil für seine Wut, niemandem, dem er die Schuld geben konnte, außer diesem namenlosen Gesicht mit der Narbe.

Wie symbolisch. Das zehrte an *ihm*, machte ihn blind für alles tiefe, bedeutungsvolle. Er lebte immer am Limit, tat so, als erfülle ihn seine Arbeit als Anwalt, jedoch führte Richter Larimer aus, dass er wie ein Schlafwandler durch die Fälle ging, aus Angst, sich etwas Handfesterem zu widmen. Im Leben, im Rechtswesen und in der Liebe. Bis Anabel kam.

Er ist zutiefst erstaunt, dass Dante diese Fotos entdeckte, ob durch Zufall oder nicht, und Marc versucht es rational zu sehen, Ausreden zu finden, sich zu überzeugen, dass es reiner Zufall ist. Er hatte Miguels Gesicht nur im Halbprofil gesehen. In diesem kurzen Moment hätte jeder junge Mann wie er aussehen können. Das hätte ein völlig anderer sein können. Gut möglich. Alles ist möglich. Und vielleicht, hoffentlich, weiß Anabel nichts davon, nichts davon, was Miguel vielleicht vor so vielen Jahren gemacht hat. Vielleicht hat die ganze Familie keine Ahnung davon, was er getan hat. Es gab keine Anhaltspunkte, nichts, das die Polizei vor die Tür des Anwesens der Ibarras geführt hätte, nichts das auf Miguel als den Mörder seiner Mutter hindeuten würde.

„Geh nicht zu weit, Marc", versucht ihn Marc zu beschwichtigen. „Das klingt alles zu bizarr, um wahr zu sein. Deinetwegen hoffe ich, dass alles nur reiner Zufall ist. Er könnte sich diese Narbe zugezogen haben, als er als Kind von einem Baum fiel oder so", meint Dante und merkt, in dem Moment, da er es sagt, wie unplausibel das klingt.

Dennoch hatte Marc so eine Intuition, als er

Barron während des Verlobungsessens im Haus der Ibarras sah. Solch verblasste Erinnerungen. Das Deckblatt der Zeitschrift mit einem gezackten Riss, das Bulldog las. Marc hatte so ein ungutes Gefühl im Bauch.

„Es muss noch ein anderer diese Fotos sehen", meint Dante.

Marc schaut Dante fragend an und der fährt fort: „Clive Parsons."

KAPITEL NEUNZEHN

Ben schaltet den Kassettenrekorder ab und
wartet nicht auf die Antwort von Herman Farmer,
Ibarras Anwalt.

„Ich plädiere auf Totschlag. Verzweifelter Vater
wird von einem Arzt konfrontiert, der das Leben
seiner Tochter zerstören will", beginnt Ben. „Und
wenn er mir sagt, wo ich Miguel finde, damit ich ihn
wegen des Unfalls mit Fahrerflucht, wie auch
Anabel, damit ich sie wegen des Feuers, das Franco
Jourdain tötete, befragen kann, dann wäre ich
geneigt, ein milderes Urteil zu fordern. Vielleicht."

„Notwehr im Fall McMillan, vielleicht mache
ich das meinem Mandanten klar." Farmer beharrt
hartnäckig auf diesen Bedingungen. „Aber er wird
Ihnen ganz sicher keine Informationen geben, die

seine Tochter und seinen Sohn in Verbrechen verwickeln, von denen er nicht einmal etwas weiß.

„Schau", lügt Ben, dies alles ist vermutlich schon verjährt und sie werden vielleicht gar nicht angeklagt."

„So dumm bin ich nicht", meint der Anwalt und will den Sack zumachen. „Amador weigert sich, das Wort Mord oder Totschlag überhaupt in den Mund zu nehmen. Was Anabel angeht, vielleicht hatte sie einen Nervenzusammenbruch und bildete sich alles ein. Vielleicht setzte ihr McMillan diese Flausen in den Kopf, als sie unter seinem Bann stand."

„Es gibt Beweise", gibt Ben zu bedenken. „Den Zeitungsausschnitt, den man in McMillans Schreibtisch fand. Der Arzt hatte außerdem ein Sedativum in seinem Blut, wurde als betäubt, ehe er starb. Wir glauben, Ibarra hat es in sein Getränk getan."

„Er war Arzt und könnte es genommen haben, um seine Nerven zu beruhigen", wirft Farmer ein.

„Dasselbe Sedativum, das Ibarra nimmt, um seine zu beruhigen?"

„Reiner Zufall. Millionen von Menschen nehmen dieses Medikament."

„Farmer, es gibt genug Beweise, um Ihren Mandanten lebenslang hinter Gitter zu bringen. Sie haben die Pflicht, mein Angebot Ihrem Mandanten vorzubringen."

· · ·

Als Farmer das tut, ist Amador widerspenstig, wie eh und je. „Holen Sie mich einfach hier raus", verlangt er.

„Um ehrlich zu sein, weiß ich nicht, ob ich das kann. Bringen wir das vor die Geschworenen, werden Sie verurteilt. Die Beweislage ist echt erdrückend, Amador. Kein einziger Geschworener wird glauben, es war Notwehr. Besonders, wenn dieses Band als Beweismittel zugelassen wird."

„Wie halten wir es also von den Geschworenen fern?"

Ben Parker und Farmer sehen sich in Richterin Zoey Hillers Zimmer wieder und kommen gleich zur Sache.

„Mein Mandant will von seinem Recht auf einen Schwurgerichtsprozess Gebrauch machen, Euer Ehren."

„Was zum Teufel?" Ben findet diese Idee fast schon lustig.

Richterin Hiller, hinter ihrer modischen Brille mit dem roten Rand, überhaupt nicht. „Und warum, Mr. Farmer? Denkt er, er bekommt bei mir eine Sonderbehandlung?"

„Er zieht es vor, dass sein Fall nicht öffentlich angehört wird. Er hat Angst um seine Familie und sein Geschäft."

Da kichert Ben laut, verstummt aber sofort, als

ihm die Richterin einen strengen Blick zuwirft. Ben schaut düster drein und sagt ernst: „Er denkt, er könne einen Freispruch erkaufen."

Da erwidert Farmer zornig: „Jetzt bin ich dran, Parker. Was zum Teufel? Euer Ehren?"

Hiller zeigt mit einem gepflegten rotlackierten Finger auf Farmer, schaut aber gleichzeitig Ben an. „Ja, Parker. Was er sagte. Haben Sie Beweise, dass Ibarra Richter kauft?"

„Keine Beweise, Euer Ehren. Nur einen Verdacht."

„Der sich auf was bitte stützt?"

„Er war immer bekannt dafür, sich raus zu kaufen, um sich persönlich und geschäftlich Vorteile zu verschaffen, sozusagen",

Farmer erwidert unnachgiebig: „Das ist nicht der Kauf von Richtern, sondern Geschäftsverhandlungen. Außerdem hat das nichts mit diesem Fall zu tun."

„Ja, widmen wir uns wieder diesem Fall", meint Richterin Hiller. „Der Angeklagte hat das Recht, ein Geschworenengericht abzulehnen, wenn er sich das gut überlegt hat. Selbst wenn es keine Geschworenen gibt und der Fall für die Öffentlichkeit geschlossen wird, wäre da immer noch eine Vorstrafe für die Öffentlichkeit. Haben Sie Ihrem Mandanten diesen Rat gegeben?"

„Ich sagte ihm, dass diese Option besteht", bestätigt Farmer beiläufig.

„Vermutlich deshalb, weil Sie beide wissen, dass ein Geschworenengericht ihn verurteilt", ergänzt Ben beiläufig.

„Ich kann diesen Fall sicher gewinnen, Parker."

„Das müssen Sie auch." Ben meint zu Richterin Hiller: „Ich habe noch mehr Beweise, Euer Ehren. Mir kam eine Tonbandaufnahme in die Hände, auf der ein mögliches Motiv Ibarras zu hören ist."

„Sie wissen von diesem Band, Mr. Farmer?"

„Ja. Aber es ist weder von Relevanz noch zulässig", ergänzt Farmer. „Und das wissen Sie, Parker."

Die Richterin nickt und lehnt sich in ihrem Stuhl zurück. „Er hat schon irgendwie Recht. Was ist auf dem Band?"

„Nur die Tiraden eines schwerkranken Mädchens, das unter Hypnose steht, gegenüber ihrem Arzt", nimmt Farmer Ben das Wort aus dem Mund. „Sie redet über Sachen, die nichts mit diesem Fall zu tun haben. Wirklich, Euer Ehren."

Ben bekräftigt seinen Standpunkt und erklärt: „Eine Tonbandaufnahme, die Dr. McMillan von Anabel Ibarras Therapiesitzungen machte, beweist, dass eines, vielleicht zwei Verbrechen begangen wurden und deshalb kann sie zugelassen werden."

„Sie hat der Freigabe dieses Bands nicht zugestimmt, also können Sie es nicht vorlegen, Ben. Es ist eine Verletzung der ärztlichen Schweigepflicht."

„Was hat das mit dem Fall McMillan zu tun?" Hiller zieht an ihrem goldenen Ohrring, ein klares Zeichen, dass sie ungeduldig wird.

Ben beschreibt den Inhalt, Farmer protestiert und die Richterin wägt das Für und Wider ab. „Ich möchte es hören. Aber Mr. Farmer könnte Recht haben. Das wäre völlig unzulässig."

Diese vage Hoffnung wird von Farmer völlig missachtet. „Bitte, Euer Ehren. Das ist ein völlig ungewöhnlicher Fall."

„Vielleicht. Aber ich bin die Richterin."

In Kalifornien wird das Recht auf ein Schwurgerichtsverfahren allen gewährt und bleibt unangetastet." Ein Schwurgerichtsverfahren kommt bei allen Strafsachen zum Tragen, wenn beide Parteien zustimmen, wie es bei der öffentlichen Sitzung, vom Angeklagten und seinem Anwalt gesagt wird.

Jetzt, da er vor Richterin Hiller steht, stellt sich Amador Ibarra neben seinen Anwalt und wünscht selbst, dass man auf ein Schwurgerichtsverfahren verzichtet.

„Sie sind sich darüber im Klaren, mein Herr, dass ein freiwilliger Verzicht auf ein Schwurgerichtsverfahren im Nachhinein nicht zurückgenommen werden kann, außer es liegt im Ermessen des Gerichts", belehrt sie den Angeklagten.

Ibarra schaut Herman Farmer an und erhofft sich eine Reaktion. Farmer nickt. „Bin ich, Euer Ehren."

Ben Parker wirft ein: „Mit Erlaubnis des Gerichts, will die Anklage, dass die Tonbandaufnahme als Beweismittel nicht zugelassen wird."

Wieder erwidert die Verteidigung: „Das ist unzulässig, allein aufgrund der Tatsache, dass Ms. Anabel Ibarra eine einstweilige Verfügung gegen die Herausgabe einer persönlichen Krankenakte, die nichts mit dem Verbrechen, für das ihr Vater angeklagt wird, zu tun hat."

Ben wirft ein: „Aber hier wurden, wie auf dem Tonband bewiesen wird, Verbrechen begangen. Das wird von der Staatsanwaltschaft untersucht. Es geht um den Tod eines Mitarbeiters von Ibarra, bei einem verdächtigen Brand, den sie gestand, gelegt zu haben, wie auch um den Unfall mit Fahrerflucht, bei dem Dr. McMillans Schwester, Angela Bolane, zu Tode kam. Zumindest lässt die Existenz einer Tonbandaufnahme, auf der Anabel Ibarra zu hören ist, auf das Motiv schließen, weshalb der Angeklagte Dr. McMillan tötete, nämlich um seine Kinder vor einer Anklage zu bewahren."

„Wollen Sie die Akte über Tochter und Sohn öffnen, so ist das ihr gutes Recht, Mr. Parker. Bis aber das Gericht über Ms. Ibarras Wunsch nach einer einstweiligen Verfügung entschieden hat, kann ich weder das Band als Beweismittel zulassen, noch kann ich es mir selbst anhören. Wir können morgen früh mit der Beweisaufnahme anfangen, beginnend mit den Zeugenaussagen."

DER GERICHTSSAAL IST, bis auf den Staatsanwalt, den Angeklagten und dessen Anwalt, menschenleer. An diesem schwülen Tag hört man nur das Surren der Ventilatoren an der Decke, denn die Klimaanlage ist defekt. Dennoch muss der Gerichtsvollzieher folgendes tun: Ankündigen, dass der Richter den Saal betritt, jeden bitten, sich zu erheben, um dem Richter, dem Gericht und dem Gesetz seinen Respekt zu zollen, indem er sagt: „Erheben Sie sich. Nun tagt das Gericht."

Es können keine Zeugen aufgerufen werden, die Amador Ibarras Schuld oder Unschuld belegen könnten und die Verteidigung nimmt es fast schon schadenfroh auf, dass es keine Belastungszeugen gibt. Farmer widmet sich den Fakten und verliest zwei Aussagen von abwesenden Zeugen:

„Das Taxiunternehmen, das McMillan zwei Tage, bevor man seine Leiche in der Baugrube des Springbrunnens fand, zum Anwesen der Ibarras brachte, hat über Datum, Uhrzeit, Taxinummer und Identität des Fahrers Auskunft erteilt. Darüber hinaus ist der Taxifahrer nur Minuten später zu einem anderen Fahrgast gefahren." Farmer reicht das Dokument Richterin Hiller.

„In einer schriftlichen Aussage, die Carmela, die Haushälterin aufgab, sagt sie, sie hätte an diesem Abend einem Mann die Tür geöffnet, der sagte, es wäre *muy importanto*, dass er Señor Ibarra spricht. Sie berichtete dies ihrem Chef, der sagte, er kümmere sich darum. Carmela ging dann durch den Dienstboteneingang hinaus und fuhr nach Hause. Sie hatte nicht mitbekommen, was danach und keine Ahnung, dass Dr. McMillan das Haus je betrat." Der Richterin wird noch ein Dokument gereicht.

Dann rief Ben die Bauarbeiter, die den Beton zerschlugen, um die Wasserrohre freizulegen, die wegen des Erdbebens kaputt gingen. Diese sagten dann nur aus, dass sie eine Leiche fanden und niemand, weder die Familie Ibarra noch ihr Personal hat tatsächlich gesehen, dass Ibarra der Mörder ist.

Außer vielleicht einer.

„Ich rufe Señora Consuela Ibarra in den Zeugenstand", verkündet Ben.

Sie betritt den Gerichtssaal durch die Hintertür und geht mit der Würde und Ruhe, welche die Unruhe tief in ihrer Seele verbirgt. Im Zeugenstand hält sie ihr silbernes Kreuz in der linken Hand, legt die rechte auf die Bibel und sagt: „Ich schwöre."

„Bitte sagen Sie dem Gericht Ihren Namen", unterweist sie Ben.

„Consuela Ibarra."

„Sie sind Señor Amador Ibarras Mutter, richtig?"

„Das stimmt." Sie merkt nicht, wie wütend und finster ihr Sohn schaut.

„Und Sie waren auf dem Grundstück, als Dr. McMillans Leiche gefunden wurde?"

„Das war ich, aber ich war die meiste Zeit drinnen mit meiner Enkelin Anabel und Amadors Frau, Madalena. Wir bereiteten Anabels Hochzeit vor."

„Was geschah sonst noch an diesem Tag?"

„Ein heftiges Erdbeben erschütterte das Haus."

„Was taten Sie alle, als das geschah?"

„Zunächst vergewisserten wir uns, dass niemand verletzt wurde. Gott sei Dank niemand. Dann gingen wir rein, um uns zu beruhigen und unsere Füße abzutrocknen, die nass wurden, weil es einen Wasserrohrbruch gab."

„Was passierte als nächstes?"

„Nach dem schweren Erdbeben, gab es draußen noch eine Erschütterung, worauf die Wasserleitungen brachen, die das Haus zu überschwemmen drohten. Bauarbeiter kamen herbei und begannen, den Beton aufzuschlagen. Sie wollten die Wasserrohre finden, um sie zu reparieren."

„Señor Ibarra stellte die Bauarbeiter zur Rede. Worum ging es?"

„Er wollte, dass sie aufhörten, sie würden den Brunnen kaputt machen. Aber die Bauarbeiter sagten meinem Sohn, dass sie die kaputten Rohre freilegen müssten, weil sonst das Wasser ins Haus dränge."

„Und er widersprach. Lautstark."

„Könnte man so sagen. Ja."

„Sie aber machten weiter."

„Ja."

„Was passierte dann?"

„Anabel rannte hinaus, wollte ihren Vater überzeugen, dass er sie ihre Arbeit tun ließ. Sie sagte, man könne den Brunnen reparieren und sie wollte nicht, dass sich die Hochzeit verzögerte. Die Männer meißelten weiter und als der Beton aufbrach, fanden sie..."

„Die Leiche?"

„Ja."

„Ihre Enkelin war auch da. Wie hat sie reagiert?"

„Sie wurde hysterisch. Da ging ich raus und wollte mir das selbst ansehen."

Was sagte Ihr Sohn?"

Farmer ruft: „Einspruch, Euer Ehren. Hörensagen."

„Abgelehnt."

„Er schwor, er hätte den Mann nie zuvor gesehen und er sei so schockiert wie alle anderen."

„Zu diesem Zeitpunkt war ein Kommissar vor Ort. Und er fragte Sie, ob Sie wüssten, wer das war."

Consuela nickt. „Eigentlich wandte er sich an Anabel."

„Und sie identifizierte ihn?"

Sie nickt.

„Bitte antworten Sie laut und deutlich."

„Ja. Sie sagte ihm, das sei Dr. McMillan, ihr Arzt."

„Dann sagten Sie noch etwas, nicht wahr?"

Consuela zögert und Ben fragt abermals: „Nicht wahr?"

Farmer erhebt abermals Einspruch: „Beeinflussung, Euer Ehren."

„Ich könnte den Kommissar rufen, das ist aber nicht nötig", sagt Ben zum Gericht. „Ich habe seine schriftliche Aussage hier", sagt er und reicht sie Hiller.

„Einspruch abgelehnt."

„Soll ich das verlesen, Señora Ibarra?"

Consuela senkt den Kopf, bringt keinen Ton mehr heraus und weiß, was sie jetzt sagt, könnte das Schicksal ihres Sohnes besiegeln und ihn als Mörder dastehen lassen.

„Kommissar Markowitz: Nachdem Anabel Ibarra den Verstorbenen identifizierte, stellte man ihr folgende Frage: ,Woher kennen Sie ihn?' Consuela antwortete dann: ,Er ist Anabels Arzt.' Dann wandte sie sich an Ibarra und fragte ihn: ,Was hast du getan, Amador?'"

Consuela sitzt unruhig auf ihrem Stuhl, betet im Stillen zur heiligen Maria und ihr Sohn Amador leidet unter der schweren Last, von seiner eigenen Mutter verraten worden zu sein.

„Sie glaubten, es war seine Schuld, nicht Señora?"

„Einspruch, Euer Ehren! Die Anklage mutmaßt nur und er sagt für seine eigene Zeugin aus."

„Ich bin fertig", beendet Ben die Befragung.

„Die Zeugin ist entlassen", sagt Richterin Hiller. „Für heute ist die Verhandlung geschlossen. Ich habe morgen noch einen Gerichtstermin, wir sehen uns also wieder am Mittwoch, um 10:00 Uhr morgens."

KAPITEL ZWANZIG

„SAG MIR DOCH, MARC. ICH FRAGTE MICH IMMER, weshalb du Strafverteidiger und kein Staatsanwalt bist. Ich könnte mir vorstellen, Verbrecher anzuklagen wäre nur natürlich, bedenkt man, was du wegen des Mordes an deiner Mutter für eine Wut empfindest."

„Daran dachte ich lange", antwortet Marc und ruft seine eigenen Klischees ab. „Ich kam zu dem Schluss, dass das Strafrechtssystem sich gegen die Armen und Abgehängten richtet. Sie brauchen einen Anwalt."

„Hoffst du, den Mörder deiner Mutter zu finden, indem du diese Mandanten verteidigst?", fragt die Therapeutin.

Marc denkt darüber nach und nickt, denn diese Möglichkeit sieht er. „Ich habe immer noch die

Hoffnung, dieser Kerl kommt in meine Kanzlei und gibt alles zu, ohne zu wissen, wer ich bin."

MARCS GESPRÄCH mit McMillan ein paar Monate zuvor hallt in seinem Kopf wie eine kaputte Schallplatte. Im hinteren Gang tauchte „Dieser Typ" auf, nicht in seiner Kanzlei mit einem Geständnis, er ließ es aber über seinen Mandanten, Clive Parsons, mitteilen, der die Kneipenschlägerei mit diesem Jüngelchen hatte, von dem Marc sicher ist, es war Miguel Ibarra. Es gibt aber keinen stichhaltigen Beweis. Selbst nachdem er die Fotos vor und nach der Operation gesehen hatte, *dachte* Clive Parsons nur, es könnte Miguel Ibarra sein. Es war so lange her und er sich nicht sicher. Der Fall Parsons steht nun still. Marc kann keinen stichhaltigen Beweis finden, der ergibt, dass er unschuldig und Miguel schuldig ist, Angela Bolane überfahren zu haben.

Er hat auch keinen wirklichen Beweis dafür, dass Miguel seine Mutter ermordete, noch dass er irgendwie damit zu tun hatte. Helena hatte eine Affäre. Sicher nicht mit Miguel. Er war damals kaum älter als Marc und seine Mutter hätte sich nie von einem jungen Mann verführen lassen.

Marc schaut intensiv in die Schachteln im Lager, die persönliche Dinge enthalten, als seine Eltern noch zusammenlebten. Fotos von Helena als junge Latina, mit frischem Teint ohne Make-up und doch mit klassisch schönen Gesichtszügen. Schmuck, zweifellos Modeschmuck, verdeckt den Geschmack einer Frau, die bunte und feierliche Accessoires liebte.

Es gibt Briefe, von Franco an Helena und von ihr an ihn, Liebesbriefe von der Zeit, als sie eine Affäre hatten. Sie sind in fliederfarbigen Kuverts und tragen noch immer den schwachen Duft eines unbekannten Parfums. Es sind getrocknete Rosenblätter zwischen den Seiten.

Als er Francos Kondolenzkarte sieht, auf der steht, „Ich bin die Auferstehung und das Leben", versetzt es Marc einen Stich ins Herz. Ihm kommen die Tränen, denn der Verlust und die Leere, derer er sich jetzt immer öfter bewusst wird, dieser Verlust und eine Schuld, die er weder beschreiben noch leugnen kann. Sein Vater, lebendig, dann wieder nicht, seine Mutter, lebendig, dann wieder nicht. Wie ist das möglich? Weder sie noch er starben friedlich. Beide hatten einen gewaltsamen Tod, eine Strafe aus einem höllischen Ort, als Karma für eine Schuld aus der Vergangenheit. Er steckt die Kondolenzkarte in seine Tasche, zusammen mit der Kondolenzkarte von der Beerdigung seiner Mutter. In gewisser Hinsicht hat er das Gefühl, dadurch kommen sie wieder zusammen, in Liebe, in Frieden, für alle Ewigkeit.

Viele andere Fotos, von ihnen drei, als Marc ein kleiner Junge war, mit zerzausten Haaren und einem

Lächeln, das seine Zahnlücke zeigte. Wie männlich Franco doch war, aber mit einer Beherrschung, die Freundlichkeit und Güte ausstrahlte. Sein Vater war es, der Marc dazu ermutigte, zu trainieren und zusammen in den Bergen zu wandern, von wo aus man so viele Weinberge in der Gegend sehen konnte, die sich bis zurück zu ihrem Bungalow erstreckten. Das teilten sie miteinander, jedoch nicht Francos Arbeit, denn sein kleiner Sohn sollte nicht mit Alkohol in Berührung kommen, bis er ein Mann war.

Marc berührt es, dass seine Eltern seine Zeugnisse aufbewahrten, auf denen zu lesen ist, dass er ein fleißiger Junge ist, dessen Lieblingsfach Geschichte war, besonders die des Zweiten Weltkriegs, in dem sein Großvater Bomber flog, die man heute als primitiv betrachtet. Sein Herz schlägt höher, als er in einer Schachtel ein Modellflugzeug findet, mit dem er an besagtem Tag gespielt hatte. *Was geschah an diesem Tag?* Er versucht, sich tapfer daran zu erinnern und lechzt gleichzeitig danach, es zu vergessen...

Er war oben in seinem Zimmer, spielte mit einem Modellflugzeug und ließ es aus dem Schlafzimmerfenster fliegen. Es flog perfekte Bahnen, bis es dann mit der Schnauze auf den Boden zusteuerte. *„Nein, nein, nein, Mist." Er öffnet die Schlafzimmertür und läuft schnell über jede zweite Stufe die Treppe hinunter zum Wohnzimmer. Am*

Fuß der Treppe hält er abrupt an. Ein seltsames Geräusch schreckt ihn auf und er geht zur Küche.

„Mama?", schreit er.

„Mama?" Durch den offenen Flur sieht er, wie sich jemand bewegt. Ein Mann kniet neben seiner Mutter, die auf dem Boden liegt. Er erkennt den Einbrecher nicht, aber in der kurzen Zeit kann er die Narbe auf seiner linken Gesichtshälfte sehen; ein hässlicher Schnitt, von der Wange bis zum Kinn. Dann verschwindet der Mann schnell aus dem Sichtfeld. Dann was? Was? Warum kann ich mich nicht erinnern?

Wütend steckt Marc das Modell wieder in die Schachtel und schiebt sie weg. Er schaut zu einem Mülleimer aus Plastik, in dem sich einige Haushaltsartikel befinden. Unter anderem findet er eine hübsche Holzschachtel mit Riegel. Sie sieht handgefertigt aus, besteht aus dunklem Holz, die Scharniere sind aus poliertem Messing. Er öffnet die Schachtel und sieht dann das Küchenmesserset mit den Griffen, auf denen die Initialen H.M. eingraviert sind, die er nun mit anderen Augen sieht. Er hatte sie nie beachtet, bis er und seine Tante Rosa sie fortschafften und sicher hat er das Set nie nach einem fehlenden Tranchiermesser durchsucht, was für jeden Koch das wichtigste Messer im Set ist. Kürzlich sah er eines, an der Essensausgabe, im Haus der Ibarras. Seltsam, dass der Gastronom ein ähnliches Messer hatte. *Vielleicht ist H.M keine*

Marke, denkt er, *sondern nur eine allgemeine Kennzeichnung*. Der Zettel in der Schachtel fleht ihn förmlich an, zu lesen:

„Für meine liebe Helena. Ich gratuliere dir, zur abgeschlossenen Kochlehre. Diese Messer sind die Säulen eines jeden Kochkünstlers und ich ließ deine Initialen auf die Griffe eingravieren, auf dass du sie nie verlierst und dich immer daran erinnerst, wie stolz ich auf dich bin. In Liebe, Mama."

Die Küche. Seine Mutter kochte. An diesem Tag. Er spielt mit seinem neuen Modellflugzeug. Es fliegt aus seinem Schlafzimmerfenster. Es stürzt auf den Asphalt darunter, ist aber heil geblieben. Er muss es holen. Er läuft jede zweite Stufe die Treppe hinunter ... seine Mutter ruft nach ihm ... er schreit: *‚Warte eine Minute. Ich muss zuerst mein Flugzeug holen."*

Er kehrt ins Haus zurück. „*OK, Mama, hier bin ich...*"

Er hält kurz vor dem Flur. *Zwei* Männer sind dort, einer jünger, der andere älter. Sie schreien sich gegenseitig an. Frenetische Bewegungen. Der ältere verschwindet durch die Hintertür. Der jüngere ... ein Mann mit einer Narbe ... kniet über seiner Mutter, Marcus ist starr vor Schreck. „*Mama?*" Der Mann mit der Narbe rennt dem älteren hinterher. „*Mama?*" Er sieht das Blut, die toten, starrenden Augen ... er weicht zurück ... verfolgt den Mann nicht, sieht nicht, ob seine Mutter tot oder lebendig ist, kann das Geschehen nicht verarbeiten, weiß nur, er muss fliehen. Lauf, Marcus, lauf, so schnell du kannst, so weit weg du kannst.

Ging er zu den Nachbarn? Rief er die Polizei? Machte er irgendetwas außer Rennen? Fliehen. Vor dem Trauma fliehen. Vor der Schuld fliehen. Vor der Schmach fliehen.

„Du warst erst 16", will Ben seinen Freund trösten, als Marc sich ihm öffnet. „Was du sahst, war schrecklich. Du hättest nichts unternehmen können. Zwei Männer, deine Mutter, die tot daliegt. Sie hätten vielleicht auch dich getötet."

„Ich hätte sie beschützen sollen. Wie kann ich das je vergessen? Ich wünschte, ich hätte mich nie daran erinnert. All die Jahre konnte ich mich an nichts, außer den Mann mit der Narbe, erinnern. Jahre der Therapie, bei McMillan, nichts."

„Sagtest du McMillan? Dr. Victor McMillan? Den Mann dessen Leiche sie auf dem Anwesen der Ibarras fanden? Er war Anabel Ibarras Arzt."

„Ja. Aber das wusste ich da noch nicht. Und auch sie wusste nicht, dass ich bei ihm in Therapie war. Bitte, Ben. Erzähl mir nichts von Anabel oder ihrer Familie. Nicht jetzt."

Ben sieht, was sein Freund durchmacht, deshalb bringt er es nicht übers Herz, ihm zu sagen, was er auf dem Band hörte, über das Feuer, über Miguel, darüber, was für eine verdorbene, heimtückische

245

Familie die Ibarras sind, vor der er Marc schon vorher warnen wollte. Was brächte es, ihm das jetzt zu sagen, außer dass ihm das noch einen Stich ins Herz versetzt. Das Tonband kommt vielleicht nie ans Tageslicht. Er wartete immer noch darauf, dass es zugelassen wird. Dennoch, er schwört sich, Marc von den Ibarras fortzuschaffen, besonders aber von Anabel. Die Gelegenheit wird sich bieten, da ist er ganz sicher.

„Das werde ich nicht", verspricht Ben. „Aber bleibe, zu deinem eigenen Besten, dem Gerichtssaal und Ibarras Verhandlung fern. Das könnte dich quälen."

KAPITEL EINUNDZWANZIG

BEN HAT ERFOLG BEI EINEM BUNDESRICHTER, der die einstweilige Verfügung nochmals prüfte und die Tonbandaufnahme kann nun als Beweismittel genutzt werden. Normalerweise wäre eine Tonbandaufnahme nicht zulässig, wenn die Person auf dem Band nichts davon wusste oder diese nicht zustimmte. Was es noch riskanter machte, war, dass die Aufnahme Teil einer privaten Psychotherapiesitzung war und deshalb die ärztliche Schweigepflicht griff. Jedoch war der Arzt, der diese Sitzung aufzeichnete, das Mordopfer und möglicherweise könnte man annehmen, das Band enthalte Beweise von Verbrechen, die von der aufgezeichneten Partei oder einer anderen involvierten Partei begangen wurden. Deshalb hat das Gericht gegen die einstweilige Verfügung entschieden.

Ben wusste, das Beweismittel konnte manipuliert worden sein. Dante arbeitete für Madalena, Marc *und* Ben, zur selben Zeit, als er das Band der Anklage vorlegte, und das könnte zu einem Interessenkonflikt führen.

Ben und Dante wägen in einem privaten Gespräch das Für und Wider ab, sollte Dante als Zeuge geladen werden.

„Nirgendwo im Gesetz steht, dass es verboten ist, für verschiedene Mandanten zu arbeiten, die nach Informationen über dieselbe Person suchen, jedoch aus unterschiedlichen Gründen."

Dante wirft ein: „Was ein Ermittler aus ethischen Gründen nicht verwenden darf, sind Informationen, die er erhielt, als er gegen eine Seite arbeitete, damit er von Arbeit für die andere Seite profitierte."

Ben merkt an: „Interessanterweise gibt es auch dagegen kein Gesetz, aber ein Privatdetektiv, täte er das, könnte leicht von der einen oder der anderen Seite verklagt werden, weil er den Vertrag oder die Schweigepflicht brach."

„Und auch die Zulassung könnte er verlieren, wenn die Informationen, die er preisgab, das Anwalt-Mandanten-Verhältnis verletzten."

„Bis jetzt passierte nichts dergleichen im Fall Ibarra", sagt Ben etwas erleichtert. „Nichts, das du Madalena Ibarra über die Machenschaften ihrer

Familie anvertraut hast, überschneidet sich mit dem Fall McMillan. Oder?"

„Nein."

„Läuft der Vertrag mit ihr noch immer?"

„Nein, ich schloss den Fall und informierte sie darüber."

„Was ist mit Marcs Fall?" Haben Sie etwaige Informationen über Miguel Ibarra mit ihm ausgetauscht, die mit der Fahrerflucht zu tun hatten, für die Parsons ins Gefängnis kam?"

„Nein, nichts. Erstens habe ich keine stichhaltigen Beweise, dass Miguel darin verwickelt ist, ganz gleich, was Anabel auf dem Band sagte. Zweitens ist Marc mehr auf Miguel als einem Beteiligten am Mord seiner Mutter konzentriert. Aber er hat nur die medizinischen Aufnahmen von Miguel, der jetzt Michael Barron ist, vor und nach der Operation. Und dennoch, diese Beweise würden vor Gericht nie standhalten."

Ben lehnt sich zurück und starrt an die Decke, teils erleichtert über Dantes Einschätzung, teils unsicher, ob nicht ein Konflikt zutage trat oder die Ethik verletzt wurde. Er muss aber so tun, als wäre das nicht geschehen.

IN EINEM ANSCHLIESSENDEN Gespräch zwischen Richterin Hiller und Ben Parker fragt die Richterin, wie Ben an das Band kam. „Ich weiß, das höhere

Gericht wertete es als zulässig, ich bin aber noch immer nicht sicher, wie es in den Fall passt, also habe ich es noch nicht angehört."

Ben erklärt, dass sein Detektiv die Praxis des Arztes nach Beweisen durchsuchte, die die Spurensicherung übersehen haben könnte."

„Ich möchte das von Ihrem Detektiv hören und der Verteidigung die Chance zum Kreuzverhör geben."

Dante wird vereidigt und nimmt im Zeugenstand Platz. Der Verteidiger spricht ihn an: „Nennen Sie bitte dem Gericht Ihren Namen."

„Dante Monroe."

„Und Sie sind ein zugelassener Privatdetektiv in San Diego County." Es ist mehr eine Feststellung als eine Frage.

„Ja, bin ich."

„Und wie kam es, dass Sie die Staatsanwaltschaft beauftragte, am Fall McMillan zu arbeiten?"

„Ich führte für Parker eine Untersuchung durch, ein paar, als er als Unternehmensanwalt arbeitete, wobei ich Hintergrundinformationen und Geldanlagen untersuchte. Er kannte mich und meinen Ruf."

„Und das erste, das er Ihnen spontan gibt, ist ein Mordfall und die Anweisung, Beweise zu finden, die existieren oder auch nicht?"

„Einspruch, Euer Ehren. Mutmaßung der Verteidigung."

„Abgelehnt", antwortet Farmer. „Was haben Sie in diesem Fall für die Verteidigung getan, Mr. Monroe?"

„Mr. Parker bat mich, Dr. McMillans Praxis zu durchsuchen, um zu schauen, ob es Beweismittel gab, die die Spurensicherung vielleicht übersehen hat."

„Also glaubte Mr. Parker, Sie seien als Privatdetektiv besser als die Polizei oder diejenigen, die für die Staatsanwaltschaft arbeiten."

„Einspruch. Wieder Spekulation."

„Stattgegeben. Kommen Sie zum Punkt, Mr. Farmer."

„OK. Dann komme ich zum Punkt. Sie gingen an einen Tatort, natürlich mit der Zustimmung von Mr. Parker, dieses Büro zu durchsuchen, dort fanden sie im Schreibtisch des Arztes verschiedene Zeitungsausschnitte. Dann gingen Sie noch weiter, öffneten einen Wandtresor mit einem Schlüssel, den Sie in der Schreibtischschublade fanden und fanden genau das richtige Band mit der Aufnahme eines Patienten, der zufällig mit dem Angeklagten verwandt ist. Korrekt?"

„Kling soweit alles richtig."

„Genau so war es, Mr. Monroe. Sagen Sie mir, woher wussten Sie, dass es das richtige Band war?"

„Nun, ich wusste nicht, dass es das „richtige" Band war, denn ich hatte keine Ahnung, was sich darauf befand. Aber dem Polizeibericht nach zu urteilen, hatte Ms. Anabel Ibarra zugegeben, den Toten zu kennen, als seine Leiche im Anwesen ihres Vaters, des Angeklagten, gefunden wurde, dann hatte sie ausgesagt, er sei ihr Arzt gewesen. Ich hatte keine Ahnung, dass überhaupt Aufnahmen existierten, bevor ich den Tresor öffnete."

Ben hatte genug gehört. „Euer Ehren, Mr. Farmer mutmaßt hier nur. Wir haben schon gehört, dass Mr. Monroe von mir mit den Nachforschungen beauftragt wurde und haben die Beweise der Verteidigung und dem Gericht vorgelegt."

„Entschuldigung, Euer Ehren." Farmer hatte diesen Einspruch erwartet, beabsichtigt aber, einen Fall gegen Monroe und Parker zu schaffen. „Mit Erlaubnis des Gerichts hätte ich noch eine letzte Frage, dann bin ich fertig, fürs erste."

„OK, fahren Sie fort, Mr. Farmer. Aber machen wir es kurz.

„Wussten Sie, Mr. Monroe, überhaupt etwas über Anabel Ibarra oder Amador Ibarra oder die Familie Ibarra, das Familienunternehmen oder über sonst irgendwelche vorigen Informationen, auf die sich die Anklage der Staatsanwaltschaft stützt?"

„Einspruch!" Das ist gefährliches Terrain und ich kann nicht zulassen, dass Dante antwortet. „Wieder eine Mutmaßung. Das hat nichts mit dem gegenwärtigen Fall zu tun. Die Ibarras sind in

Kalifornien sehr bekannt und diese Frage ist irrelevant."

„Stattgegeben. Sie sind hier fertig, Mr. Farmer."

„Ich habe an Mr. Monroe keine weiteren Fragen, Euer Ehren."

„Der Zeuge möge vortreten. Rufen Sie Ihren nächsten Zeugen auf, Mr. Farmer."

„Die Verteidigung ruft Señora Madalena Ibarra auf."

Das verblüfft Ben. „Ich sah sie nicht auf der Zeugenliste, Euer Ehren. Und ich wurde darüber nicht informiert. Señora Ibarra sagte für uns bereits unter Eid aus und sie sah nichts, was nicht schon von anderen Zeugen bestätigt worden wäre."

„Euer Ehren, ich glaube, sie hat weitere Informationen, die direkt mit dem Fall der Anklage gegen meinen Mandanten in Verbindung stehen und einige Beweise wurden noch nicht vorgelegt."

„Einspruch!" Ben fühlt sich hintergangen. „Wie könnt ihr sie über Beweise befragen, die noch nicht mal vorgelegt wurden und von denen ich nichts weiß?"

Hiller stimmt zu. „Ja, das ist höchst ungewöhnlich, Mr. Farmer. Sie hielten ihre erneute Vorladung vor der Anklage geheim, nun wollen Sie noch überraschend Beweise einreichen?"

„Bei allem nötigen Respekt, die kommen nicht wirklich überraschend. Es hat mir der Tonbandaufnahme zu tun. Sie wurde zwar offiziell zugelassen, Euer Ehren, Sie sehen diese aber sicher mit anderen Augen, wenn sie nach der Aussage von Mrs. Ibarra in diesem Gerichtssaal abgespielt werden."

„Sie bewegen sich hier auf sehr dünnem Eis, Mr. Farmer. Ich nehme Ihnen sofort den Wind aus den Segeln, wenn sie eine rote Linie überschreiten."

„Danke, Euer Ehren."

Madalena wird in den Gerichtssaal gerufen. Sie streift herein und hat nur eines im Sinn: Ihre Kinder zu beschützen und Anabels Psychotherapiesitzung nicht zur Sprache zu bringen. Sie hatte Farmer ersucht, sie als Zeugin zu benennen und ihm gesagt: „Amador hat sich mehr Verbrechen schuldig gemacht, als sie ahnen. Er ist mir so egal, wie nur was, aber ich muss meine Kinder beschützen. Sie können es nicht zulassen, dass er durch dieses Band in irgendeiner Form belastet wird."

Farmer fragt: „Señora, haben Sie irgendwann in ihrem Leben den Privatdetektiv Dante Monroe getroffen?"

„Ja, das habe ich. Eigentlich habe ich mit ihm telefoniert."

„Wegen was?"

„Ich nahm eine Zeit lang seine Dienste in Anspruch."

„Als Ermittler?"

„Ja."

„Weswegen sollte er ermitteln?"

„Ich war lange Zeit von meiner Familie getrennt, ich wurde von meinem Ehemann, Amador Ibarra, nach Spanien gebracht."

„Einspruch. Irrelevant."

„Das lasse ich noch einmal durchgehen, Mr. Parker. Aber Sie, Mr. Farmer, hörten, dass ich sie warnte, sich auf das Wesentliche zu konzentrieren."

„Ja, Euer Ehren." Zu Madalena sagt er: „Und weswegen brauchten Sie seine Dienste?"

„Ich wollte aus erster Hand wissen, wie es meiner Familie geht, meinen Kindern und was ihr Vater vorhatte. Ich gebe zu, das war allein für mich."

„Und, um es kurz zu machen, Mr. Monroe sollte über alles Wichtige, das er herausfinden konnte, berichten?"

„Ja."

„Und hat er das?"

„Nein. Nichts, was er mir mitteilen konnte, hatte ich schon vorher in Zeitungsartikeln gelesen oder von Consuela, meiner Schwiegermutter, gehört."

„Hatten Sie gehofft, er würde etwas herausfinden? Wollten Sie Ihrem Ehemann irgendwie schaden?"

„Ich gebe zu, ich bin abgehärtet und könnte ruhig schlafen, wenn Amador etwas getan hätte, für das er bestraft gehört, aber hauptsächlich wollte ich sicher sein, dass weder mein Sohn noch meine Tochter in Gefahr geraten."

„Also beauftragten Sie Dante Monroe. Wussten

Sie, dass er auch für andere Leute arbeitete, die Informationen über Ihre Familie wollen könnten?"

„Nein, zu der Zeit nicht."

Ben unterbricht: „Das führt uns keinen Schritt weiter. Warum sitzt diese Zeugin hier?"

Richterin Hiller will das auch wissen. „Sie haben noch eine Chance, Mr. Farmer."

„Also wussten sie tatsächlich nicht, dass Dante Monroe gleichzeitig für den Anwalt Marc Jordan, den Verlobten Ihrer Tochter, und den Staatsanwalt Ben Parker, der ihn beauftragte, den Fall gegen ihren Mann zu übernehmen, arbeitete?"

„Nein. Bis vor kurzem nicht."

„Nochmals Einspruch. Es ist weder ungewöhnlich noch regelwidrig, wenn ein Privatdetektiv für mehrere Klienten arbeitet, die beiderseitiges Interesse an Informationen haben, die er zutage bringen könnte."

Farmer erwidert: „Ist es doch, wenn Informationen ans Licht kommen, während man gegen die eine Seite zum Nutzen der anderen arbeitet."

„Ich habe keine Ahnung, wovon Sie reden, Farmer. Und vermutlich Sie auch nicht. Diese ganze Aussage, die nicht zum Fall gehört, sollte nicht gewertet werden."

„Meine Herren!", unterbricht Hiller, deren Geduld an ihre Grenzen stößt. „Die Zeugin ist entlassen und Sie beide spreche ich im Richterzimmer."

Farmer beschuldigt Dante, anderweitige Motive zu haben wegen persönlichen und beruflichen Interessenkonfliktes, und verlangt, dass das Band, das eingereicht werden sollte, eine verbotene Frucht ist.

„Es geht ums Motiv, Euer Ehren", argumentiert Ben. „Amador Ibarra tötete Victor McMillan, weil dieser Beweise gegen seine Kinder hatte für Verbrechen, die sie vor Jahren begingen."

„Der Staatsanwalt plustert sich nur auf und spekuliert über Fakten, für die er keinerlei Beweis hat. Die Tonbandaufnahme kann nicht als Motiv gewertet werden, denn Señor Ibarra hatte sie, bis vor kurzem nicht einmal gehört."

„Aber er wusste, dass sie existiert, nachdem ihn McMillan daheim zur Rede stellte."

„Das können Sie nicht mit Fakten untermauern! Tatsächlich haben Sie überhaupt keine Fakten, um Ihr Konstrukt zu stützen."

„Nur den Fakt, dass Dr. McMillans Leiche unter einem Haufen Dreck und Zement auf dem Anwesen der Ibarras gefunden wurde, wobei seine Kleider Haare und Fasern aufwiesen, die Amador Ibarra zugeordnet werden konnten. Es ist außerdem ein Fakt, dass mein Ermittler den Zeitungsausschnitt über den Tod von McMillans Schwester fand. Sie kam bei einem Unfall mit Fahrerflucht ums Leben, von dem auf der Aufnahme die Rede ist, die zu Ibarras Sohn, Miguel, führte."

„Ich erhebe Einspruch gegen diese Verleumdung, Richterin!", schreit Farmer, der ganz rot im Gesicht ist. Hiller möchte Ben schon aufhalten, verfällt dann aber in einen leidenschaftlichen Monolog.

„Nicht zu vergessen, ein echt grausiges Verbrechen, begangen von seiner Tochter, Anabel. Vertuschung, ganz einfach. Was werden wir sonst noch finden, wenn wir weiter im Sündenregister dieser Familie bohren? Warum hatte selbst Madalena Ibarra Zweifel an der Aufrichtigkeit und Unschuld ihres Mannes und der Kinder, so viele Zweifel, dass sie Dante Monroe anheuerte, sie zu überwachen? Ich glaube wirklich, wenn wir sie nochmals befragen, unter Eid, wird sie zugeben, dass dies der wahre Grund war, einen Privatdetektiv anzuheuern."

Farmer keift: „Jetzt hält der Staatsanwalt sein Plädoyer. Kommen Sie, Euer Ehren. Das sollte alles gestrichen werden."

„Ich will das Band selbst hören und dann entscheiden. Die Verhandlung ist für heute geschlossen."

BEN KANN SICH NICHT ENTSCHEIDEN, ob er Madalena ins Kreuzverhör nehmen oder es dabei belassen soll. Befragt er sie weiter, könnte er leicht die Verbindung zwischen Dantes Ermittlungen für sie und für Marc aufdecken, was dann den Fall Parsons aufs Spiel setzen würde. Was genau ist Marcs Fall? Gibt es irgendeinen Beweis, dass Miguel wirklich der Mann ist, der als Jugendlicher Angela Bolane, McMillans Schwester, totfuhr? Er konnte nur beten, dass Dante bald etwas findet und das es solide und unwiderlegbar ist.

Ben hatte Marc versprochen, Anabel nicht in den Zeugenstand zu rufen, sondern nur ihre Aussage unter Eid als Beweis her zu nehmen, es sei denn, etwas geschieht, das es nötig macht, dass sie bei Gericht erscheint. Bis Richterin Hiller dieses Band als Beweis zulässt, wenn sie es denn tut, kann er es sich sparen, Anabel in den Zeugenstand zu rufen und Marc noch einen Tag vor der Wahrheit retten.

RICHTERIN HILLER hört sich die Aufnahme gebannt an, notiert sich hin und wieder etwas, verzieht beim Narrativ von Franco Jourdain als Opfer das Gesicht, lehnt sich dann, als alles vorbei ist, zurück und denkt über den Inhalt nach. Sie hatte in ihrem Gerichtssaal weit verstörendere Schilderungen gehört, von obszönen und grauenhaften Verbrechen, begangen von Psychopathen an unschuldigen Opfern. Aber dass sie die persönlichen Erinnerungen einer Patientin, die unter Hypnose steht, hört, kommt nicht alle Tage vor. Was Anabel angeht, könnte es reine Fantasie sein, Halluzinationen oder verkommenes Wunschdenken, während sie in einer anderen Welt ist. Sicher wird man das nie wissen, denn der Psychiater ist tot und Anabel kann sich vermutlich nicht einmal daran erinnern, was sie in Trance sagte.

Zoey Hiller fragt sich, was Marc Jordan an all dem für ein Interesse hat und inwieweit er involviert ist, nicht nur als Anabel Ibarras Verlobter und was Dante Monroe über ihn herausfand. Clive Parsons gegen den Staat Kalifornien wird von Richterin Hiller bearbeitet, also macht Richterin Hiller bei ihrem Juristenkollegen einen Termin, damit sie im Bilde ist.

„Wir haben Fälle, die sich auf seltsame Weise überschneiden", gibt Larimer zu. „Bis jetzt gibt es keinerlei Beweise, keine Augenzeugen, die sagen könnten, wer bei dem Unfall mit Fahrerflucht, bei dem Angela Bolane, Dr. McMillans Schwester, starb, wirklich das Auto fuhr. Jordan und sein Privatdetektiv ermitteln noch immer."

„Und auf der Aufnahme von Anabel Ibarra gibt es nichts, das bei diesem Verbrechen speziell auf ihren Bruder deutet", ergänzt Hiller. „Aufgrund ihres unverantwortlichen Verhaltens und der Tatsache, dass ihr Vater Miguel sie aus der Schusslinie holen will, geht sie nur davon aus, dass er irgendwie damit zu tun hat. Es ist offensichtlich, dass hier Geschwisterrivalität eine Rolle spielt."

Larimer überlegt sich das, neigt den Kopf vor und zurück und wägt das Für und Wider ab, wenn er das Band anerkennt. „Gut möglich", antwortet er und stimmt damit der Theorie der Geschwisterrivalität indirekt zu. „Diese Bombe könnte aber beide Fälle sprengen. Ich bin geneigt zu sehen, wohin das führt, aber es ist an Ihnen."

KAPITEL ZWEIUNDZWANZIG

Richterin Hiller berichtet den Parteien, die nun vor ihr stehen: „Ich befinde, dass Dante Monroe nichts Unehrenhaftes tat, als er für Madalena Ibarra arbeitete, denn die Informationen, die er ihr mitteilte, waren unbedeutend und hatten weder mit dem Fall Parsons, noch mit dem Fall McMillan etwas zu tun. Indem er gleichzeitig für Rechtsanwalt Jordan und Staatsanwalt Parker arbeitete, konnten seine Ermittlungsergebnisse benannter Parteien aufs Spiel setzen, denn ein Ergebnis in einem Fall, könnte Auswirkungen auf einen anderen haben. Deshalb kann ich es nicht zulassen, dass die Tonbandaufnahme als Beweis dient. Sie müssen mit den Beweisen weitermachen, die Sie tatsächlich haben, Mr. Parker. Wenn Sie das nicht schaffen, dann müsste ich auf einen fehlerhaft geführten Prozess in Kalifornien, bei dem Amador Ibarra für den Tod von Dr. Victor McMillan verantwortlich ist, schließen."

Ben und Parker haben beide Einwände gegen das Ende eines fehlerhaft geführten Prozesses. Farmer will einen Freispruch erster Klasse und pocht auf Notwehr, mit der sein Mandant den Tod von Victor McMillan verschuldete. Ben Parker will die Option, den Fall neu aufzurollen, sollte ein fehlerhaft geführter Prozess ausgerufen werden. Ibarra hatte haufenweise Motive, den Arzt zu töten und es Notwehr zu nennen, nachdem er den Mann auf seinem Grundstück in einer Baugrube verbuddelte, ist absurd.

„Zum jetzigen Zeitpunkt kann ich ihn nicht freisprechen", sagt Hiller. „Es gibt zu viele Graubereiche. Ich gehe aber davon aus, die Staatsanwaltschaft gibt sich Mühe, stichhaltige Beweise zu finden, die über die bloße Annahme hinausgehen, dass das Band mit Ibarras Geständnis Grund und Motiv für den Angeklagten waren, Victor McMillan zu ermorden."

„Wir behaupten, es wird ein doppeltes Spiel gespielt, wenn die Staatsanwaltschaft entscheidet, den Fall neu aufzurollen und wehren uns dagegen."

„Nur nicht so überheblich, Kollegen. Ich gebe Ihnen noch eine letzte Gelegenheit, ihren Standpunkt klar zu machen. Wir sehen uns wieder nächsten Montag, 10:00 Uhr. Die Verhandlung ist geschlossen.

———

Clive Parsons konnte nur sagen: „Es ist 15 Jahre her. Er könnte es aber sein." Er schaut sich die Fotos von vorher und nachher nochmals an. „Er könnte es sein. Beschwören würde ich das aber nicht. Ich wünschte, ich könnte. Es wäre mir ein Vergnügen, diesen Punk zu Fall zu bringen und ihm seine Karriere zu ruinieren, wie er mein Leben ruinierte."

„Und Sie sind sich sicher, es gibt keine Zeugen für ihre Geschichte?", fragt Dante.

„Niemand hat je einen gefunden. Es war dunkel, fast Mitternacht, also überrascht mich das nicht."

„Der Barkeeper rief den Notruf", sagt Dante aus. „Den Berichten nach zu urteilen, gab es keine weiteren Anrufe."

„Das sagten die Bullen."

„Eine Sekunde", entschuldigt sich Dante, als sein Handy klingelt. Der Privatdetektiv schaut erleichtert, da läuten bei Parsons die Alarmglocken und er beugt sich vor.

„Entschuldigung, dass es so lange dauerte", sagt Dantes Busenfreundin. „Ich bin untröstlich. Aber ich untersuchte nochmals den Fleck auf dem T-Shirt und verglich ihn mit DNS-Spuren anderer Fälle. Sie sind identisch mit der DNS von Amador Ibarra, das heißt, er persönlich muss es nicht gewesen sein, es könnte auch ein Verwandter sein.“

„Wie nahe verwandt?“

„Vater und Sohn.“

„Ich liebe dich, Hannah! Frage deine Freundin, ob ich dir einen Drink spendieren darf. Oder einen BMW.“

„Was ist es?“, fragt Clive jetzt ganz ungeduldig.

„Kurze Unterbrechung, guter Mann“, meint Dante, sammelt die Akten und schlägt, auf dem Weg raus aus dem Besucherraum, bei Parsons ein. Parson ist beschwingt, weiß aber nicht, warum.

WHITEYS WERKSTATT wurde von Whitey selbst vor ein paar Jahren, ausgehoben. Seine „Nebentätigkeiten“ erlangten zu viel Aufmerksamkeit und hatten zu viele ungerechtfertigte Durchsuchungen zur Folge, welche die Polizei zum Glück kein Stück weiterbrachten. Da er immer eine legale Karosseriewerkstatt führte und seine Arbeit modern war, konnte er sich ein profitables Geschäft aufbauen.

Der Hintereingang, eine breite, automatische Tür, die einst einen Code hatte, um die Leute einzulassen, steht jetzt ganz offen. An mehreren großen Gestellen arbeiten Handwerker, reparieren, lackieren und restaurieren verschiedene Modelle.

Das alles wird ordnungsgemäß bezahlt, nämlich mit den horrenden Arbeitsstunden, die Whitey seiner Kundschaft in Rechnung stellt.

Dante findet Whitey bei der Arbeit, wie er die Bücher bilanziert, nicht manipuliert wie einst. Er stellt sich vor und zeigt dem Automechaniker die Fotos in Parsons' Akte, die einen Pagani Zonda C12S zeigen.

„Der wurde in einer Gasse, ein paar Blocks von Ihrer Garage gefunden. In dieser Nacht war dieses Auto in einen Unfall mit Fahrerflucht verwickelt. Dabei kam vor der Bar, in die Clive Parsons ging, eine Frau zu Tode."

Whitey zuckt. „Weshalb hat mich das zu interessieren?"

„Tun Sie nicht so, als wüssten Sie das nicht mehr, denn ich weiß, dass Clive Parsons in dieser Nacht das Auto zu Ihnen brachte. Er hatte es zuvor gestohlen, wollte schnelles Geld machen und hoffte, das Auto würde von der Bildfläche verschwinden."

„Das ist ein einzigartiges, kleines Gefährt", gibt Whitey zu. „Wie könnte ich das vergessen?"

„Das Auto ist eines von wenigen, die man in den USA nicht fahren darf. Wissen Sie, warum?"

„Klären Sie mich auf."

Dante antwortet, als lese er aus einem Regelwerk: „Weil es nie einem Crashtest unterzogen wurde und das ist in den USA für alle Autos, die regulär verkauft werden sollen, erforderlich. Warum sollte man das riskieren?"

„Ich weiß nicht, wonach Sie hier suchen. Ich habe aber keine Zeit für derlei Ratespielchen. Außerdem ist es 15 Jahre her. Ich kann mich kaum erinnern, was ich letzte Woche tat." Whitey dreht seinen Stuhl um, versucht aufzustehen und möchte das Gespräch beenden.

Dante stellt sich ihm in den Weg und tippt mit dem Zeigefinger auf seine Brust, was heißen soll, er ist nicht in der Stimmung, um den heißen Brei zu reden. „Ich spaße nicht herum, Whitey. Ich weiß, Sie verkauften Amador Ibarra dieses Auto für seinen Sohn Miguel. Allein dafür könnten wir Ihnen den Laden dicht machen."

Whitey erwidert: „Schauen Sie, ich bin jetzt sauber ..."

„Genau", sagt Dante ruhig, gibt ihm eine letzte Chance und setzt sich. „Also sagen Sie mir, was ich wissen muss, sonst können Sie ihren Anwalt anrufen."

„Ja, gut", beginnt Whitey und fährt fort: „In meinem früheren Beruf verkaufte ich ein paar Autos. Ibarra war ein Kunde. Er wollte ein Statussymbol für sein Kind. Es war eine Fälschung, kein richtiger Z. Sie kriegen mich also nicht dran, weil ich etwaige „NHSTA-Regeln" brach", sagt er und deutet Anführungszeichen an. „Ibarra zahlte mir 100 Riesen. Die Echten kosten fast das Vierfache. Das störte ihn nicht. Das Bild sollte stimmen. Ich war sehr überrascht, als Bulldog, so nennt man ihn, das Auto in meinen Laden brachte. Ich konnte die Geschichte, die er mir erzählte, wie er zu dem Auto kam, kaum glauben, aber er wollte Geld. "

„Aber Clive wurde nie bezahlt. Man griff ihn am nächsten Morgen auf, nachdem die Bullen das abgestellte Auto fanden. Warum sollte jemand so eine Schönheit abstellen? Warum es nicht auseinandernehmen und die Teile verkaufen? Oder warum nicht Ibarra sagen, wo es sich befand?"

An Whiteys Schweigen und seiner Körperhaltung sieht Dante alles, was er wissen muss. „Sie riefen ihn doch an, nicht? Und er sagte Ihnen was zu tun war, oder? Das Auto war blitzsauber, die Fingerabdrücke abgewischt, die Nummernschilder abmontiert, die Fahrzeug-Identifikationsnummer ausgebrannt. Aus irgendeinem Grund wollten Sie, dass das Auto gefunden wird und Clive als Sündenbock herhalten muss. Hat Ibarra Sie bezahlt, Clive ans Messer zu liefern, dass sein Sohn heil aus der Sache herauskommt?"

Whitey antwortet reumütig: „Ich hatte keine Ahnung, dass das Auto in einen Unfall mit Fahrerflucht verwickelt war, bei dem auch noch jemand starb. Ich tat nur einem Kunden, dessen Sohn in Schwierigkeiten steckte, einen Gefallen. Er sagte mir, der Junge sei betrunken gewesen, streifte ein Auto und jemand sah ihn, weswegen er verschwand. Da kam Bulldog gerade recht. Und wie Sie sagten, ich wischte es sauber, sodass man keine Fingerabdrücke mehr erkannte."

„Die Außenseite haben Sie übersehen. Auf der Motorhaube war ein Handabdruck mit Blut. Ich glaube, den ließen Sie absichtlich drauf. Einen Abdruck, der zu Clive Parsons führen würde. Sie haben mitgeholfen, eine Straftat zu vereiteln. Man könnte sie anklagen wegen Behinderung der Justiz, ganz zu schweigen von den Strafen, weil sie mit gestohlenen Autoteilen handelten. Sie stecken schön in der Klemme, Whitey."

„Clives Aussage steht gegen meine, oder nicht?"

„Sie wissen es besser. Hinter Ihnen bin ich nicht her. Clive hat 15 Jahre unschuldig im Gefängnis gesessen. Und Sie halfen dabei. Ich möchte, dass Sie bei seiner Vernehmung aussagen. Das sind Sie ihm schuldig."

Whitey rutscht in seinem schönen neuen Lederstuhl hin und her, wägt sämtliche Folgen, alles Für und Wider ab. Er schaut sich seine gehobene Werkstatt mit der brandneuen Einrichtung an und denkt an den schäbigen Kerker, in dem er einst arbeitete. Er denkt an all die heißen, geilen Frauen, die er im Adressbuch stehen hat, jetzt, da er im Geld schwimmt. Das alles könnte er verlieren und für Jahre in den Bau wandern. Er schaut Dante direkt in die Augen. „Nur, wenn wir übereinkommen."

„Ich sehe, was sich tun lässt."

KAPITEL DREIUNDZWANZIG

EINE SCHAR HOFFNUNGSVOLLER SPIELER SÄUMT das Casino, die Spielautomaten klingeln, Gewinne werden ausgezahlt. Nummern beim Keno, bei Craps sowie beim Roulette werden ausgerufen und die Croupiers ziehen das Geld für das Haus ein. Abseits des Lärms, hinter den verschlossenen Türen des größten Separees, sind hunderte von Fans und dämpfen ihre Anspannung mit Alkohol und Reden. Das Konzert des Latin-Pop-Stars Michael Barron beginnt mit Orchestermusik, abgestimmten, bunten Lichtern und einer Feuerwerkskanone, worauf das Publikum ausgelassen jubelt.

Barron tänzelt auf die Bühne, singt einen Hit nach dem anderen und labt sich in der Bewunderung wie eine Biene am Nektar. Es lässt sich nicht abstreiten, er hat Ausstrahlung und Talent. Es lässt sich nicht abstreiten, sein Gesicht, das einst vernarbt war, ist das Gesicht, das in Marc Jordans Kopf immer wieder abläuft wie ein Film. Und jetzt, in Großaufnahme, auf riesigen Bildschirmen, ist dieses Gesicht makellos, genau wie auf den Aufnahmen aus seiner Krankenakte.

„Bist du sicher, du bist deshalb hier?", fragt Dante Marc besorgt. Er kann sich kaum vorstellen, wie schwierig es für ihn werden wird, zu sehen, wie der Bruder seiner Verlobten in Handschellen abgeführt wird, sobald die Show vorbei ist.

„Das schulde ich meinem Mandanten." *Und Angela Bolane und Dr. McMillan. Und meiner Mutter.*

Groupies und Bühnenpersonal werden von Kommissaren in Zivil aus der Umkleidekabine geworfen, was Barron und seinen Agenten verwirrt.

„Wer sind Sie? Was geht hier vor?"

Sie zeigen ihre mi finsteren Minen ihre Dienstmarken, ihr Puls rast. „Sind Sie Michael Barron, alias Miguel Ibarra?"

„Was soll das alles?"

„Beantworten Sie die Frage, bitte. Sind Sie Michael Barron, alias Miguel Ibarra?"

Barron steht auf und wirft sein Handtuch auf den Boden. „Der bin ich."

„Sie haben das Recht, zu schweigen. Sollten Sie von diesem Recht keinen Gebrauch machen, kann alles, was sie sagen, vor Gericht gegen Sie verwendet werden. Sie haben das Recht auf einen Anwalt und ein Anwalt darf bei der Vernehmung dabei sein."

„Kommt Leute", versucht Roberto die Polizei und seinen Klienten zu beruhigen, man befiehlt ihm aber, zur Seite zu treten. „Wenn das eine Beschwerde wegen sexueller Belästigung ist oder es um einen enttäuschten Fan geht, der kein Autogramm ..."

Man befiehlt Barron, die Hände hinter den Rücken zu nehmen und Handschellen werden ihm angelegt. „Sie sind verhaftet wegen eines Unfalls mit Fahrerflucht, bei dem Angela Bolane zu Tode kam."

„Wer ist Angela Bolane, zum Teufel? Michael, was soll das alles? Kennst du diese Frau."

„Ich habe keine Ahnung, wer sie ist, Roberto. Ruf meinen Anwalt an."

Nach der Anhörung wird Barron auf Kaution freigelassen, er darf den Staat nicht verlassen, bekommt Hausarrest und darf das Anwesen der Ibarras nicht verlassen. In der Klatschpresse überschlägt man sich mit Mutmaßungen und haltlosen Spekulationen. Michael Barrons wirkliche Identität und seine Beziehung zu Amador Ibarra kommt ans Licht. Amador Ibarra steht immer noch unter Verdacht, Victor McMillan ermordet zu haben, was Michaels hart erarbeiteten Erfolg als Sänger beschmutzt.

Miguel flucht: „Zum Teufel mit dem elenden

Pop und auch mit dir, Mutter. Wie konntest du das zulassen? Ich bat dich um Hilfe, aber du hast sie mir nicht gewährt!"

„Das ist nicht meine Schuld, Miguel. Nichts von alldem. Du und dein Vater haben etwas Grauenvolles getan, von Anfang an, als ihr sein Verbrechen vertuscht habt, anstatt zur Polizei zu gehen. Ganz zu schweigen davon, dass ihr mich angelogen und um Hilfe angefleht habt. Jetzt, da sie deine DNS und deine Fingerabdrücke haben und auch dank deines Vaters wurdest du identifiziert. Und vergiss nicht: Ein anderer saß für dich im Gefängnis, 15 Jahre, wegen etwas, das du getan hast."

„Das wollte ich nie. Ich bat nur Papa um Hilfe. Ich wollte nie, dass jemand stirbt. Und ich wollte nie, dass ein anderer für mein Verbrechen büßt!"

„Du wolltest nur einfach nicht selbst dafür geradestehen, wie so oft."

„Wäre nicht meine verrückte Schwester und ihre kranken Tiraden auf dem Band gewesen, hätte mich nie jemand verdächtigt. "

„Es wäre früher oder später herausgekommen. Nun müssen wir uns überlegen, was wir tun", drängt Madalena.

„Nicht nur das müssen wir uns überlegen, Mutter. Du hast etwas, das mir noch größeren Ärger bereiten könnte, wenn das überhaupt möglich ist."

„Es ist an einem sicheren Ort. Vorerst", betont sie. „Aber sag mir die Wahrheit, Miguel. Ich bin deine Mutter und liebe dich, weiß aber über so vieles immer noch nicht Bescheid. Bitte sag mir, was wirklich geschah."

Miguel erzählt ihr alles, das er weiß, von dem Tag, als Helena Morales starb, wie er es für seinen Vater vertuschte, um sich zu revanchieren, dass er ihn bei dem Unfall mit Fahrerflucht geholfen hatte.

„Sind deine Fingerabdrücke auf dem Messer, Miguel? Können Sie dich auch für diesen Mord drankriegen?"

„Nein, nein. Ich schwöre. Ich selbst habe das Messer nie angefasst. Ich wickelte es in das Handtuch."

„Und die Fingerabdrücke deines Vaters sind noch darauf. Du hast es all die Jahre aufgehoben, dass du ein Druckmittel gegen ihn hattest. Wozu?"

„Keine Ahnung. Schon dämlich. Ich wollte nur, dass er mich in Ruhe lässt mit seinem Gerede, ich solle auf dem Weingut arbeiten. Ich wollte, dass er aufhört, mir zu sagen, mein Beruf ist eines Ibarras unwürdig."

Dumm und egoistisch, denkt Madalena. Wie der Vater, so der Sohn. Egoistisch, hinterhältig, amoralisch. Und nun fangen beide an, die Folgen ihrer grauenhaften Handlungen zu erkennen. Dennoch ist Miguel ihr Sohn und sie will ihm unbedingt helfen, wie sie auch Anabel immer helfen wollte. Sollte sie das Messer wegwerfen oder es, wie Miguel, als Druckmittel gegen Amador verwenden?

Aber wie konnte sie das tun, ohne zu vermitteln, dass Miguel etwas ist, mit dem sie noch nicht abgeschlossen hatte.

„Miguel. Warum bist du überhaupt noch hier? Woher wusstest du, dass dein Vater in Helenas Landhaus war? Bist du ihm gefolgt?"

„Ja. Nicht zum ersten Mal. Ich wusste immer, er macht mit ihr rum. Es gab so viele Frauen. Aber das war schlimmer. Eine Frau auszunutzen, nachdem Anabel ihren Ehemann tötete. Wir krank das ist. Am meisten hasste ich, was er dir antat. An diesem Tag wollte ich ihn aufhalten, ihm sagen, dass er sie nicht mehr sehen könne. Ich kam nicht rechtzeitig. Und das werde ich für den Rest meines Lebens bereuen."

――――――

„Was ist in Sie gefahren, Ms. Starr? Ich bat nur um ein paar geringfügige Änderungen am Entwurf und Sie nahmen mir den Kopf ab. Das ist doch sonst nicht Ihre Art. Und ich möchte nicht das Ventil für Ihre Verachtung werden, nicht nachdem ich Ihnen so viele Aufträge verschaffte."

Normalerweise ist Anabel ruhig und selbstsicher, darauf bedacht, die Kunden zufrieden zu stellen, heute ist sie aber grob und offensiv und nimmt keine noch so kleine Kritik an ihrer Arbeit sanft auf.

„Nun, Ihre Verbesserungen, wie Sie es nennen, sind, gelinde gesagt, kitschig. Ich dürfte doch annehmen, Sie vertrauen meinem Urteil, nach all den erfolgreichen Kampagnen, die ich ins Leben rief."

„Normalerweise schon. Hier aber sind Sie über das Ziel hinausgeschossen. Ich möchte nur ehrlich sein. Ich stelle kein Ultimatum, erwarte aber, dass Sie kooperieren." Beruhigen Sie sich und schlafen Sie eine Nacht darüber. Ich rufe Sie morgen früh an."

Anabel schaut trotzig und zeigt keine Regung, als sie ihrer Klientin durch die Bürotür hinaus folgt. Sie ist verunsichert. Seit McMillans Tod ist sie es. Sie kann mit niemandem reden, niemand, mit dem sie ihre Gefühle teilen kann, die sie so quälen und bedrohen, dass sie fast den Verstand verliert. Und jetzt steckt Miguel, ihr verantwortungsloser Bruder, wieder in Schwierigkeiten, die ihrer Beziehung zu Marc in die Quere kommen.

Die große Zinn Vase ist das perfekte Gefäß. Sie zerknüllt den Zeitungsartikel und wirft ihn hinein. Dann nimmt sie aus ihrer Schreibtischschublade ein Feuerzeug, entzündet damit ein Räucherstäbchen und wirft es mit hinein. Die Flämmchen genügen, um sie zu beruhigen, sie wünschte sich aber, sie wären größer, groß genug, das Büro ab zu brennen. Zunächst sind es blaue und gelbe Stichflammen, die oben aus der Vase schießen, dann werden sie zu einem betörenden Duft nach Lavendel und Rosmarin, der in hellgrauen Schwaden emporsteigt. Besänftigend. Beruhigend.

Anabel sitzt im geblümten, bequemen Drehstuhl und sieht ihr Spiegelbild ein Dutzend Mal in den Spiegeln mit Goldrahmen, die alle vier Wände zieren. Sie hat das Gefühl, alles, was sie durch Fleiß und Ehrgeiz erreichte, entgleitet ihr. Sie nimmt das grüne Seidentuch von Hermès ab, denn sie erstickt, zumindest hat sie das Gefühl. Sie streicht sich ihre langen, braunen Haare aus dem Gesicht und steckt sie hoch. Sie will, dass eine kühle Brise durch die Fenster kommt, die sich aber nicht öffnen.

„Was ist das? Brennt da was?" Marc kommt überraschend vorbei und steckt seinen Kopf ins Büro. Ein verbrannter Geruch schreckt ihn auf.

Erschrocken, aber überaus froh, ihn zu sehen, lässt sie ihr Haar sinnlich über ihre Schultern fallen. „Ach das. Nein, ich brannte nur etwas Weihrauch ab und mir fiel versehentlich Papier mit hinein. Schon gut. Das wird von selbst abbrennen."

Marc und sie bewegen sich aufeinander zu und umarmen sich sanft. „Ich weiß, was in letzter Zeit geschah, hat dir sicher den Mut genommen." Er legt seine Hand auf ihr Gesicht und streicht ihr über das Haar. „Ich wollte nur nachsehen, wie es dir geht und dich zum Abendessen einladen." Er küsst sie sanft auf die Stirn.

„Ja. Ja. Das fände ich schön. Gehen wir an einen ruhigen Ort, wo ich nur deine Stimme höre."

„Natürlich. Vielleicht sollten wir einfach Essen mitnehmen und dann wieder zu mir in die Wohnung gehen. Dort ist es sicher ruhig. Und wir können reden. Wir müssen reden." Marc zerreißt es innerlich, jedoch will er sich das nicht anmerken lassen, um ihretwillen. Noch immer ist sie die Frau, die er von Herzen und leidenschaftlich liebt. Nicht auszudenken, wenn er sie verlieren würde, trotz all des Trubels, den ihre Familie in sein Leben brachte.

Anabel möchte mehr, als nur reden. Sie möchte alles, was passiert, aus ihrem Gedächtnis tilgen. Es macht ihr große Angst, dass sie wieder anfing, Feuer zu entfachen. Die mögen zwar klein sein, könnten aber ihr Verlangen nach größeren, gefährlicheren, wecken. Beide müssen hier weg. Ja, so ist es. Sie müssen an den Ort, wo sie glücklich sind, die Luft rein, das Licht angenehm und wo sie ihre Seele baumeln lassen kann.

„Es wird schwer, weg zu kommen, aber ich glaube, ich brauche das auch, Anabel." Bevor das Unheil seinen Lauf nimmt.

Marcs Faible für die Coronado Ferry ist wie gemacht für einen romantischen Abend mit Anabel. Bevor die Coronado Bridge gebaut wurde, die San Diego mit Coronado Island verbindet, konnte man nur mit der Fähre direkt von einem Ort zum anderen. Es ist eine kurze Fahrt und dauert nur eine Viertelstunde, jedoch hat man einen atemberaubenden Blick auf die Küste San Diegos, die Seeluft weht einem um die Ohren und das Schiff schaukelt gemächlich. Die Fahrt über eine lange Brücke hingegen ist langweilig, oft langsam, es kommen einem mehr Autos entgegen, als einem lieb ist, oft gibt es Staus und gelegentlich macht noch ein Bungeespringer sein Seil fest.

Von der Anlegestelle der Fähre nehmen sie ein Taxi zum Hotel Del, einer märchenhaften Anlage, fernab der Realität. Der Mythos, dass dieses Hotel etwas Magisches umgibt, zieht jeden Besucher in seinen Bann.

„Zimmer 3327", sagt Anabel zum Portier.

„Ach, die Kate-Morgan-Suite", sagt er und identifiziert das meistverlangte Zimmer im Hotel. „Sie haben Glück, denn sie ist noch zu haben. Heute Abend wurde eine Buchung storniert, was so gut wie nie vorkommt."

„Hat nicht in ihr diese Frau Selbstmord begangen?", fragt Marc und strahlt leicht über das Gesicht, meint das fast schon scherzhaft.

Der Aufzugführer korrigiert: „Eigentlich beging sie auf der Treppe, die zum Strand führt, Selbstmord. Man munkelt, dass sie sich einer Liebesaffäre wegen, die in die Brüche ging, in den Kopf schoss."

Der Legende nach wurde seit ihrem Tod, 1892, Kate Morgans Geist auch in zahlreichen Zimmern und Gängen des Hotels gesehen. In dieser Suite sahen Besucher flackernde Lichter, einen Fernseher, der sich von selbst ein- und ausschaltet, spürten

Windstöße wie aus dem Nichts, rochen und hörten unerklärliche Dinge, Gegenstände bewegten sich von selbst, die Türen schlossen und öffneten sich wie von Geisterhand, die Temperatur im Raum änderte sich schlagartig und sie hörten auch Schritte und Stimmen.

„In dieses Zimmer wollte ich schon immer mal", jubelt Anabel, lässt sich auf das Bett fallen und macht darauf einen Schneeengel. „Mir gefällt die Legende von Kate Morgan. Ich hoffe, wir sehen sie. Sie war damenhaft, schön, zurückhaltend und gut gekleidet, aber vom Schicksal getroffen und sehr melancholisch."

Marc legt sich vorsichtig auf Anabel und fragt: „Sucht sie je männliche Besucher heim?"

„Nein, ich glaube, sie hasst Männer. Deshalb brachte sie sich um, weil ihre große Liebe sie verließ."

Marc legt sich auf den Rücken. „Ich bin froh, dass du Waffen hasst."

Anabel stützt sich auf den Ellbogen und schaut ihm in die Augen. „Ich würde mich nie erschießen, wenn du mich verlässt, mein Geliebter. Ich würde vermutlich meinen Leib dem tiefen, blauen Meer übergeben."

„Du kannst nicht schwimmen."

„Eben darum. Und was würdest du tun, wenn ich dich verließe? Oder mit einem anderen Mann eine Affäre hätte? Oder aufhören würde, dich zu lieben?"

Er schließt sie in die Arme und sie schmiegt den Kopf an seine Brust. „Ich werde alles tun, was in meiner Macht steht, dass du nie einen Grund hast, mich zu verlassen, eine Affäre hast oder aufhörst, mich zu lieben."

„Von jetzt an?"

„Von jetzt an."

Nach und nach legen sie ihre Kleidung ab, liegen auf dem Boden, ihre Körper verschmelzen zu einem und sie verfallen in einen ekstatischen Rausch. Kate Morgan lässt ein laues Lüftchen zu ihnen wehen, sodass die Vorhänge flattern und das Paar ohne Zeugen ihrer Leidenschaft frönen kann.

Obwohl sie normalerweise stark ist und weiß, was sie will, hat Anabel Momente, in denen sie sich verletzlich fühlt und deshalb noch mehr zu Marc hingezogen fühlt. Heute Abend ist einer dieser Momente. Sie schläft unruhig und wimmert leise wie ein Kind, das Albträume hat. Das Wimmern nimmt zu, dann schreit sie auf. Marc rüttelt sie wach und fragt: „Was ist los?"

Sie schreit: „Ein Licht. Ein grelles Licht, eine Explosion...keine Ahnung, was es bedeutet."

„Sch. Es war nur ein Traum. Du bist in Sicherheit." Er wickelt sie in die Decke, umarmt sie und lässt sie nicht mehr los. Er fragt sich, ob Kate Morgan sie heimsucht. Ist sie eifersüchtig, ein glückliches Paar in ihrem eigenen Bett vorzufinden?

„Verlass mich nie", fleht Anabel. „Egal, was auch passiert. Versprochen?"

„Das werde ich nicht. Ich bin für dich da. Gehe nirgendwo hin."

Marc tut es gut, ihr Beschützer zu sein. Warum hatte er seine Mutter nicht beschützen können?

KAPITEL VIERUNDZWANZIG

Um 23:35 Uhr in der Nacht vom 10. auf den 11. Juli, hatten Miguel und Bulldog ihre blutige Kneipenschlägerei. Um 23:45 Uhr rannte Miguel aus der Bar, verfolgt von seinem Kontrahenten, sprang in sein Auto, überfuhr Angela Bolane und sie kam dabei ums Leben. Er beging Fahrerflucht. Der Barkeeper wählte gegen 23:55 Uhr den Notruf. Fünf Minuten und fünf Sekunden später war der 11. Juli, Miguel Ibarras 18. Geburtstag.

„Damals war er noch minderjährig, deshalb sollte diesen Fall das Jugendgericht übernehmen", sagt Miguels Anwalt in der Anhörung.

„Wir werden ihn als Erwachsenen anklagen", verspricht der Staatsanwalt.

„Entschuldigung, aber das Verkehrsdelikt ist verjährt..."

„Unfall mit Fahrerflucht. Und wir glauben, hier ist es verjährt, Euer Ehren. Miguel verließ die Stadt mehrmals, ging nach Mexiko, um sich operieren und behandeln zu lassen, um sein Gesicht wiederherzustellen, ganz zu schweigen von den Konzerten und anderen Unterhaltungsshows, die er im ganzen Land hatte. Das schränkt die Verjährungsfrist beträchtlich ein."

„Aber nicht genug." Auf diese Hypothese hat sich Farmer vorbereitet. „Alles verjährt, wenn ich das sagen darf, denn die vielen Male in Mexiko und auf Tournee haben zusammen allein mindestens zwei Jahre gedauert."

Ben zerreißt Farmers Verteidigungsstrategie in der Luft. „Die gesetzlichen Fristen beginnen nicht, bis eine Straftat entdeckt wird und da wir erst gerade entdeckten, dass er in dieses Verbrechen verwickelt ist, läuft die Zeit ab jetzt."

„Netter Versuch, Mr. Parker", gibt Farmer den Ball zurück. „Verjährungsfristen beginnen nicht, wenn ein Verbrechen entdeckt wurde, sondern, wenn „es hätte entdeckt werden sollen." Das ist 15 Jahre her. Damals hätte es entdeckt werden müssen, während den Ermittlungen im Mordfall Angela Bolane. Wurde es aber nicht."

Farmer ist bestrebt, dem Staatsanwalt jetzt den Todesstoß zu versetzen und ergänzt noch selbstgefällig: „Dass Mr. Ibarra den Wagen fuhr, der das Opfer überfuhr, kann nicht bewiesen werden.

Mr. Parsons sah man über dem Opfer stehen, dieser stieg dann in das Auto und fuhr davon."

Außer sich, dass sein Sieg ihm entgleitet, unternimmt Ben einen letzten verzweifelten Versuch. „Der Fall Parsons wird jetzt angehört, Euer Ehren, und die Staatsanwaltschaft ist bemüht, zu beweisen, dass es Miguel Ibarra war, der am Steuer saß, als Ms. Bolane überfahren wurde und man Clive Parsons unschuldig verurteilte."

„Das ist ein anderer Fall, Euer Ehren", kontert Farmer und bringt Bens Taktik zum Erliegen. „Wir bitten darum, die Anklage wegen Mangels an Beweisen fallen zu lassen. Es gibt keine Zeugen, die die Anschuldigungen des Staatsanwalts bezeugen könnten, dass Mr. Ibarra fuhr. Außerdem ist das alles schon seit 9 Jahren verjährt."

„Ich befürchte, ich muss der Verteidigung zustimmen, Mr. Parker, aber nur ganz knapp. Sollte die Staatsanwaltschaft mit einer belastenden Aussage oder neuen Beweisen kommen, die die Verjährungsfrist Null und Nichtig machen, kann die Staatsanwaltschaft Mr. Ibarra wieder anklagen."

———

CLIVE PARSONS BEKOMMT ENDLICH seine Verhandlung. Seine Petition, seine Verurteilung anzuzweifeln wegen Unfalls mit Fahrerflucht, die ihn für 20 Jahre bis lebenslänglich hinter Gitter brachte, wird endlich angehört. Und zwar in Richter Larimers Gerichtssaal. Marc ist gewappnet und bereit, in die Vollen zu gehen. Marc ist sich sicher, die Beweise, die er und Dante mühsam zutage trugen, werden seinen Mandanten befreien und Miguel Ibarra ins Gefängnis bringen. Das ist keine Verhandlung, deshalb gibt es keinen Anwalt der Gegenseite. Jedoch kann Marc Zeugen befragen und Beweise präsentieren, um seinen Fall zu stützen.

Er reicht die schriftliche Aussage des Barkeepers, dass Ibarra und Clive in der Bar eine Auseinandersetzung hatten und dass draußen etwas passierte, dass zu Angela Bolanes Tod führte, dem Richter und ruft seinen Kronzeugen auf.

„Nennen Sie dem Gericht bitte ihren Namen."

„Harold Whiteman. Aber man nennt mich Whitey."

„Für das Gericht, Sie stimmten zu, hier auszusagen, weil Ihnen der Staatsanwalt einen Deal anbot. Dass er sie nicht anklagt. Ist das richtig?"

„Ja, ist es."

„Bitte, machen Sie Ihre Aussage, Mr. Whiteman."

Whitey erzählt von der Nacht, als Clive Parsons zu ihm in die Werkstatt kam, mit einem schicken Auto, das für schnelles Geld auseinandergenommen werden sollte. Er sagt aus, dass er das Auto, einen Sportwagen, Marke Zonda, erkannte. Er hatte es Amador Ibarra, für seinen Sohn, Miguel, verkauft. Er sagte, dass Clive bei einer Kneipenschlägerei übel zugerichtet wurde und dass sein Hemd blutverschmiert war, wegen einer Schlägerei mit einem „Jungen." Er sagte, er habe das Auto gestohlen, nachdem der „Junge", den er nie vorher gesehen hatte, eine Frau überfuhr und sie tot auf der Straße liegen ließ.

„Was haben Sie mit dem Auto gemacht?"

Whitey erzählt von seiner Abmachung mit Amador Ibarra. Er sollte alle Beweise, dass Miguel den Zonda fuhr, verschwinden lassen. Dann sollte Clive Parsons belastet werden und das Auto woanders hingeschafft, dass die Polizei es dort findet.

„Danke, Mr. Whiteman. Sie sind entlassen."

„Euer Ehren, ich habe stichhaltige Beweise, dass der Junge in der Bar, mit dem Mr. Parsons die Schlägerei hatte, tatsächlich Miguel Ibarra war und würde sie, mit Erlaubnis des Gerichts, gerne präsentieren."

„Wir wollen sie sehen", antwortet Larimer.

Marc packt das T-Shirt, ein Batikhemd mit einem Blutfleck, aus.

„Ich habe einen offiziellen Bericht der Gerichtsmedizin. Sie haben DNS, die zu der von Amador Ibarra und seinem Sohn passt. Zuvor wurde DNS von Amador Ibarra genommen, der für den Mord an

Dr. Victor McMillan angeklagt wird. Das und dazu die Aussage von Mr. Whiteman beweist, dass

287

Miguel Ibarrra derjenige ist, der Angela Bolane vor 15 Jahren bei einem Unfall mit Fahrerflucht tötete.

„In diesen 15 Jahren hat Clive Parsons immer wieder seine Unschuld beteuert. Er hat zugegeben, das Auto gestohlen zu haben. Dann hat er es illegal verkaufen wollen. Für diese kleinen Verbrechen wäre er höchstens ein paar Jahre ins Gefängnis gekommen. Vielleicht hätte er auch Bewährung bekommen."

Larimer unterbricht Marcs Aufzählung: „Dennoch, Kollege: Es gibt keinen stichhaltigen Beweis, dass Miguel Ibarra hinterm Steuer saß, selbst wenn Sie zu dem Schluss kommen, dass es so war."

„Ich habe keinen Zweifel daran, dass Ibarra schuldig ist. Aber was Sie angeht, es gibt zumindest jede Menge berechtigte Zweifel, dass Clive Parsons dieses Verbrechen beging. Man braucht der Spur von Beweisen und dem zeitlichen Ablauf des Geschehens zu folgen. Ich beantrage heute, die Verurteilung von Mr. Parsons wegen des genannten Verbrechens zurückzunehmen, ihm die Strafe für die kleineren Vergehen zu erlassen und ihn für die zu Unrecht erlittene Haft zu entschädigen."

––––

„Soll das ein Witz sein, Mr. Jordan? Man gibt mir Geld für die Jahre, die ich im Gefängnis saß?

„Minus die Jahre, die Sie für den Diebstahl, unerlaubtes Entfernen vom Unfallort, Diebstahl zum

Schaden des Unfallopfers und den Versuch, das Auto an eine illegale Werkstatt zu verkaufen in Haft saßen. Ja."

Ihm kommen die Tränen. Clive verschlägt es fast die Sprache. „Ich weiß nicht, wie ich Ihnen danken soll."

„Keine Ursache. Auch ich habe gewonnen."

„Ich habe aber doch ein Problem."

„Welches, Clive?"

„Ich weiß nicht, was ich tun oder wohin ich gehen soll."

„Mit so viel Geld können Sie überall hin und viel tun."

„In den Jahren, die ich saß, verlor ich zu fast allen Bekannten den Kontakt. Sie sind entweder tot oder sitzen selbst ein."

„Was ist mir Ihrer Familie? Haben sie zu der noch Kontakt?"

„Nein. Sie haben vor Jahren alle mit mir gebrochen. Ich weiß nicht, wo sie sind. Ich will es auch gar nicht wissen."

Marc fällt wieder das schmerzliche Zitat des CIP-Anwalts ein, das vor Jahren solche Auswirkungen auf ihn hatte und sein Schicksal besiegelte: „Menschen, die verurteilt werden, obwohl sie unschuldig sind, verlieren ihre Freiheit, ihre Würde, ihre Menschlichkeit. Ruinierter Ruf, ruinierte Familien, ruinierte Leben... Sie hoffen auf Erlösung, Entlastung und auf einen neuen

Lebensinhalt. Am meisten suchen sie nach Vergebung, für sich selbst und die Menschen, die ihnen das Leben zur Hölle machten."

Das Leben von Clive Parsons wurde ruiniert. Wegen seiner Vergangenheit, in der er das Gesetz und die Normen der Gesellschaft übertrat, argumentiert Marc, dieser Mann sitzt vielleicht nicht mehr in diesem Gefängnis, jedoch in einem anderen aus Einsamkeit und Zwecklosigkeit.

„Wann komme ich eigentlich frei?"

„Sehr bald. Es muss jetzt noch etwas Papierkram erledigt und dafür gesorgt werden, dass Sie irgendwohin können."

„Ich hoffe, Sie wissen vielleicht, wohin, denn ich weiß es sicher nicht."

„Schauen wir mal, ob wir helfen können."

KAPITEL FÜNFUNDZWANZIG

„Sie haben mich in dieser Gerichtsverhandlung mit Stolz erfüllt, Marc Jordan. Der Fall Parsons war für Sie der nötige Tritt in den Hintern. Dass Sie diese alten Beweise fanden, die bei den ursprünglichen Verhandlungen nicht gefunden wurden, das erinnerte mich an die Serie Perry Mason."

Wieder ist ihr Gespräch hinter verschlossener Tür vom Rascheln begleitet, als Larimer sein Schinkensandwich auspackt und es genussvoll isst. Wieder lehnt es Marc ab, als er ihm eines anbietet, zu einem kühlen Bier sagt er aber nicht nein.

„Der meiste Dank gilt meinem Detektiv, Dante Monroe. Er hat einen guten Ruf als Forensiker und lässt nicht locker, bis er ein stimmiges Gesamtbild hat. Dieser Beweis wurde so tief vergraben, nicht einmal CIP konnte ihn finden. Das tat ich auch wegen der Verbindung zu der Frau, die ich heiraten werde. Zumindest hoffe ich, dass ich das tue."

„Sie ist doch sicher nicht sonderlich glücklich darüber, dass ihr Bruder und ihr Vater in Straftaten verwickelt sind, oder?"

„Ich hoffe, sie versteht, dass ich meine Arbeit machte und meinen Mandanten vertrat."

Larimer fasst seinen Richterspruch wie folgt zusammen: „Ihnen ist bewusst, dass Parsons dank Ihnen und Monroe jetzt frei ist."

„Irgendwie habe ich das Gefühl, hier stand mehr auf dem Spiel, Euer Ehren. Etwas wie göttliche Vorsehung, etwas Beseeltes."

Larimer hört auf zu kauen und meint: „Sie haben doch nicht zum Glauben gefunden?"

„Nicht im theologischen Sinne. Aber ich muss wissen, warum Sie so darauf bedacht waren, dass ich diesen Fall übernehme. Warum ich? Es kann doch nicht allein daran gelegen haben, dass Sie wollten, dass ich einen herausfordernden Fall ausprobiere."

Larimer wischt sich den Mund ab und stellt sein Mittagessen zur Seite. „In Parsons eigentlichem Fall war ich der Staatsanwalt."

Marc stellt sein Bier auf den Tisch und will nicht hören, was als nächstes kommt. „Sie sagten ihm, er solle sich schuldig bekennen?"

„Nein, nein. Ich war faul und ehrgeizig gleichzeitig. Ich war von Fällen überhäuft. Der damalige Staatsanwalt sagte mir, ich solle diesen an jemand anders abgeben und einen größeren übernehmen, der leichter zu gewinnen war, mit einem sympathischen Angeklagten. Später erfuhr ich, dass Parsons ans Messer geliefert worden war. Das war nicht wirklich ein Dienstvergehen, nur eine ungerechte, aggressive Anklage. Der Staatsanwalt war ehrgeizig und ich glaube, er wollte einen großen Spender beeindrucken."

„Denken Sie, dieser Spender war Amador Ibarra?", fragt Marc und beugt sich in seinem Stuhl vor, denn er wartet darauf, dass die Bombe platzt.

„Ich weiß nicht. Das konnte ich nie herausfinden."

„Was ist mit dem Staatsanwalt? Wer war es?"

„Das spielt jetzt keine Rolle. Er hat schon bekommen, was er verdient. Ich bereute es aber immer, dass ich den Fall nicht gründlicher bearbeitete. „Als er wieder aufgerollt wurde, als Parsons eine Petition einlegte und bei mir im Gerichtssaal landete, brauchte ich die Chance, es wieder gut zu machen. Sie waren der einzige Anwalt, dem ich zutraute, alles zu durchschauen."

Perplex stellt Marc die logische Rechtsfrage: „Hätten Sie das nicht ablehnen sollen? Wird das Clives Entlastung zunichtemachen?"

„Nein. Technisch gesehen war ich nicht wirklich beteiligt und es beißt sich nicht mit meinem Vorsitz hier."

„Ich weiß nicht, was ich sagen soll. Ich weiß es zu schätzen, dass Sie mir das sagen, Euer Ehren. Das muss Ihnen all die Jahre schwer zu schaffen gemacht haben."

„Machen Sie sich deswegen keine Gedanken. Das funktionierte alles gut. Sie und Monroe sind ein gutes Gespann."

„Ja. Ich hoffe, durch unsere Zusammenarbeit wird der Staatsanwaltschaft endlich geholfen, dass sie Gerechtigkeit für Angela Bolane und Victor McMillan schafft."

„Das wird eine Herkulesaufgabe, bedenkt man, was Richterin Hiller heute entschieden hat." Larimer bekommt wieder Hunger und beißt von seinem Sandwich ab. Mit einer Serviette wischt er sich gründlich den Mund ab.

Marc hält seine Bierflasche hoch und fragt: „Wie hat sie entschieden?"

WENN EIN FUNDAMENTALER Prozess- oder Beweisfehler geschieht, der nicht auf Anweisung an die Geschworenen korrigiert werden kann und der voraussetzt, dass der Angeklagte vor Ort ist, kann man auf einen fehlerhaft geführten Prozess plädieren. Es gibt Beispiele für unsachgemäß anerkannte und höchst nachteilige Beweise oder sehr unangemessene Bemerkungen eines Staatsanwalts im Schlussplädoyer.

In der Sache Kalifornien gegen Amador Ibarra beim Mord an Victor McMillan gibt es keine Geschworenen und der Einzelrichterprozess ist noch nicht bei den Schlussplädoyers. Die Richterin hört sich das Band der Psychotherapiesitzung zwischen Arzt und Patienten an. So erfährt sie, dass der Detektiv Dante Monroe gleichzeitig für alle drei beteiligten Parteien, Madalena Ibarra, Marc Jordan und Ben Parker, arbeitete. So kommt Richterin Hiller zu dem Schluss, dass das Band ein illegal beschafftes Beweismittel ist und spricht auf einen fehlerhaft geführten Prozess.

Amador Ibarra ist seiner Strafsache geschickt ausgewichen.

NIEMAND IST SCHOCKIERTER und bestürzter als Madalena, dass das Verfahren gegen Amador in einem angeblich fehlerhaft geführten Prozess endete. Sie hatte gehofft, dass ihr verlogener, betrügerischer, mörderischer Ehemann endlich seine gerechte Strafe erhält und für den Mord an Anabels Psychiater lebenslang ins Gefängnis kommt. Seinetwegen ist ihr Sohn ein unreifer, verantwortungsloser Lümmel und ihre Tochter legt Feuer, weil sie sich verlassen fühlt. Nicht nur ihr aller Leben ist ruiniert, es wurden auch andere Menschen Opfer seiner Böswilligkeit. Besonders Marc Jordan, der Geliebte von Anabel, dessen Vater sie tötete und der Mann, dessen Mutter Amador ermordete.

Man kann nur eines tun.

———

Marc öffnet den frankierten Umschlag und weicht zurück, als würde bei einer einzigen Berührung sein tödlicher Inhalt über ihn ergossen. Er traut sich nicht, das blutige Handtuch aus der Plastiktüte zu nehmen. Es könnte ein Leichenteil, eine Pistole oder ein Beweismittel in einem Verbrechen sein, das man nicht aufs Spiel setzen sollte.

„Wann ist das angekommen?", fragt Ben Parker und will das bizarre Bündel öffnen.

„Heute Morgen. Per Fed Ex."

„Rücksendeadresse?"

„Hier: Ein Postfach. Kein Name."

Ben packt alles feinsäuberlich aus und fotografiert es mit dem Handy. Er will die Kette von Beweisen aneinanderreihen. Beim letzten Beweisstück, dem Messer mit gezahnter Klinge und den Initialen H und M auf dem Griff, wird Marc kreidebleich im Gesicht. Er taumelt zurück und fällt in den nächsten Stuhl.

„Marc! Was ist los?"

Marc kann weder sprechen noch atmen und weiß nicht, ob er zuerst weinen, in rasende Wut verfallen oder sein Frühstück auf Bens Schreibtisch übergeben soll. Er haucht schwer: „Es ist ein Messer. Mit diesem Messer wurde meine Mutter getötet."

„Mein Gott, Marc", stöhnt Ben und ruft eiligst die Spurensicherung an, dass sie dieses Paket gründlich untersuchen. „Beeilung. Ich möchte noch heute die Ergebnisse."

MARCS BLICK FÄLLT auf das blaue Meer, das gen Küste rollt und ihm wird noch schwerer ums Herz. Die Sonne, die ihn zwar in der Nase kitzelt, verschwimmt vor seinen Augen und wirkt nicht mehr so strahlend. Seine Sicht ist getrübt. So kann er nicht fliegen, deshalb geht er joggen. Er joggt den Broadway hinunter, dann über den Pacific Coast Highway, durch Seaport Village, dann über den Gehweg an der vorderen Küste, soweit er kann, auf die Coronado Bridge zu.

Er hat ein flottes Tempo und tritt fest auf den Asphalt. Er nimmt die bummelnden Touristen nur verschwommen war und von der Küste her weht ihm ein Geruch von Fisch und Salzwasser entgegen. All seine inneren Dämonen schwitzt er aus seinem Kopf, der zuvor noch voller Emotionen und Fragen war, wird langsam mit Endorphinen erfüllt und klar. Er fällt auf eine abgelegene Grünfläche, keucht vor Erschöpfung, ihm kommen die Tränen und das

Seufzen, tief aus seinem Herzen, wird vom Wind weggetragen.

Er liebt Anabel, kann sich aber nicht vorstellen, wie sie beide je über den Umstand hinwegkommen sollten, dass Amador seine Mutter umbrachte. Oder war es Miguel? Die DNS. Von Vater und Sohn. Sie beide muss man testen. Gott sei Dank kümmert sich Ben just in diesem Moment darum. Sind das die beiden Männer, die er an besagtem Morgen in der Küche sah? Er erinnert sich an den Mann mit der Narbe und weiß, das war Miguel. Wer hat was getan? Wer hat wen gedeckt?

Alles wurde so sorgfältig und wachsam vertuscht. Was ist mit Madalena und Abuela? Wussten sie davon? Stecken sie alle unter einer Decke? So grausam konnten sie doch nicht sein, die Wahrheit so lange vor ihm zu verbergen. Das konnten sie doch nicht. Er ist angetan von Anabel und schwer verliebt. Blind? Er zwingt sich, an ihre Unschuld zu glauben und dass sie nichts davon wusste. Sie schwört, sie hat es nicht. Wie konnte sie es wissen?

Wie konnte sie es nicht wissen?

Marc kann nicht glauben, was ihm Ben über sie erzählte und was er ihm jetzt über sie erzählt.

Ben muss die Ibarras zu Fall bringen und seinen besten Freund vor der kranken Anabel beschützen, die schmerzlichste Aufgabe seines Lebens. Er spielt das Band ab, auf dem Anabel zugibt, seinen Vater getötet zu haben.

„Hier?", kann Marc kaum sagen, als er Anabel in der Villa der Ibarras stellt. „Das ist das Weingut, auf dem mein Vater gearbeitet hat? Hier ist er gestorben? Du hast mich hier herumgeführt, ich kam immer wieder hierher und du hast dieses Geheimnis die ganze Zeit für dich behalten?"

„I-ich war sehr jung. Ich hatte es vergessen. Es war ein *Unfall*", sagt sie so leise, dass sie beide wissen, sie schämt sich.

„Hast du *vergessen*, dass du das Streichholz angezündet hast? Dass er versuchte, dich zu retten? Dich zu RETTEN! Du hast das Wasser abgedreht. Das hätte *ihm* das Leben gerettet! Aber du hast den Flammen zugeschaut, krank und ekstatisch, als das Feuer auf den Schuppen übergriff, der dann explodierte ... wodurch mein Vater lebendig verbrannte!"

„Nein... Ich konnte nicht..." Sie weicht zurück, als Marc auf sie zukommt. Er spricht in einem Ton, den sie nie zuvor von ihm hörte und es macht ihr Angst.

„Sag mir, das bist nicht du, Anabel. Sag mir, das auf dem Band bist nicht du. Das du so etwas Grauenhaftes nicht tun konntest und es nicht getan hast?" Unter Tränen betet er und hofft auf die Antwort, die ihm die Last vom Herzen nimmt und die Frau erlöst, die er liebt.

„Ich wusste es nicht! Ich wusste nicht, dass er dein Vater war!"

„Und das macht es besser? Weißt du, was du mir genommen hast? Meiner Mutter? Mit deiner verdrehten Fantasie von der Herrlichkeit des Feuers, der Flammen?"

Ihr ist schwindelig, sie ist benommen, hysterisch, entschuldigt sich voller Verzweiflung, versucht sich an ihn zu klammern und labt sich in Reue. Voller Wut zieht er sich von ihr weg und sie fällt auf die Knie.

„Zünde nur noch ein einziges Feuer an, Anabel. Das in der Hölle, in der du schmoren wirst."

———

„Als du geboren wurdest, war mein Herz so voller Hoffnung, voller Freude." Die Erinnerung belebt Consuelas gealtertes Gesicht, als würde er in diesem Augenblick geboren. „Dein Vater und ich hatten große Pläne mit dir."

Sie alle wurden begraben, als ihr Ehemann, Angelo, Amadors Vater, durch seine eigene Hand starb ... als er, auf dem Weinberg hinter seinem geliebten Maulesel stand und ihn erschoss ... denn er wollte seinem Ruin nicht entgegensehen. Angelo ließ seinen Sohn mittellos zurück. Der wusste nicht, was das Leben zu bieten hatte und es scherte ihn nicht. Er hatte keine Vaterfigur oder ein Vorbild und

Consuela sah sich außerstande, ihm bei seinen männlichen Bedürfnissen und Gefühlen zu helfen.

„Bald schon sah ich, der süße, kleine Junge, den ich geboren und großgezogen hatte, wurde ichbezogen, scherte sich nicht um die anderen und du hast mich immer wieder mit deiner Gefühlskälte verletzt. Ja, ich war stolz und froh, wann immer du mir sagtest, dass du mich liebst. Ich hatte nie bezweifelt, dass es wahr ist.

Und als du geheiratet hast, hatte ich geglaubt, du bekommst deinen Kopf klar. Was ja eine Weile ganz gut funktioniert hat. Du hattest Kinder, konzentriertest dich auf Erfolg, hast deinen Platz im Leben gefunden. Du hast dein Haus in Spanien gerettet, durch Fleiß und Ehrgeiz. Ich dachte, du hättest dich um 180 Grad gedreht und das Gute in dir hervorgebracht. Aber du hast dich abgewandt von Madalena, deinen Kindern, mir. Dein Ehrgeiz verwandelte sich in skrupellose Gleichgültigkeit, für Moral, Prinzipien, Ethik."

„Du hast es selbst gesagt, Mama. Ich hatte keinen Vater, der mich führt. Er hat, als er zu versagen drohte, aufgegeben, deshalb wollte ich das Gegenteil sein. Stark und erfolgreich. Ich habe nicht fast unser Zuhause verloren, um zur Schande zu werden, die mein Vater war. Ja, ich war und bin ehrgeizig. Anders hat man im Geschäftsleben keinen Erfolg. Manchmal heißt das auch, skrupellos zu sein."

„Ich sah, was du getan hast. Wie du deinen

Arbeitgeber erpresst hast, indem du seine Verbrechen vertuscht hast. So kamst du zu dem Stück Land in Kalifornien. Deine ehelichen Fehltritte verstörten Madalena und du hast sie vertrieben. Du warst zu hart zu Anabel..."

„Zu hart zu Anabel? Sie hat mir den einzigen Freund genommen, den ich je hatte. Sie hat Franco umgebracht und das werde ich ihr nie verzeihen. Aber sie ist meine Tochter und ich konnte nicht zulassen, dass sie ins Gefängnis kommt."

„Ich weiß von den Verbrechen, den Vertuschungen, dem Schmerz, dem Herzweh, das du jedem bereitet hast. Wie du Miguel bestochen, ihn beschützt, dann ausgenutzt hast, um dich zu schützen. Du hast Amador getötet. Ihn getötet. Und ich weiß nicht, wie viele sonst noch. Ich will es lieber nicht wissen. Aber diejenige, die du wirklich ermordet hast, für die du sicher in der Hölle schmorst, ist Marc Jordans Mutter.

„Es war ein Unfall, Mama. Glaub mir!"

„Die Wahrheit kennt nur Gott, Amador. Aber Anabel darf nie etwas von all dem erfahren. Vom Mord, vom Unfall. Das darf sie nie erfahren. Oder, so wahr ich hier stehe, ich bringe dich um."

„Ich werde alles tun, dass dies ein Geheimnis bleibt. Aber glaube nicht, dass es mich nicht belastet. Ich liebte Helena. Ich weiß nicht, was ich tun soll. Was sollte ich tun?"

Ihr Sohn weint, aber scheinbar nicht aus Reue,

sondern aus Selbstmitleid. Dass sie ihren Sohn und sein amoralisches Verhalten bloßstellt, wird für diese aufrichtige und robuste Frau zur Qual. Consuela kann nur eines sagen: „Beichte, Amador. Geh zum Priester. Denn eines ist sicher, stirbst du und hast das nicht getan, dann bist du auf ewig verdammt."

KAPITEL SECHSUNDZWANZIG

ABER DIESES GEHEIMNIS KANN NICHT LÄNGER vor Anabel oder sonst einem Menschen auf der Welt geheim gehalten werden. Seine Fingerabdrücke, sein Blut und seine DNS sind auf dem Messer, das bestätigt die Gerichtsmedizin. Das Messer, das aus Helena Morales Set fehlte und zu den Messern passte, die Marc in einer Abstellkammer aufbewahrte. Das Messer, das man Marc anonym via Fed Ex ins Büro schickte, beweist, dass Amador Ibarra der Mörder seiner Mutter ist.

Dem Rat seines Anwalts, Herman Farmer, entsprechend, verzichtet Amador diesmal nicht auf eine Verhandlung mit Geschworenen. Während dem Richter eine nicht unbedeutende Rolle bei der Zulassung der Beweise vor den Geschworenen zukommt, müssen die Geschworenen die Fakten kennen und an ihnen ist es, die Fakten zu beurteilen", jenseits der Beweise, die rechtlich zulässig sind.

Farmer sagt: „Auf Geschworene können fehlbar sein. Oft sind sie nicht besonders intelligent und können die Beweise nicht effektiv deuten. Und ob sie voreingenommen oder neutral sind, ich werde sie genau prüfen und aussuchen. Ich werde bei jedem Versuch Ihrerseits, Ben Parker vom Haken zu nehmen und sich selbst als sympathischen Menschen darzustellen, Einspruch erheben und Sie stattdessen als die Witzfigur bloßstellen, die Sie sind."

Amador sträubt sich und schreit: „Auf welcher Seite stehen Sie, sie aufgeblasener Bastard?" Ich zahle Ihnen ein Vermögen und Sie fallen mir in den Rücken. Denken Sie, das kommt bei Gericht nicht zur Sprache?"

„Wenn ich fertig bin, werden sie sich die Augen ausheulen. Wir bekommen entweder einen Freispruch oder die Geschworenen können sich nicht einigen. Das kann ich Ihnen versprechen. Aber Sie müssen alles tun, was ich sage.

„MEIN MANDANT PLÄDIERT auf nicht schuldig, Euer Ehren, auf Notwehr."

Ben Parker schüttelt angesichts dieser Ironie den

Kopf, erhebt aber keinen Einspruch. Er ist zuversichtlich, dass er Farmers Strategie mit Fakten, Beweisen und Zeugenaussagen, auch böswilligen, zerschlagen kann. Richterin Hiller widerspricht seinem Wunsch nach einer Aussetzung der Kaution und Ibarra bleibt in Untersuchungshaft. Den Mörder der Mutter seines besten Freundes in Handschellen zu sehen, bevor man ihn, nach der Anklageverlesung, ins Gefängnis bringt, gibt Ben das Gefühl, einen Etappensieg errungen zu haben. Einen von vielen, die er noch erringen will. Für Marc. Für Helena.

BEI DER VERHANDLUNG hält Ben Parker ein penibles Eröffnungsplädoyer. Er legt den Geschworenen haarklein dar, dass es unumstößliche Beweise gibt, dass Amador Ibarra schuldig des Mordes an Helena Morales ist. Farmer antwortet darauf mit einer gekonnten, selbstsicheren und sorgsamen Erklärung, die tragischen Umstände betreffend, bei denen es nicht „ein, sondern zwei Opfer", gab und schließt damit, dass die Geschworenen nicht anders können werden, als seinen Mandanten nicht schuldig zu sprechen.

Bens erste Zeugin ist Victoria Nunez. Sie ist die Köchin der Ibarras und sagt unter Eid aus, dass sie während Marcs und Anabels Verlobungsessen ein Messer mit den Initialen „H. M." auf dem Griff auf die Essensausgabe legte.

„Woher hatten Sie das Messer? Ms. Nunez. Denken Sie dran, Sie stehen vor Gericht unter Eid."

Victoria umklammert mit den Händen ein Taschentuch und zögert, gegen ihren guten Freund und früheren Arbeitgeber auszusagen. „Es kam in einer Schachtel, auf der stand, „Nicht öffnen, bis ich zurückkomme". Señora Madalena bat mich, ihr an diesem Abend einen Gefallen zu tun und ihr mit dem Inhalt der Schachtel zu helfen. Wir öffneten sie gemeinsam. Sie sagte, es wäre nur ein übler Scherz gewesen, das Messer weder echt noch gefährlich. Nur eine Attrappe oder so etwas. Ich weiß wirklich nicht, warum sie das von mir verlangte, ich würde aber alles für sie tun, so stimmte ich zu."

Ben drängt weiter: „Aber dann, kurz danach, nahmen Sie es von der Essensausgabe weg."

„Ja."

„Und was haben Sie damit gemacht?"

„Ich versteckte es eine Weile in meiner Schürzentasche, später gab ich es der Señora zurück. Wir lachten etwas, was für ein alberner Scherz das doch war. Aber ich wusste noch immer nicht, warum."

„Sie hatten keine Ahnung, warum sie das von Ihnen verlangte?"

„Nein. Ich glaube, sie wollte Señor Ibarra nur veräppeln. Dass er dachte, er sei verrückt und sehe Gespenster."

„Einspruch. Reine Mutmaßung."

„Stattgegeben."

Ben fragt: „Victoria, hat Ihnen Señora Ibarra explizit aufgetragen, dass sie Señor Ibarra in den Wahnsinn treiben wollte?"

„Nicht so direkt. Aber ich könnte es ihr nicht verdenken, nach allem, was er ihr angetan hat", schluchzt Victoria.

„Einspruch."

„Wir können alle verstehen, das ist ein prägender Moment,

Mr. Farmer", sagt Hiller. „Abgelehnt."

Farmer lehnt es ab, Victoria zu befragen, denn er weiß, sie ist eine sympathische Zeugin und er glaubt, die Geschworenen würden es nie tolerieren, wenn sie in ein offensives Kreuzverhör genommen wird. Dennoch, Fakten waren Fakten, so oder so.

Als Dante Monroe im Zeugenstand sitzt, sagt er aus, als Detektiv für den Staatsanwalt gearbeitet zu haben. Er hat den Messerschmied, der, auf Madalena Ibarras Wunsch eine Nachbildung des Kochmessers von Helena Morales angefertigt hat, in Barcelona, Spanien, ausfindig gemacht. Dann hat er es zu Victoria Nunez, die in den USA ein Postfach hat, geschickt. Als er intensiver nachforschte, konnte Dante ein Paket verfolgen, adressiert an Madalena in Barcelona, Spanien. Das kam von einem gewissen Jose Mendez, der es, von einem Postamt in San Diego aus, verschickte.

„Und konnten Sie feststellen, wer Jose Mendez ist?"

„Das ist Miguel Ibarra, alias Michael Barron, einer seiner vielen Decknamen."

„Euer Ehren, ich muss gegen diese Aussage Einspruch einlegen", beschwert sich Farmer. „Es liegt doch auf der Hand, dass es ganz und gar unmöglich ist, dass dieser Privatdetektiv die ganzen so genannten Beweise zutage förderte. Das ist reine Spekulation seinerseits."

Ben wirft ein: „Und doch ist es keine Spekulation. Das wird alles bestätigt, in Zeugenaussagen, in Akten und Dokumenten, die auch dem Gericht und Mr. Farmer vorliegen."

„Ich bin selbst fasziniert von Mr. Monroes Geschick als Ermittler", meint Richterin Hiller, beugt sich in ihrem Stuhl vor in Dantes Richtung, als wolle sie schauen, ob sich auf seinem Kopf Feenstaub bildet. „Einspruch abgelehnt. Noch Fragen an den Zeugen, Mr. Farmer?"

„Die habe ich tatsächlich", antwortet Farmer, kommt langsam auf Monroe zu und schaut dann zu den Geschworenen. „Mr. Monroe, Sie sind ein echt guter Detektiv, nicht?"

„Privatdetektiv. Lizenziert und bestens ausgestattet. Vom Kopf bis zu den italienischen Lederschuhen."

Kichern von den Geschworenen. Farmer muss grinsen, was alle bemerken, und fährt fort: „Das soll kein Vorwurf sein, Mr. Monroe. Aber wie kamen Sie zu dem Schluss, dass Michael Barron, bürgerlich Miguel Ibarra, auch Jose Mendez ist?" Das ist schon ein großer Sprung."

„Michael Barron besitzt in San Diego eine Eigentumswohnung, die auf den Namen Jose Mendez läuft, dass er anonym bleibt. Dieser Name ist aber auch ein Deckname, den er auf einem gefälschten Ausweis verwendet, wenn er an bestimmten Orten seinen Geschäften nachgeht, wie beispielsweise einer Bank, bei der er ein Schließfach hat."

„Echt? Und *diese* Information haben Sie wie beschafft? Nicht auf legalem Wege, nehme ich an."

Ben erhebt Einspruch gegen den Vorwurf der Illegalität.

„Zur Kenntnis genommen", sagt Hiller. „Aber ich lehne den Einspruch ab. Der Zeuge möge antworten."

„Ich bin in meinem Beruf gut, Mr. Farmer. Verfolge ich die Aktivitäten einer Zielperson, folge ich jedem Hinweis, jedem Faden."

„Und Sie stellen Menschen nach? Spionieren sie aus."

Ben steht auf, will Einspruch erheben, Hiller macht aber eine Geste, er solle Platz nehmen.

„Reine Wortklauberei", antwortet Dante. „Aber ich hatte die Gelegenheit, Miguel Ibarra zu beschatten, auf Wunsch seiner Mutter, Madalena

Ibarra. Ich habe beobachtet, wie er mehrmals seine Eigentumswohnung verließ. Ich machte Fotos und eines Tages folgte ich ihm zu seiner Bank. Ich konnte die Fotos der Bankangestellten zeigen und sie erkannte auf einem der Fotos Jose Mendez."

„Und was?", fragt Farmer und zuckt in Richtung der Geschworenen, „Prominente tarnen sich oft, um ihre Privatsphäre zu schützen. Scheinbar müssen sie sich vor Privatdetektiven wie Ihnen schützen.

„Einspruch."

„Stattgegeben. Dem folgenden Einspruch wird ebenfalls stattgegeben."

Farmer winkt theatralisch und schaut zurück zum Tisch der Verteidigung. „Ich habe keine weiteren Fragen mehr an den Zeugen, Euer Ehren."

„Noch Fragen, Mr. Parker?"

„Ja, danke. Mr. Monroe, als der Bankangestellte das Foto auf Jose Mendez' Ausweis sah, hat er da gesagt, er war an diesem Tag dort?"

„Er ging zu seinem Schließfach."

„Sahen Sie, ob er die Bank mit irgendetwas in der Hand verließ?"

Dante nickt. „Er betrat die Bank und verließ sie mit seinem Aktenkoffer, tatsächlich war es eher eine weiche Ledertasche. Ich folgte ihm zu einem Postamt in der Nähe. Er nahm aus der Tasche ein Paket und schickte es nach Barcelona, Spanien, das sagte zumindest die Postangestellte."

„Wo Madalena Ibarra wohnt."

„Ja."

„Mr. Monroe, Sie haben auch einen Fall für Marc Jordan bearbeitet, der einen Mandanten bei einem Unfall mit Fahrerflucht verteidigte."

„Ja, korrekt."

„Fanden Sie in diesem Fall etwas, das zu Miguel Ibarra führt?"

Da springt Farmer wie von der Tarantel gestochen vom Tisch der Verteidigung auf. „Einspruch! Einspruch! Das ist total irrelevant! *Dieser* Fall hat nichts mit dem Fall zu tun, wegen dem wir hier heute im Gerichtssaal sind."

Ben verspricht: „Die Verbindung werde ich herstellen, Euer Ehren, wenn Sie mir gestatten, die Befragung fortzuführen."

Die Richterin stimmt zu, aber warnt: „Hier lasse ich Ihnen etwas Freiraum, aber bleiben Sie beim Thema oder ich entziehe Ihnen das Wort und lasse alles aus dem Protokoll streichen."

„Danke, Euer Ehren." Ben fährt fort und stellt Monroe dieselbe Frage nochmals.

Monroe stellt eine Verbindung her, die Schlägerei, die Clive Parsons mit einem jungen, spanischen Mann hatte, wobei er ihm das Gesicht, zerschnitt und er dessen Blut auf das Hemd bekam. Die KTU verglich die DNS mit der DNS seines Vaters, Amador Ibarra, der verhaftet wurde, weil er Dr. Victor McMillen tötete.

„Und was hat das mit *diesem* Fall zu tun?", bohrt Ben nach.

„Marc Jordan hat ausgesagt, dass der Mann, den er über seiner toten Mutter knien sah, eine Narbe auf der linken Wange hatte, wie Miguel Ibarra nach der Auseinandersetzung mit Clive Parsons. Die Köchin der Ibarras erzählte mir außerdem, dass Miguel eine blutige Wunde im Gesicht hatte, die vom Arzt der Familie, Dr. Ruiz, behandelt wurde."

„Und sie erinnerte sich, dass das vor 15 Jahren geschah."

„Ja. Ganz richtig."

Farmer ist stocksauer und will sich erheben. Hiller streckt die Hand hoch, um anzudeuten, Farmer solle sich setzen.

Ben fährt fort: „Und jetzt wissen wir, dass Miguel das Messer hatte, mit dem Mr. Jordans Mutter getötet wurde, es in einem Schließfach deponierte, dann seiner Mutter schickte, die es dann anonym Mr. Jordan gab. Und so weit sind wir heute."

„Das reicht!", brüllt Farmer. „Und die Staatsanwaltschaft hält jetzt das Plädoyer. Und ich widerspreche aufs Schärfste."

„Das ist OK, Euer Ehren", stimmt Ben zu. „Ich habe keine weiteren Fragen an Mr. Monroe."

„Wir treffen uns heute, um 14:00 Uhr wieder", meint Hiller und läutet somit die Mittagspause ein.

· · ·

Die Tür ist hinter ihnen ins Schloss gefallen und Amador herrscht Farmer an: „Sie bringen mich noch lebenslang ins Gefängnis und meinen Sohn machen Sie zum Mittäter. Warum ist Madalena nicht im Zeugenstand? Können Sie nicht die Schlampe in den Zeugenstand rufen, dass sie ihre Geschichte erzählt?"

„Nur die Ruhe. Kommen Sie runter. Wir haben die Gelegenheit, unsere Sicht darzulegen und diese ganzen Aussagen zu widerlegen. Ich möchte, dass Sie ruhig und überzeugend wirken, wenn ich Sie in den Zeugenstand rufe. Haben Sie ein Mittel, dass sie einnehmen können? Wenn ja, nehmen Sie es jetzt."

Ben beginnt: „Euer Ehren, meine Nächste Zeugin wäre Madalena Ibarra gewesen, eine Belastungszeugin, die man während ihrer Befragung, die ihrer Aussage unter Eid vorausging, über ihr Recht zu Schweigen aufklärte. Ich habe Mr. Farmer die Aufzeichnungen gezeigt und jetzt dem Gericht als zusätzlichen Beweis, den sich die Geschworenen ansehen können.

„Miguel Ibarra, alias Michael Barron, wird angeklagt der Behinderung der Justiz, denn er hat Beweismittel verschwinden lassen. Dem Rat seines Anwalts entsprechend, hat er sich geweigert, in den Zeugenstand gerufen zu werden, was auch durch

Zusatz Fünf gedeckt wird." Ben reicht die Dokumente dem Richter.

„Ich werde diese beiden Zeugenaussagen genau überprüfen, dann abwägen, ob sie für das Gericht relevant sind. Fahren Sie fort, Mr. Parker."

Marc ist der letzte Zeuge des Staatsanwalts und erzählt, woran er sich erinnert. Einen Großteil seiner Erinnerung ist zurück, dennoch sah er den Kampf nicht, auch nicht, dass wirklich Amador Ibarra der Mörder war oder das Messer führte. Er kann auch nicht sicher sagen, ob Miguel unschuldig ist, der rein zufällig an den Tatort kam.

Marc erinnert sich, dass er das Messer mit den Initialen H. M. auf dem Anwesen der Ibarras sah. Er gibt zu, es wurde nicht erfasst, ehe er dann zu seinem Lagerraum kam, um die Habseligkeiten seiner verstorbenen Eltern zu durchsuchen.

Ben sagt: „Bitte, erzählen Sie den Geschworenen und dem Gericht, wie sie herausgefunden haben, woher das Messer war.

„In einem der Lagerbehälter fand ich eine Holzschachtel mit einem hübschen Scharnierschloss. Ich öffnete sie und darin befand sich ein Messerset, wobei die Messer alle die Initialen H. M. auf den Griffen hatten. Eines fehlte, das Küchenmesser mit gezahnter Klinge, das Sie jetzt bei den Beweismitteln finden."

„Und wann sahen Sie das Messer wieder?"

„Als es mit Fed Ex in meinem Büro ankam,

eingehüllt in ein blutiges Handtuch. Ich gab es dann Ihnen."

Ben erklärt: „Ich habe für das Gericht dieses Beweisstück markiert und ich bitte zu vermerken, dass es von der KTU auf DNS und Fingerabdrücke untersucht wurde, ehe es heute wieder dem Gericht vorgelegt wurde.

„Marc, erzählen Sie uns von dem grausigen Tag vor 15 Jahren, als Sie Ihre Mutter tot auf dem Küchenboden fanden, in einer Lache aus ihrem eigenen Blut, Miguel Ibarra über sie gebeugt..."

„Einspruch, Euer Ehren. Vorverurteilung. Es wurde noch nicht bewiesen, dass es Miguel Ibarra war."

„Einspruch stattgegeben."

„Ich formuliere die Frage anders. Als Sie Ihre Mutter tot auf dem Boden sahen, sagten Sie außerdem, ein junger Mann hätte sich über sie gebeugt und dieser hätte eine Narbe im Gesicht gehabt. Hörten oder sahen Sie sonst noch wen?"

„Ich glaube, es waren zwei Männer. Ich sah den anderen nicht, hörte aber zwei Stimmen."

„Und über Jahre verdrängten Sie das alles aus Ihrem Gedächtnis, bis kürzlich. Mr. Jordan, wie geht es Ihnen, 15 Jahre später, wo sie sich sicher sind, dass der junge Mann, den Sie an diesem Tag sahen mit der Narbe auf der linken Wange, Miguel Ibarra war?"

Marc antwortet: „Was mir letzte Gewissheit gab,

waren die Vorher-/Nachher-Fotos, die Dante Monroe in Dr. Ruiz' Klinik in Mexiko-Stadt ... gefunden hat."

„Gestohlen hat!", meint Farmer.

„Diese Fotos?", fragt Ben, ignoriert die Einlassung des Verteidigers, reicht die Fotos Marc und dann den Geschworenen."

„Ja."

„Ich erhebe Einspruch dagegen, dass diese höchst privaten, medizinischen Aufnahmen als Beweismittel zugelassen werden." Farmer hatte erwartet, sie würden zugelassen, will dann aber an den Sinn der Geschworenen für Privates appellieren, etwa *Wie würden Sie sich fühlen, wenn man Ihre privaten Fotos ohne ihre Erlaubnis zeigen würde?*

Hiller lässt sich mit ihrer Entscheidung Zeit, setzt aber für den kommenden Morgen eine Anhörung an. Die Wirkung auf die Geschworenen, die alle unterschiedlich dreinschauen, als die Fotos herumgereicht werden, ist ihm nicht entgangen.

„Marc, was geht jetzt nach all den Jahren in Ihrem Kopf vor? Ich kann mir vorstellen, für einen kleinen Jungen muss es ein schwerer Schock gewesen sein, die Mutter auf so eine Art sterben zu sehen. Wie fühlen Sie sich jetzt?" Man spürt Bens Mitleid für seinen Freund. Ein Raunen geht durch den Raum, als hielte die Welt den Atem an, während sie auf die Antwort wartet.

Marc senkt mit geschlossenen Augen den Blick

und sagt dann wütend: „Das Schlimmste ... Das Schlimmste ist, dass ihr niemand half. Es war ihnen allen egal. Sie hätten sie retten können, hätten sie Hilfe geholt. Das taten sie nicht. Sie riefen den Notdienst nicht. Sie rannten einfach davon."

KAPITEL SIEBENUNDZWANZIG

„Mr. Jordan. Sie sagten, Sie glauben, es waren zwei Männer. Weder der eine noch der andere half ihr. Halfen Sie, Mr. Jordan?" Farmer greift ihn direkt an. „Was haben Sie getan? Mischten Sie sich ein, riefen Sie den Notdienst? *Sie* hätten vermutlich Ihre Mutter retten können, wären Sie früher gekommen, hätten ihr geholfen, sie beschützt, stattdessen haben Sie mit einem Modellflugzeug gespielt."

Ben steht auf. „Einspruch, Euer Ehren. Das ist traurig und bedauerlich. Der Zeuge war damals ein kleiner Junge."

„Stattgegeben", stimmt Richterin Hiller zu. „Einspruch stattgegeben. Lassen Sie das, Mr. Farmer."

„Verzeihung, Euer Ehren. Aber, Mr. Jordan.

Entspricht es nicht der Wahrheit, dass Sie sich nicht wirklich an diesen geheimnisvollen Mann mit der Narbe erinnern konnten, bis sie das Foto von Miguel Ibarra vor und nach der Operation sahen? Und dass sie so darauf bedacht waren, jemandem, egal wem, die Schuld zu geben, dass Sie das alles erfunden haben?"

„Warum, um alles in der Welt, sollte ich das?"

„Vermutlich aus Schuldgefühlen, vielleicht war ihre Erinnerung auch nur ein Traum, etwas, das Sie sich so lange vorstellten, dass es für Sie real wurde."

„Es war real! Es *ist* real."

„Diese so genannte Wahrheit von Ihnen wurde nicht nur 15 Jahre von Ihnen unterdrückt, es hat in der ganzen Zeit auch niemand anders einen Beweis gefunden, der auf den Täter in diesem Verbrechen schließen ließ, geschweige denn, dass Miguel und Amador Ibarra Komplizen waren. Warum ist das so, Mr. Jordan?"

„Das war auch für mich ein Rätsel", antwortet Marc und er döst weg an einen weit entfernten, widersinnigen Ort. „Aber dann sah ich einzelne Puzzlestücke und alles ergab langsam ein Bild. Dieses zeigte, beide Ibarras waren darin verwickelt. Dann tauchte das Messer auf mit den Initialen meiner Mutter auf dem Griff, dann kamen die Spurensicherung und die DNS. Da wurde mir klar, dass meine Erinnerung an den Mann mit der Narbe tatsächlich sehr real war."

Farmer fragt nun anders: „Ist es nicht so, dass Sie mit Anabel Ibarra, der Tochter von Amador und der Schwester von Miguel zusammen waren."

„Ja, ist es. Wir waren zusammen."

„Und diese Verbindung ist schon vorbei, nicht wahr?"

„Ja."

„Und Ihre Beziehung zu Ms. Ibarra nahm irreparablen Schaden?"

„Könnte man so sagen."

„Und weil Sie sitzen gelassen und aufs Abstellgleis geschoben wurden, haben Sie diese ganze Geschichte vom Mord an Ihrer Mutter erfunden."

„Beeinflussung des Zeugen", wirft Ben ein und wünscht sich, er könnte Farmer den Hals umdrehen, dass er die persönliche Integrität Marcs herabsetzt und seine persönliche Schwäche ausnutzt.

Aber Marc fasst sich wieder und gibt mit gleicher Souveränität zurück: „Warum plädiert Ihr Mandant dann auf Notwehr und gibt zu, meine Mutter getötet zu haben? Ich habe das nicht erfunden!"

Im Raum ist ein Raunen zu hören und Hiller schlägt mehrmals mit dem Hammer auf den Tisch. „Ich bitte um Ruhe. Sonst werden Sie aus dem Gerichtssaal entfernt."

Marc darf den Zeugenstand verlassen und die Show geht richtig los. Die Verteidigung ist bereit, ihren Fall zu präsentieren und Farmer tritt ins Rampenlicht.

„Da es keine Zeugen dafür gibt, was wirklich an diesem Tag geschah, außer Marc Jordan, dessen Erinnerung bestenfalls vage ist sowie Helena Morales, die tragischerweise tot ist ..." Ein allgemeines Stöhnen geht durch den Gerichtssaal, als Farmer das sagt.

„Kollege?", meint Hiller, schaut zu Farmer und hebt mahnend die Augenbrauen.

„Verzeihung, Euer Ehren. Das war taktlos von mir. Entschuldigung. Amador weiß genau, er kann sich nicht selbst verteidigen, hat aber dennoch zugestimmt, in den Zeugenstand zu treten und nochmals von seiner Beziehung zur Verstorbenen zu erzählen."

In seinem schlichten, blauen Anzug mit dem gewöhnlichen, roten Seidenhemd und in seinen italienischen Lederschuhen tritt Amador in den Zeugenstand. In der linken Hand hält er einen Rosenkranz, legt die rechte auf die Bibel und wird vereidigt. Seine Mutter, Consuela, sitzt in der vordersten Reihe, spricht im Stillen ein Ave-Maria, nicht zum Schutz ihres Sohnes, sondern weil sie Vergebung will für seine Gottlosigkeit. Er hat, seit er ein kleiner Junge war, nie mehr einen Rosenkranz angefasst.

„Señor Ibarra, Sie geben zu, eine Beziehung mit

der Verstorbenen gehabt zu haben. Können Sie uns sagen, wie die zustande kam?"

„Ja. Ich kannte sie überhaupt nicht bis zum Tod ihres Ehemannes, Franco. Franco war der Verwalter meines Weinguts und mein bester Freund."

„Er starb also", bemerkt Farmer und will ihn subtil darauf lenken, dass er die schrecklichen Einzelheiten von Francos Tod, den seine Tochter verschuldete, darlegt. „Und dann wollten Sie ihr Beileid bekunden."

„Einspruch, Beeinflussung des Zeugen", sagt Ben.

„Stattgegeben."

Ibarra erzählt, wie er Helena Morales auf Francos Beerdigung kennen lernte. Sie tat ihm leid, weil sie Witwe war und ihren kleinen Sohn von jetzt ab allein aufziehen musste, also besuchte er sie, um zu sehen, wie sie mit der Situation zurechtkam. Bald schon wurden die Besuche mehr als nur freundschaftliche Treffen. Sie wurden intim und verliebten sich.

„Zu dieser Zeit waren Sie verheiratet", bemerkt Farmer.

„Ja. Aber Sie lebten schon lange getrennt von Ihrer Frau. Meine Frau war nach Spanien gezogen."

Farmer schmückt die Geschichte aus: „So wurden Sie und diese höfliche, liebreizende Frau ein Liebespaar. Und Sie wollten sich um sie kümmern, dass sie und ihr Sohn es im Leben leichter haben nach Francos Tod, der außerdem Ihr bester Freund war. Sie waren ganz allein und brauchten Trost."

„Ja."

„Sie hielten diese Beziehung eine ganze Weile geheim. Warum ließen Sie sich nicht scheiden, um Helena Morales zu heiraten?"

„Als Katholik ist eine Scheidung verboten. Außerdem wollte ich sie vor der Gemeinde nicht in Verlegenheit bringen. Ihr Können als Köchin rechnete man ihr hoch an und ich würde nie etwas tun, das ihren Ruf gefährdet."

„Also besuchten Sie sie an besagtem Tag und es geschah etwas, dass noch weitreichende Folgen nach sich ziehen würde. Erzählen Sie uns von diesem Tag."

Amador beginnt: „Ich war überglücklich, sie zu sehen, sie regte sich aber über irgendwas auf. Sie wollte mir nicht davon erzählen. Als ich versuchte, sie zu trösten, wurde sie nur noch wütender. So hatte ich sie noch nie gesehen. Sie war immer so angenehm, freute sich immer, mich zu sehen. Ich wollte sie in den Arm nehmen, sie aber stieß mich weg, sagte mir, ich solle verschwinden und niemals zurückkommen und dass sie es bereut, je etwas mit mir angefangen zu haben. Das brach mir das Herz." Er fasst sich an seinen Nasenrücken, als halte er Tränen zurück.

„Dann bedrohte sie mich, mit dem Messer, das sie in der Hand hielt. Ich glaube, als ich sie in ihrem

Landhaus besuchte, bereitete sie gerade ein Essen für einen ihrer Kunden. Nun aber richtete sie es auf mich und stürzte sich auf mich. Ich wich zurück. Schockiert. Dann versuchte ich, ihr das Messer wegzunehmen. Es gab eine Rangelei. Sie war stark, trotz ihrer schlanken, weiblichen Gestalt. Wir verloren das Gleichgewicht und purzelten auf den Boden, griffen beide nach dem Messer. Ich erlitt Schnittwunden an der Hand und unser Blut vermischte sich. Oh, wie schrecklich.

Ich wollte ihr nichts tun, aber es ging um mein Leben. Wir wälzten uns wieder auf dem Boden, das Messer geriet zwischen uns. Plötzlich lag sie still und taub da. Ich sah das Blut. Es war ein Unfall. Ich schwöre. Ich schwöre, bei meiner Mutter." Er schaut zu Consuela, die stoisch dasitzt und auf ihrer Lippe kaut.

„Hier, Señor Ibarra", sagt Farmer und reicht ihm höflich eine Schachtel Kosmetiktücher, dass er sich die Tränen abwischen kann.

Farmer säuselt mit weicher Stimme: „Sie kümmerten sich um sie und halfen ihr, nach dem Tod ihres Mannes mit Geld aus. Und richteten sogar einen Treuhandfonds für ihren Sohn, ein."

Amador nickt.

„Und Helena drohte, sie mit ihrem Küchenmesser zu erstechen", fasst Ben zusammen und hebt das Beweisstück im Plastikbeutel hoch. „Es kommt zu einer Rangelei. Sie fällt auf das Messer, das sich durch ihren Brustkorb bohrt. Sie kämpften beide. Obwohl sie zehn Zentimeter größer, ein paar Pfund schwerer und stärker sind, da Sie ja jahrelang auf ihrem eigenen Weingut arbeiteten, wollen Sie uns glauben machen, dass die Klinge irgendwie in ihren Bauch stach und lebenswichtige Organe verletzte?"

„Es war Notwehr", sagt Amador. „Sie ging mit ihrem Messer auf mich los."

„Sie sagten gerade, es sei ein Unfall gewesen. Jetzt sagen Sie, es war Notwehr. Was denn nun?"

„Beides", bringt Amador kleinlaut hervor.

„Aber an diesem Tag kam es zu einer Rangelei, Sie war wütend und Sie wussten nicht, warum. Vielleicht weil Sie sie betrogen haben so wie Sie Ihre Frau auch?"

„Einspruch."

„Abgelehnt."

„Darauf müssen Sie nicht antworten", wirft Ben ein. „Ihr Ruf eilt Ihnen voraus. Die Wahrheit ist, sie hatten eine geheime Beziehung mit ihr, nachdem ihr Ehemann ums Leben kam. Sie war verletzlich, das nutzten Sie aus. Davon hatte sie schließlich genug."

„Sie war mehr als willig", verteidigt sich Amador. „Ich liebte sie und sie mich auch. Ich kümmerte mich um sie."

Ben konfrontiert ihn: „Ja, Sie kümmerten sich um sie. Wollten sich ihre Verschwiegenheit mit ihrem schmutzigen Geld kaufen, obwohl Sie wussten, dass

Ihre eigene Tochter Helenas Ehemann, Marc Jordans Vater, ermordete. Sie war es doch, die absichtlich das Feuer auf Ihrem Weingut gelegt hat."

Die Geschworenen stöhnen hörbar, Farmer erhebt die Hand zum Einspruch und sagt: „Mutmaßung, nicht belegt und völlig irrelevant, Euer Ehren!"

„Stattgegeben. Bleiben Sie bei den Fakten, Mr. Parker."

Ben spottet in Richtung des Zeugen: „Nachdem Sie sich *geschützt* haben vor Helena Morales' Messerangriff, was taten Sie dann? Versuchten Sie, ihr zu helfen?"

I-ich hatte Angst. Ich wusste einen Moment nicht, was ich tun sollte. Ich war schockiert."

„Aber dann kam noch wer. Miguel, Ihr Sohn. Um Ihnen zu helfen, alles zu vertuschen. Und Sie rannten davon wie ein Feigling."

„Nein. So war es nicht. Er sagte, dass er den Notruf anruft und sagte mir, ich solle gehen, um Helenas Ruf zu wahren. Um mich zu beschützen. Ich dachte, er würde ihr helfen!"

„Aber Miguel rief auch niemanden an. Er wickelte das blutige Messer in ein Handtuch, sorgte dafür, dass sämtliche Beweise, dass sie am Unfallort waren, verwischt wurden, dann ließ er Helena in einer Lache aus ihrem eigenen Blut liegen, wie sie ihr Sohn dann fand. Dann floh er wie Sie, nur dass er das Messer nicht verschwinden ließ, sondern es behielt, es in einem Bankschließfach versteckte als Druckmittel gegen Sie. Und dieses Geheimnis blieb mehr als 15 Jahre geheim. Bis heute."

Diesmal ist Amadors Zusammenbruch nicht gespielt. Farmer genießt seinen Triumph.

KAPITEL ACHTUNDZWANZIG

DIE GESCHICHTE VON MICHAEL BARRON IST EIN gefundenes Fressen für die Paparazzi und die Boulevardblätter. Ihre Leser können ihre kranke Gier nach Skandalen und Sensation stillen, denn jedes noch so kleine Detail wird breitgetreten. Barron wird nicht geächtet, sondern zu einem noch größeren Star als jemals zuvor. Er ist nicht der Übeltäter, sondern das Material für Verschwörungstheorien, das Opfer seines skrupellosen Vaters, Zielscheibe für Neid und Eifersucht. Er hat keine jungen Mädchen belästigt oder Farbige respektlos behandelt ... er war ja selbst einer. Er hatte eine zweite Chance verdient, wie alle, oder?

Tatortfotos von Angela Bolanes Leiche sind überall im Mittelteil von Zeitschriften zu sehen, wie auch von Victor McMillans Leiche, die man aus dem

Brunnen der Ibarrras meißelt. Daneben sieht man immer Michael Barrons hübsches, unschuldiges Gesicht, denn wo er auch geht und steht, begleiten ihn Kameras. Seine Kreditwürdigkeit wächst. Seine CDs verkaufen sich wie geschnitten Brot, seine Lieder werden millionenfach heruntergeladen. Es gibt Interviewanfragen von Realityshows. Hollywood, das sich zuerst nicht für ihn interessierte, klopft an und möchte einen Fernsehfilm über sein Leben drehen.

Miguel Ibarra, alias Michael Barron, tourt durch ferne Orte in Südamerika, nutzt den Abstand, um Bens Vorladung zu entgehen. Sobald er ein Land betritt, das ihn zurück nach Kalifornien überstellt, tritt die Vorladung in Kraft. Madalena Ibarra versucht sich hinter ihrem Aussageverweigerungsrecht zu verstecken, man zwingt sie auszusagen, sie wird es aber erst tun, wenn Miguel zurückkehrt. Sie beide werden von Richterin Hiller verurteilt, wegen Missachtung des Gerichts, Ben klagt sie beide wegen Strafvereitelung an.

Tagelang wartet man gespannt auf das Urteil der Geschworenen, Ben und Marc trösten sich gegenseitig. Dann kommt die Enttäuschung ihres Lebens: Die Geschworenen können sich nicht einigen. Die eine Hälfte glaubte, Helenas Tod sei ein tragischer Unfall gewesen und Amador hätte nur versucht, sich zu schützen, sie nicht umbringen wollen, die andere Hälfte sahen berechtigte Zweifel, denn Zeugen für den eigentlichen Mord gab es keine und es war so lange her.

„Und nachdem Sie, im Glauben ein gerechtes Urteil zu fällen, ausgiebig beraten haben, kommen Sie nicht überein?"

„Nein, Euer Ehren."

ANABEL IST VERZWEIFELT nach dem herzzerreißenden Ende mit Marc. Sie bekommt eine schwere Depression und verlässt ihr Zimmer kaum noch. Aber eines Tages vernimmt sie eine vertraute Stimme. Es ist Marc! *Er ist doch noch gekommen. Er verzeiht mir.* Langsam geht sie die Treppe hinunter, verharrt aber auf der ersten Stufe, denn sie hört etwas, das mit Verzeihen nicht das Geringste zu tun hat.

„Ich weiß es zu schätzen, dass Sie gekommen sind, um mich zu sehen, Marc. Ich weiß, wie schwer es gewesen sein muss, uns nach allem, was geschah, wieder zu sehen."

„Ich sollte es besser wissen, aber ich wollte aus erster Hand hören, was Sie zu sagen haben, wie Sie die Wahrheit verzerren und verdrehen würden."

Abuela nickt mitfühlend und versteht seinen Schmerz. Sie hegt die verzweifelte Hoffnung, dass er ihr Flehen erhört.

„Anabel liebt Sie. Sie leidet sehr. Wir können nicht in Worte fassen, wie leid uns das alles tut und wissen, Sie können uns nie vergeben, dass wir solch schändliche Geheimnisse für uns behielten. Ob Sie's glauben oder nicht, Amador liebte Ihre Mutter und es trifft ihn sehr, was passiert ist. Er war der beste Freund Ihres Vaters."

„Ein bester Freund, der dessen Witwe betäubte und tötete."

„Wir werden alles tun, um Ihnen zu helfen. Wir könnten Ihnen einen Posten in einer Privatkanzlei verschaffen, einer lukrativen. Sie müssten keine Fälle mehr pro bono übernehmen, nicht mehr als Pflichtverteidiger arbeiten. Sie können ein besseres Leben haben ohne finanzielle Sorgen."

Marc bleibt der Mund offen stehen und Abuela deutet sein Schweigen als Zeichen der Hoffnung. Aber Marc ist entsetzt und muss schon fast über ihr Angebot lachen.

„Sie denken, ich würde mich auf Ihren Gefallen, Ihren *Deal* einlassen, nach allem, was Ihre Familie meiner angetan hat?"

„Bitte, Marc. Das ist unsere Art, es wieder gut zu machen. Ganz gleich, was Sie glauben, Amador liebte Franco und wollte Ihnen und Ihrer Mutter nach seinem Tod nur helfen. Deshalb hat er einen Treuhandfonds für Ihre Ausbildung eingerichtet. Also haben Sie bereits von uns einen Gefallen und unser Geld angenommen. Ohne das alles wären Sie nie Anwalt geworden."

· · ·

TREUHANDFONDS. Von Amador. Er war Helenas Geliebter. Anabel bekommt einen Wutanfall, herrscht ihren Vater an, wirft alles Mögliche nach ihm, wirft Akten und Bücher auf den Boden. „Euretwegen fing ich an, Feuer zu legen. Ihr habt meine Mutter fortgeschickt, euch geweigert, mir eine Behandlung zu ermöglichen. Wäre Großmutter nicht gewesen, hätte ich Dr. McMillan nie gefunden. Er hat mir geholfen. Ihr habt ihn mir genommen und nun nehmt ihr mir Marc."

„Bitte, Anabel. Das verstehst du nicht." Amadors arrogante Bemerkung hat keinerlei Wirkung, seine Worte wirken auf Anabel weder ernst noch wichtig.

„Das verstehe ich *wohl*. Ihr nehmt euch, was ihr wollt, ohne Rücksicht auf die anderen. *Wir* leiden. *Wir* werden bestraft. Aber IHR werdet nie bestraft … für NICHTS!", brüllt sie. Dann ergänzt sie noch, kaum hörbar: „Bis jetzt."

Anabel geht wütend aus dem Büro, wo Amador sitzt, tief verängstigt und zum ersten Mal in seinem Leben ratlos. Alles, was er sich aufgebaut hat, fällt zusammen wie ein Kartenhaus. Seine Kunden haben keinen Respekt, seine Familie keine Angst mehr vor ihm. Er könnte noch immer im Gefängnis landen, wenn Ben Parker sich entschließt, den Fall neu aufzurollen. Er möchte sterben.

In der Küche bereitet Carmela Amadors Betthupferl zu, bestehend aus einem Glas wärmendem Brandy und einer Schlaftablette. Noch

333

ehe Carmela ihrem Arbeitgeber das Tablett bringen kann, kommt Anabel und bietet an, ihm selbst das Tablett zu bringen.

„Mein Vater fühlt sich nicht wohl. Ich möchte ihn trösten, bevor er schlafen geht. Carmela, du kannst jetzt nach Hause. Du hattest einen langen Tag. Und teile dem restlichen Personal mit, sie können auch Feierabend machen. Ich habe euch alle sehr gern, wie ihr wisst. Ich werde nie vergessen, wie nett ihr zu mir seid." Anabel umarmt Carmela, die erwidert die Umarmung, ist aber überrascht, wie herzlich, fast liebend, sie für einen Moment gedrückt wird.

„Danke, Miss Anabel." Schlaf gut. „Dann bis morgen?"

„Ja. Natürlich."

Es stehen nun zwei Gläser Brandy auf einem Silbertablett, aber nur in einem ist ein Schlafmittel, stark genug, ein Nashorn außer Gefecht zu setzen. Anabel reicht das Glas ihrem Vater, achtet darauf, dass er das richtige erwischt und entschuldigt sich für ihren Ausbruch. „Ich dachte, wir beide müssen etwas zur Ruhe kommen, Papa. Du bist noch immer mein Vater und weder du noch ich sollten unsere Beziehung zerstören, Nun auf Ex."

Sie nehmen beide einen tiefen Schluck, Anabel, um sich Mut anzutrinken, Amador, um seine Tochter zu besänftigen. Sie tut so, als erinnere sie sich an ihre guten Momente, die wenigen, die so lange zurückliegen, an die sich beide aber dennoch erinnern. Amador nickt, honoriert aber ihre kindlichen Träumereien kaum. Bald darauf ist sein Glas leer und sein Kopf fällt auf seine Brust.

Anabel schreitet, gleitet fast durch den Raum, zündet ein paar Kerzen an, die rituell aufgestellt sind. Kerzen, Leuchter, Laternen, alles, was einen Docht hat, füllt den Raum aus. Sie verriegelt die Türen und macht das Licht aus. Sie wirft eine Kerze nach der anderen um, bis die Tischdecken und Vorhänge Feuer fangen. Kleine Brände, mit blau-weißen Flammen, fressen sich in den Stoff und erhellen den dunklen Raum. Rote Funken fliegen in die Luft und fallen auf den Teppich, wollen einen Faden entzünden, werden dann aber zu rauchender Glut. Das Feuer findet aber neuen Brennstoff und lodert heftiger. Anabel ist sowohl erregt als auch beruhigt, als sie sieht, wie die Flammen alle schmerzlichen Erinnerungen aus ihrer Kindheit, von der Grausamkeit ihres Vaters verzehren.

Bewusstlos, vom Betäubungsmittel, atmet Amador den giftigen, tödlichen Rauch ein. Anabel steht in der geöffneten, französischen Tür, die zum Garten führt. Anabel steht in der Tür, zwischen der rettenden Nachtluft und dem Arbeitszimmer, nickt angetan den betörenden rötlich-orangefarbenen Flammen zu, die auf die Möbel übergreifen und schon bald den Stuhl erfassen, aus dem ihr Vater nicht mehr aufstehen wird. Sie möchte ihre Rache auskosten, nimmt den Stuhl gegenüber von Amador und schaut zu, wie er langsam verbrennt, wie eine Hexe auf dem Scheiterhaufen.

„Franco wurde nicht die Gnade zuteil, mit einem Opiat seine Schmerzen zu lindern. Er spürte jede qualvolle Sekunde, in der ihm das Fleisch von den Knochen gebrannt wurde, wohl wissend, es gibt kein Entkommen, niemand würde ihn von aus seiner Not befreien. Diese Flammen waren für dich gedacht, nicht für Franco. Ich wollte dein wertvolles Weingut niederbrennen, das du auf dem Rücken und mit dem Blut so vieler Unschuldiger aufgebaut hast. Und nun werde ich dafür sorgen, dass du nie mehr aufwachst und keinen verlogenen, betrügerischen, verletzenden Atemzug mehr tust. Es ist mir eine Freude, zu wissen, dass ich es zum Schluss doch fertigbrachte, dich in deinen eigenen vier Wänden einzuäschern."

IRGENDWO, tief in ihrem Hinterkopf, hört Anabel das laute Heulen der Sirenen von Feuerwehrautos und Krankenwagen. Das Büro ist zerstört, sie aber schon über alle Berge, in Sicherheit, wird ohnmächtig, träumt nichts dabei.

Trotz ihrer Verletzungen ist Anabel so klar im Kopf, dass sie Mirandas Warnung hört. Sie antwortet: „Ja." Mit Handschellen wird sie ans Krankenbett gefesselt, vor ihrer Tür wird ein Polizist stationiert, um ihr Zimmer im Auge zu behalten.

Man beschuldigt sie der Brandstiftung, weil sie versuchte, das Haus der Ibarras nieder zu brennen, des Weiteren des Mordes an Amador Ibarra und schließlich des vorsätzlichen Mordes an Franco Jourdain. Das verjährt nicht.

Völlig aufgelöst kommt Madalena zu Marc in die Kanzlei und fleht ihn an, ihre Tochter zu verteidigen.

„Bitte geh, sonst rufe ich entweder den Sicherheitsdienst oder werfe dich höchst persönlich raus.

„Sie ist krank, Marc. Keine Verbrecherin.“

„Sie ermordete *meinen* Vater, dann ihren eigenen. Sie ist nach meiner Rechtsauffassung eine Kriminelle. Sucht euch einen guten, teuren Anwalt, der das übernimmt. Ich kann es nicht.“

„Es muss sie jemand verteidigen, der wirklich glaubt, auch die Schuldigen verdienen eine gute Verteidigung.“

„Dass sie, nach typischer Manier der Ibarras, für alles auf nicht schuldig plädieren kann? Mir wäre es ein Graus, diese Person zu verteidigen. Ich kann es nicht und werde es nicht.“

Es bricht ihm das Herz, dass Anabel so abscheulich und krank ist und er es nicht gemerkt hat. Er begreift nicht, wie sie so liebenswert, so schön und verführerisch, gleichzeitig aber so böse sein konnte. Er verachtet Anabel dafür, was sie seinem Vater und ihm selbst angetan hat. Dennoch ist er hin und her gerissen. Wie auch ein Arzt nie einen

Angehörigen operieren sollte, sollten es sich Anwälte zweimal überlegen, ehe sie das Mandat eines ihrer Liebsten übernehmen, erst recht dann, da es um *lebenslänglich* geht. Könnte er als Rache die Beweise türken und sie als Bestie darstellen, in der Hoffnung, die Geschworenen würden sie des Mordes verurteilen? Oder würde er auf diesen Mist, den man sich über sie erzählt, dass sie krank, schwach und hilflos ist, also nur ein Opfer, dem Gnade zuteilwerden muss, hereinfallen? Fazit: Marc weiß jetzt, Ben hatte Recht. Die ganze Familie ist korrupt und kennt weder Skrupel noch Moral.

Madalena fleht ein letztes Mal: „Du musst nur einmal vergeben, aber dein Groll bleibt auf ewig bestehen. Lass dies nicht dich *selbst zerstören*."

Er schnappt sich seinen Aktenkoffer und rennt Madalena hinterher, mit folgendem Abschiedsgruß auf den Lippen: „Übernehmen Leute wie ihr denn niemals Verantwortung für eure Taten? Immer eine Entschuldigung, eine Rechtfertigung. Eure Opfer sind verdammt. Ich bin mit euch allen fertig."

KAPITEL NEUNUNDZWANZIG

Marc nimmt die Schlüssel für die Cessna 172 Skyhawk, die ihm der Verwalter der Rollbahn gibt, dann geht er an Bord der behaglichen einmotorigen Maschine und steigt ein. Er wird immer schneller und hebt schließlich ab. Sie ist nicht so leistungsstark, wie die Cirrus SF50, denn die Höchstgeschwindigkeit liegt bei 300 km/h, sie ist auch nicht so schlank, aber nostalgisch: In der Skyhawk lernte er das Fliegen und bis heute ist sie für angehende Piloten eine der liebsten Maschinen.

Normalerweise fliegt er nachts nicht. Die Sonne ist sein Nährstoff, der blaue Himmel sein Trost, der Horizont seine außerkörperliche Erfahrung. Aber der heutige Abend ist anders. Er könnte in die finstere Nacht über die Markierungslinie fliegen, wo das tiefblaue Wasser auf den schwarzen Himmel trifft, die Übersicht verlieren, dann die Kontrolle über das Flugzeug und abstürzen wie John Kennedy Jr. Wie leicht es doch wäre, den Steuerknüppel los zu lassen und das Flugzeug fliegen zu lassen, bis alles vorbei ist.

Niemand würde seinen Tod betrauern und es gäbe weder Lobeshymnen noch eine Zeremonie. Es würde ihn nicht im Geringsten stören. Heute Abend braucht er Geschwindigkeit und Kraft und den Lärm des Propellers, um seine Dämonen zu besiegen.

Das Recht hat ihn immer auf dem Boden gehalten, so romantisch in seinen Idealen, dass man einen Unschuldigen vor Gefängnis und Unterdrückung bewahren könnte. Aber was ist mit den Schuldigen? Anabel hat seinen Vater ermordet und behauptet, es war ein Unfall. Amador Ibarra hat seine Mutter ermordet und die Geschworenen konnten sich nicht einigen. An was für einem Rechtssystem ist er beteiligt? Seine Welt fällt zusammen.

Selbst in seiner Verachtung und seinem emotionalen Chaos versucht er wieder seine moralische Richtung als Pflichtverteidiger zu finden ..., dass jeder unschuldig ist bis zum Beweis des Gegenteils. Gibt es nicht Erlösung, selbst bei den abscheulichsten Verbrechen? Wenn der Täter so unbegreiflich krank wird und behandelt werden muss? Selbst wenn der Täter ein geliebter Mensch war, den man jetzt hasst? Selbst wenn die Opfer die eigenen Eltern sind? Sind die Umstände wirklich immer schwarz und weiß.

Vielleicht sollte er Staatsanwalt werden, seine Angst nochmals durchleben, wenn er die Bösewichte dingfest macht. Als Instrument fungieren, wo sie alle bekommen, was sie verdienen, und er, Marc, der Vollstrecker ist. Sein Freund Ben fasst den richtigen Gedanken.

In seinem jetzigen verrückten Zustand hört Marc ihre Stimme, eine die er nie mehr hören wird, die aber bleibenden Eindruck bei ihm hinterließ: „Du bist das Licht meines Lebens, Marcus. Ich könnte nicht überleben, wenn du nicht wärst. Ich bin so stolz auf dich. Eines Tages wirst du etwas Wichtiges und Bedeutendes mit deinem Leben anfangen, dass die Erde ein besserer Ort wird. Du wirst dein eigener Herr sein und deinen eigenen Weg gehen. Welchen Weg du auch immer einschlägst, tue es stets mit Güte im Herzen."

Es beruhigt ihn, ihre Worte wieder zu hören und zu wissen, sie glaubt an ihn. Wie könnte er sie im Stich lassen? Wie ihre Güte und inspirierende Führung verraten?

Weder sein Vater noch seine Mutter erlebten, wie er die Schule beendete und an einer der renommiertesten Universitäten für Rechtswissenschaften sein Studium abschloss. Sie sahen nie, wie glücklich er war, als er sein Examen abschloss und wie stolz, als er vereidigt wurde.

„Ich bin Pflichtverteidiger, der Hüter der Unschuldsvermutung, dem Prozess und einer fairen Verhandlung verpflichtet. Auf dass keiner meiner Feinde jemals vergessen möge, dass ich meine Mandanten mit Leib und Seele verteidige. Keiner kann für sie sprechen, außer mir..."

Er fliegt noch höher, beschleunigt auf eine Geschwindigkeit von 225 km/h und hat jetzt etwa 2400 Meter Höhe. Er sieht die Navigations-lichter aufleuchten, deren Licht eine Flotte Segelboote erhellt und fliegt sehr langsam wie in Zeitlupe. Er atmet jetzt tief und kontrolliert. Er fliegt zum Flugplatz zurück und steuert das Flugzeug auf die Lichter der Landebahn zu, im Hangar wartet man bereits auf ihn. Die Räder berühren sanft, fast geräuschlos die Erde und das Flugzeug kommt ganz zum Stillstand.

„Welchen Weg du auch immer einschlägst, tue es stets mit Güte im Herzen."

Ihm kommen die Tränen. Sie fließen langsam und stetig.

„Danke, Mutter, dass du mich an meine Pflichten erinnert hast und immer da warst, wenn ich dich brauchte. Es tut mir nur leid, dass ich nicht da war, als du mich gebraucht hast."

Marc kann das tun, was er jahrelang tun wollte:

abschließen. Er weiß jetzt, wer seine Mutter getötet hat und wie sein Vater wirklich starb, auch wenn ihm diese Erkenntnis das Herz brach. Niemand wird zur Verantwortung gezogen. Er wünschte sich fast, er hätte die Wahrheit nie gefunden. Er fühlt sich krank und verraten. Nirgends kann er hin mit seiner Wut, sondern sie nur unterdrücken, bis sie ihn verzehrt. Madalena flehte: „Du musst nur einmal vergeben, aber dein Groll bleibt auf ewig bestehen. Lass dies nicht dich *selbst* zerstören." Wie kann er einem anderen Menschen vergeben, wenn er sich selbst nicht vergeben kann. Der Mann mit der Narbe hat Spuren in seiner Vergangenheit hinterlassen, davon lässt er sich aber nicht seine Zukunft zerstören.

DURCH EINEN KARTELLANWALT lässt er sich ein Darlehen von einer Bank außerhalb der Stadt auszahlen, der dieselbe Höhe hat, wie der Fonds, der für sein Studium aufgenommen wurde. Diesen überweist er auf das Konto der Ibarras. Er kann keine Verbindung mehr, gleich welcher Art, zu den Ibarras, ihrem Anwesen, ihren Firmen oder ihren Geschäften haben. Er ist nun hoch verschuldet, wie jeder andere auch, der ein Studium gerade abgeschlossen hat. Es sind seine Schulden, es liegt in seiner Verantwortung und sie zurückzuzahlen ist sein Seelenheil.

Er reicht seinen Rücktritt bei der

Pflichtverteidigerkammer ein. Er kann nun private Fälle annehmen und der Weg, den er im Leben einschlägt, ist getragen von seinen Werten. Er möchte seine Eltern stolz machen, dass sie endlich in Frieden ruhen können.

Clive Parsons hat er geholfen, ihn aus dem Gefängnis geholt, sichergestellt, dass er Unterstützung erhält, dass er außerhalb der Gefängnismauern ein neues Leben beginnen kann. Er weiß, Clive kann sich das jetzt leicht leisten, deshalb hat Marc für seinen Mandanten eine Woche in einer Luxussuite des Del Coronado gebucht. Zuerst wird er Clive auf einer Fahrt mit der Fähre begleiten, wo sie die Küste entlang in den Sonnenuntergang fahren, ihn dann in der Kate Morgan Suite einquartieren. Vielleicht wird ihn Kate Morgan besuchen und ihm den Schreck seines Lebens verpassen.

Marc nimmt einen Anruf vom Chef von CIP an, der seiner Karriere nutzen wird. „Ich habe noch einen Gerichtstermin, ehe ich unterschreiben kann", informiert ihn Marc. „Ich rufe zurück, wenn das über die Bühne ist. Nein, es ist nur eine Vereinbarung."

Er tritt durch die Doppeltür des vertrauten Gerichtssaals, wo sein Mentor und Freund, Richter Larimer, den Vorsitz hat, und betritt den Tisch der Verteidigung. Neben ihm steht seine Mandantin, die angeklagt ist wegen Brandstiftung und vorsätzlichen Mordes. Er kann sie nicht ansehen, seine frühere

Geliebte und Verlobte, macht aber, was er geschworen hat.

„Marc Jordan, für die Verteidigung, Euer Ehren.“
„Ben Parker, für die Anklage.“

Ende

Sehr geehrter Leser,

Wir hoffen, Ihnen hat es Spaß gemacht, *Gesicht eines Mannes* zu lesen. Falls Sie einen Moment Zeit haben, hinterlassen Sie uns bitte eine Kritik auch wenn es nur eine kleine ist. Wir möchten von Ihnen hören.

Mit freundlichen Grüßen,

B. Roman und das Next Chapter Team

BIOGRAFIE AUTORIN

Barbara Roman (*alias B. Roman*) ist die Autorin, der inspirativen YA Moon Singer-Reihe und zwei Phantasieromanen für Kinder. Wegen ihrer Berufslaufbahn als professionelle Sängerin und Komponistin, basieren ihre Bücher auf Musiktheorie und Metaphern, gepaart mit der Magie und dem Geheimnis metaphysischer Konzepte, sowie Ethik, Glauben, Mitleid, Liebe und Heldenmut.

Als Grundlage schafft sich Roman gerne eine spannende, fiktionale Umgebung und taucht in die menschliche Psyche. Die Figuren in ihren Büchern werden in Intrigen, Mord und Verschwörungen verwickelt und versuchen, das Gleichgewicht zwischen Gut und Böse wiederherzu-stellen.

Gesicht Eines Mannes
ISBN: 978-4-86750-989-0
Große gebundene Ausgabe

Verlag:
Next Chapter
1-60-20 Minami-Otsuka
170-0005 Toshima-Ku, Tokyo
+818035793528

15 September 2021

Lightning Source UK Ltd.
Milton Keynes UK
UKHW010200070223
416581UK00003B/106